A VIDA
DOS
ESTOICOS

A VIDA DOS ESTOICOS

A arte de viver,
de Zenão a Marco Aurélio

RYAN HOLIDAY
STEPHEN HANSELMAN

Tradução de Alexandre Raposo
e Luiz Felipe Fonseca

intrínseca

Copyright © 2020 by Ryan Holiday and Stephen Hanselman
Todos os direitos reservados. Incluindo a reprodução total ou parcial em qualquer meio. Esta edição foi publicada mediante acordo com Portfolio, um selo de Penguin Publishing Group, uma divisão de Penguin Random House LLC.

TÍTULO ORIGINAL
Lives of the Stoics: The Art of Living from Zeno to Marcus Aurelius

PREPARAÇÃO
Stella Carneiro

REVISÃO
Carolina Vaz
Eduardo Carneiro
Milena Vargas

PROJETO GRÁFICO
Daniel Lagin

DESIGN DE CAPA
Sarah Brody

ILUSTRAÇÕES
Rebecca DeField

DIAGRAMAÇÃO E ADAPTAÇÃO DE CAPA
Julio Moreira | Equatorium Design

CIP-BRASIL. CATALOGAÇÃO NA PUBLICAÇÃO
SINDICATO NACIONAL DOS EDITORES DE LIVROS, RJ

H677v
   Holiday, Ryan, 1987-
     A vida dos estoicos : a arte de viver, de Zenão a Marco Aurélio / Ryan Holiday, Stephen Hanselman ; tradução Alexandre Raposo, Luiz Felipe Fonseca. - 1. ed. - Rio de Janeiro : Intrínseca, 2021.
       400 p. ; 21 cm.

      Tradução de: Lives of the stoics
      Inclui bibliografia e índice
      ISBN 978-65-5560-256-2

     1. Estoicos. 2. Filosofia antiga. I. Hanselman, Stephen. II. Raposo, Alexandre. III. Fonseca, Luiz Felipe. IV. Título.

21-71095   CDD: 188
                                      CDU: 17

Camila Donis Hartmann - Bibliotecária - CRB-7/6472

[2021]
Todos os direitos desta edição reservados à
Editora Intrínseca Ltda.
Rua Marquês de São Vicente, 99, 6º andar
22451-041 — Gávea
Rio de Janeiro — RJ
Tel./Fax: (21) 3206-7400
www.intrinseca.com.br

A VIDA DOS ESTOICOS

SUMÁRIO

Introdução   11

Zenão, o profeta   20

Cleantes, o apóstolo   34

Aríston, o desafiador   50

Crisipo, o lutador   64

Zenão, o guardião   78

Diógenes, o diplomata   84

Antípatro, o eticista   96

Panécio, o agregador   106

Públio Rutílio Rufo, o último homem honesto   122

Posidônio, o gênio   134

Diótimo, o infame   146

Cícero, o companheiro de viagem   152

Catão, o jovem, o homem de ferro de Roma   176

Pórcia Catão, a mulher de ferro   198

Atenodoro Cananita, o construtor de reis	208
Ário Dídimo, o construtor de reis II	214
Agripino, o diferente	224
Sêneca, o trabalhador	230
Cornuto, o comum	258
Caio Rubélio Plauto, o homem que não seria rei	264
Trásea, o destemido	272
Helvídio Prisco, o senador	284
Musônio Rufo, o inabalável	292
Epicteto, o liberto	308
Júnio Rústico, o obediente	328
Marco Aurélio, o rei-filósofo	340
Conclusão	367
Linha do tempo dos estoicos e do mundo greco-romano	375
Fontes e leitura adicional	387
Índice dos estoicos	397

INTRODUÇÃO

A única razão para estudar filosofia é se tornar uma pessoa melhor.

Tudo o mais, como disse Nietzsche, não passa de uma "crítica de palavras com palavras".

Nenhuma escola de pensamento acreditou mais nisso — o poder da ação frente ao poder das ideias — do que o estoicismo, um antigo ramo filosófico que remonta à Grécia do século III a.C.

Foi Sêneca — um filósofo estoico da era romana, afastado da Academia — quem afirmou de forma bastante direta que não havia outro propósito em ler e estudar a não ser o de levar uma vida feliz.

Mas não é esse o papel que a filosofia desempenha no mundo contemporâneo. Hoje tudo gira em torno do que as pessoas inteligentes dizem, as palavras difíceis que usam, os paradoxos e enigmas com que podem nos deixar perplexos.

Não é de admirar que a filosofia seja vista como algo inaplicável. Ela é!

Este livro tratará de uma sabedoria diferente e muito mais acessível, do tipo abordado por pessoas como Sêneca, um homem que serviu a seu país das mais nobres maneiras, suportou exílio e perdas, lutou contra os próprios defeitos e ambições e, por fim, morreu de maneira trágica e heroica, comprometido a não renunciar às suas teorias. Ao contrário dos chamados "filósofos de tinta e papel" — conforme eram ironicamente denominados até mesmo dois mil anos atrás —, os estoicos preocupavam-se em primeiro lugar com a forma com que alguém *vivia*. As escolhas feitas, as causas que seguiu, os princípios aos quais aderiu ao enfrentar adversidades. Eles se importavam com o que era feito, não com o que era dito.

Sua filosofia, da qual precisamos hoje mais do que nunca, não era uma filosofia de ideias efêmeras, mas de ação. Suas quatro virtudes são simples e diretas: coragem, temperança, justiça e sabedoria.

Por isso, a possibilidade de aprender tanto pelas experiências vividas dos estoicos (seus trabalhos) quanto por seus escritos filosóficos (suas palavras) não deveria ser tão surpreendente. O conhecimento oferecido em trabalhos publicados por Catão, o jovem, é escasso — tendo trabalhado como servidor público por toda a vida, ele se viu tão ocupado com os deveres do cargo e com batalhas que escreveu não mais do que poucas sentenças. Mas a história sobre como se portou — com uma integridade obstinada e verdadeiro altruísmo — em meio ao declínio e à queda da República nos ensina mais a respeito da filosofia do que qualquer ensaio. Da mesma forma, pouco chegou até nós sobre as teorias de Diótimo, um estoico do início do século I a.C., mas a lenda de sua fraude literária nos mostra que até as pessoas mais íntegras podem se perder no caminho. Isso também vale para a vida de Sêneca, cujas obras eloquentes sobreviveram ao tempo, e ainda assim

INTRODUÇÃO

devem ser contrastados com os compromissos exigidos por seu cargo sob o governo de Nero.

E não é apenas da vida dos estoicos que extraímos páginas e mais páginas de ensinamentos, mas também da morte — todo estoico nasceu para morrer, seja por assassinato, suicídio, seja de forma mais peculiar, de tanto rir, como foi o caso de Crisipo. Cícero certa vez disse que *filosofar é aprender a morrer*. Assim, os estoicos nos instruíram com sabedoria não apenas sobre como viver, mas também sobre como enfrentar a parte mais assustadora da vida: o final. Eles nos ensinam, por meio do exemplo, a arte de partir em paz.

Os estoicos aqui retratados são, em sua maioria, homens. Esta era a maldição da Antiguidade: o mundo pertencia aos homens. Ainda assim, havia diversidade entre eles. Os filósofos neste livro provêm dos cantos esparsos do mundo conhecido de outrora, como Chipre, Turquia, Egito, Líbia, Síria e Iraque. E, embora suas filosofias se enraizassem em Atenas, os estoicos enxergavam o planeta inteiro como seu país. O fundador do estoicismo, Zenão de Cítio, um fenício, é lembrado por ter recusado, notoriamente, a cidadania ateniense porque estaria em conflito com sua crença honesta no cosmopolitismo. Com o tempo, o estoicismo chegou a Roma, onde ocupou papel central na vida romana, guiando o curso de um dos maiores e mais multiculturais impérios da história.

Ao longo dos primeiros quinhentos anos da história do estoicismo, seus membros formaram um espectro espantoso de diferentes condições de vida, desde o todo-poderoso imperador Marco Aurélio até Epicteto, um humilde escravo que foi aleijado em cativeiro, mas cujas obras e vida se tornaram um exemplo que inspirou vários filósofos, inclusive Marco Aurélio. Alguns dos nomes talvez já lhe sejam familiares, e outros provavelmente não (Aríston, Diógenes da Babilônia, Pórcia, Antípatro, Panécio, Posidônio, Ário e Musônio Rufo). Mas é válido conhecer cada um deles, fossem comerciantes ou generais, estudiosos ou atletas, pais ou mestres, filhos, filhas ou diplomatas.

Todos têm algo importante a nos ensinar. Cada um deles percorreu o caminho da virtude de formas que devem nos servir de exemplo.

A palavra "estoico" significa resignação impassível diante do sofrimento. Ainda assim, basta um olhar superficial nas histórias desses personagens para percebermos a enorme diferença entre as expectativas daquele estoicismo e as realidades da filosofia. O estoicismo é uma filosofia vibrante e expansiva, repleta de pessoas que amaram, sofreram e perseveraram, que lutaram com coragem nas linhas de frente das grandes batalhas da história, criaram filhos, escreveram grandes obras, não se abalaram, acreditaram e *viveram*. Em seu tempo, esses filósofos resistiram ao estereótipo do estoicismo, que os resumia a seres insensíveis e taciturnos que sofriam ao longo da vida e olhavam apenas para dentro de si mesmos.

Os estoicos nunca se conformaram com a situação vigente, não aceitavam sem questionar as injustiças do mundo. Ao contrário, eles formaram a mais veemente "resistência" à tirania de Júlio César, Nero e outros comandantes do mundo antigo, chegando até mesmo a influenciar reformas democráticas de cunho popular. Assim como o estoicismo era "o rigoroso preceptor de heróis durante o primeiro século do Império" — para tomar de empréstimo a expressão do historiador Richard Gummere —, a corrente exerceria um papel similar por muitos séculos depois, incluindo o de inspirar os líderes da Revolução Americana e pa-

INTRODUÇÃO

triotas como Thomas Wentworth Higginson, que liderou um regimento negro pela causa da União durante a Guerra de Secessão (e um dos tradutores de Epicteto). Os estoicos sempre derramaram sangue, suor e lágrimas em nome da mudança, fosse ela apreciada e bem-sucedida ou não.

Em 55 d.C., Sêneca escreveu ao jovem imperador Nero em um livro sobre a misericórdia: "Eu sei que, entre os desinformados, os estoicos têm má reputação quanto a serem insensíveis demais e, portanto, ser improvável que ofereçam bons conselhos a reis e príncipes: eles recebem a culpa por afirmarem que o homem sábio não sente compaixão e não perdoa... Na verdade, nenhuma escola filosófica é mais bondosa e gentil, nem nutre mais amor pela humanidade e dispensa mais atenção ao bem comum do que a estoica, a ponto de ter como propósito maior ser prestativo, prover assistência e considerar os interesses não apenas de si mesma como escola, mas de todas as pessoas, individual e coletivamente."

A estrutura e o estilo dessas páginas são inspirados por Plutarco, um dos grandes biógrafos da história e, por acaso, tanto um cronista quanto um crítico do estoicismo.* Mostraremos biografias sobrepostas, mas independentes, de todas as principais figuras do estoicismo. O objetivo é fornecer uma fonte rica para ser lida e relida — como os milhões de leitores de *The Daily Stoic* e de *O obstáculo é o caminho* têm feito há anos.

Escolhemos apresentar cada um dos estoicos pelas lentes de uma característica determinante ou do papel que eles desempenharam na história da escola filosófica. O leitor conhecerá Pórcia, a mulher de ferro dos estoicos; Diógenes, o diplomata; Antí-

---

* Seu neto, Sexto, seria professor de filosofia de Marco Aurélio.

patro, o eticista; e Zenão, o profeta. Queremos propiciar não apenas alguns fatos sobre esses personagens, mas também uma noção mais completa de quem eles eram e os aspectos da vida de cada um deles que mais nos ensinam sobre a arte de viver.

Nosso objetivo nestas páginas não é alcançar uma precisão acadêmica rigorosa — algo impossível após tantos séculos —, mas elucidar os ensinamentos morais que podem ser delineados a partir da vida desses personagens complexos. Para saber sobre a maioria dos primeiros estoicos, recorremos a Diógenes Laércio — considerado o "guardião noturno da filosofia grega". Sua obra clássica, *Vida e doutrinas de filósofos ilustres*, compilada no século III, é por vezes contraditória, apresentando o que é, sem dúvida, uma mescla de fatos e ficção. Mas também é repleta de lindas percepções e histórias. Diógenes se importava tanto com o lado pessoal quanto com o filosófico, e é por isso que suas observações ecoam de forma que outros escritores e críticos antigos não conseguiram fazer ecoar.

Devido à proximidade dos filósofos do estoicismo imperial ao poder político na era romana, seus nomes surgem nos registros de história clássica de Tácito, Suetônio e Dião Cássio, que muitas vezes demonstram admiração por aqueles que viveram de acordo com seus ideais (como no relato de Tácito sobre a morte de Trásea e a de Sêneca) ou desprezo por aqueles que falharam em segui-los (como na narrativa de Dião Cássio a respeito do questionável acúmulo de riqueza de Sêneca). Plínio, Estrabão, Ateneu, Aulo Gélio, entre outros, ajudaram a elucidar a vida e os ensinamentos dos estoicos. Mais tarde, isso também foi feito por escritores cristãos como Justino, Clemente de Alexandria, Orígenes, Tertuliano, Eusébio de Cesareia, São Jerônimo e Santo Agostinho, os quais

INTRODUÇÃO

aprenderam muito com os estoicos e fizeram sua parte para dar destaque à vida deles.

Em outros casos, as informações foram obtidas em relatos de escritores como Cícero, ou nos escritos dos próprios estoicos. Cícero, que se identificava como membro da escola cética e se manteve ocupado com sua ascensão ao topo da política romana, dedicou, ainda assim, grande parcela de sua vida à imersão profunda na história e doutrina dos estoicos que o precederam, e é por causa do seu esforço que temos acesso a diversas fontes há muito perdidas. Sêneca é outra fonte igualmente valiosa, pois não apenas elaborou novos escritos sobre o estoicismo, como também os encheu com numerosas citações e anedotas sobre seus predecessores estoicos, algo a que não teríamos acesso não fosse por ele. Essas interseções são o que há de mais interessante, mesmo sem outros documentos que as validem, pois demonstram como os estoicos influenciaram uns aos outros e como as fábulas morais — como a que gerações de norte-americanos contaram a seus filhos a respeito de George Washington e a cerejeira — são capazes de carregar ensinamentos significativos, não importando a veracidade.

O que os estoicos buscavam, aquilo que até hoje nos interessa, são as luzes para iluminar o caminho da vida. Eles queriam saber, tanto quanto nós, como encontrar tranquilidade, propósito, autocontrole e felicidade. Essa jornada é atemporal, tenha tido início na Grécia Antiga ou nos Estados Unidos de hoje em dia. É essencial. É difícil. E por isso nos perguntamos, assim como fizeram os estoicos: Quem poderá nos ajudar? O que é o certo? Onde está o norte verdadeiro?

"Você vagou por todos os cantos", escreveu Marco Aurélio para si mesmo em *Meditações*, "e finalmente percebeu que nunca encontrou a informação que buscava: como viver. Nem nos silogismos nem no dinheiro, nem na fama nem na autoindulgência. Em lugar algum."

Se a filosofia representa algo, é a resposta a esta pergunta: Como viver? É o que temos buscado. "Você sabe mesmo o que a filosofia oferece à humanidade?", pergunta Sêneca em suas *Epístolas*. "A filosofia oferece aconselhamentos."

Será trabalho do leitor, após percorrer estas páginas, levar em consideração tais conselhos e lidar com aquilo que Sêneca descreve como o trabalho mais importante para o leitor de filosofia: o ato de transformar palavras em obras. Transformar as lições de vida de homens e mulheres que vieram antes de nós, suas trajetórias e morte, seus sucessos e fracassos, em ações no mundo real.

Pois é isso, e nada mais, que concede a alguém o título de filósofo.

ZENÃO, O PROFETA

NASCIMENTO: 334 A.C.
FALECIMENTO: 262 A.C.
ORIGEM: CÍTIO, CHIPRE

Como é apropriado, a história do estoicismo começa em infortúnio.

Em um fatídico dia do fim do século IV a.C., o comerciante fenício Zenão levantou âncora e partiu pelo Mediterrâneo com um carregamento de tintura púrpura tíria. Apreciado pelos ricos e pela realeza, cujas roupas eram tingidas de púrpura, esse pigmento raro era diligentemente extraído do sangue de caramujos marinhos por escravizados e desidratado ao sol até que, nas palavras de um historiador da Antiguidade, "valesse como prata". A família de Zenão comercializava um dos bens mais valiosos do mundo antigo e, como acontece a muitos empreendedores, seu negócio vivia ameaçado.

Ninguém sabe as causas do naufrágio. Foi uma tempestade? Piratas? Erro humano? Faz diferença? Zenão perdeu tudo — navio e carga — numa época em que não havia seguros nem capital de risco. Era uma fortuna irrecuperável. Ainda assim, o mercador desafortunado mais tarde exultaria a própria perda ao afirmar: "Tive uma viagem próspera quando o naufrágio ocorreu." Pois foi o naufrágio que levou Zenão a

Atenas, a caminho da criação do que se tornaria a filosofia estoica.

Como nas histórias sobre as origens de todos os profetas, há relatos conflitantes a respeito do início da vida de Zenão, e seu naufrágio não é exceção. Uma das versões afirma que Zenão já estava em Atenas quando soube da perda de sua carga, e disse: "Muito bem, Fortuna, por me conduzir dessa forma à filosofia!" Outras contam que Zenão já vendera a carga na cidade de Atenas quando enveredou em busca da filosofia. Também é bem possível que ele tenha sido enviado até lá por seus pais, para fugir da terrível guerra entre os sucessores de Alexandre, o grande, que devastava sua terra natal. De fato, algumas fontes da Antiguidade indicam que ele possuía propriedades e investimentos marítimos que valiam milhões à época de sua chegada a Atenas. Há ainda registros mostrando que Zenão chegou em 312 a.C., aos 22 anos, o mesmo ano em que sua terra natal foi destruída e o rei foi morto pelas tropas invasoras.

De todas as possíveis origens para a filosofia da resiliência e do autocontrole, assim como da indiferença ao sofrimento e ao infortúnio, uma tragédia inesperada é a que soa mais verdadeira — tendo ou não destruído financeiramente Zenão e sua família. Um naufrágio poderia muito bem conduzir Zenão a uma vida comum de comerciante em terra firme, ou, despojando-o de sua família, poderia tê-lo levado ao alcoolismo ou à miséria. Mas, em vez disso, o problema se tornou *útil* — foi um chamado ao qual ele decidiu atender, que o instigou a uma nova vida e a um novo jeito de ser.

Essa capacidade de adaptação era um atributo oportuno à sobrevivência naquela época. O mundo da infância de Zenão era de caos. Em 333 a.C., um ano após seu nascimento, em Cítio —

uma cidade grega na ilha de Chipre —, Alexandre, o grande, libertou o país após dois anos de domínio persa. A partir daí, o lar de Zenão tornou-se uma valiosa peça de xadrez nesse tabuleiro de impérios fraturados, trocando de mãos diversas vezes.

Seu pai, Mnaseas, foi forçado a navegar, literalmente, em meio a esse caos, já que o negócio da família o levava a atravessar os mares. Provavelmente houve bloqueios a romper, subornos a pagar e linhas inimigas a evitar enquanto viajava de Chipre a Sídon, de Sídon a Tiro, de Tiro a Pireu, a grande cidade portuária nos arredores de Atenas, e então percorrer o mesmo caminho na volta para casa. Ainda assim, parece ter sido um pai amoroso, que fazia questão de levar vários escritos para o filho, inclusive aqueles sobre Sócrates.

É possível que nunca tenha havido dúvidas de que Zenão participaria dos negócios da família e acompanharia o pai pelo mar, negociando pigmento fenício, sonhando com aventuras e riqueza. Conta-se que ele era alto e esguio, e que sua compleição escura e o porte lhe renderam a alcunha de "vinha do Egito". Já mais velho, ele seria descrito como flácido, de pernas grossas e fraco — características que lhe causaram certa timidez e falta de jeito conforme envelhecia e se adaptava à vida em terra firme.

Apesar das incertezas a respeito das condições da chegada de Zenão a Atenas, sabemos como era a cidade quando ele aportou lá. Atenas era um centro comercial efervescente com 21 mil cidadãos, quase a metade deles de estrangeiros residentes, e uma quantidade chocante de escravizados, que chegavam à casa das centenas de milhares. A cidade inteira era dedicada aos negócios, dominada por uma elite letrada cujos sucesso e educação lhe permitiam ter tempo de explorar e debater ideias sobre as quais discutimos até hoje. Era um terreno fértil para o despertar que ocorreria a Zenão. De fato, sabemos inclusive o local exato em que ocorreu esse despertar — um lugar surpreendentemente moderno: uma livraria.

Certo dia, durante uma pausa no agito das negociações comerciais, Zenão percorria os títulos em uma livraria, procurando por algo para ler, quando descobriu que uma palestra estava agendada para aquele dia. Ao tomar um assento, ouviu o livreiro fazer a leitura de um compilado de trabalhos sobre Sócrates, o filósofo que havia sido executado em Atenas um século antes e cujos ensinamentos o pai de Zenão lhe apresentara durante a infância.

Em uma de suas viagens anteriores ao naufrágio, talvez inspirado por um percurso similar feito por Sócrates, Zenão consultou um oráculo para saber como aproveitar melhor a vida. O oráculo respondeu: "Para aproveitar melhor a vida, você deve conversar com os mortos." Ali, naquela livraria — quem sabe a mesma que seu pai frequentara anos antes —, enquanto ouvia as palavras de Sócrates serem recitadas e ganharem vida, ele deve ter percebido que estava fazendo exatamente o que o oráculo havia aconselhado.

Afinal, os livros são isso, não são? Uma forma de adquirir conhecimento por meio daqueles que não estão mais entre nós.

Enquanto o livreiro lia o segundo tomo de *Ditos e feitos memoráveis de Sócrates*, de Xenofonte, Zenão escutava os ensinamentos de Sócrates da maneira que foram realizados naquelas mesmas ruas havia apenas algumas gerações. O trecho que mais o afetou foi "Hércules na encruzilhada", a história de um herói diante de escolhas. Nesse mito, Hércules é forçado a escolher entre duas donzelas, uma representando a virtude e a outra, o vício — a primeira, uma vida virtuosa de trabalho duro; a segunda, uma vida de preguiça. "Você deve acostumar seu corpo a ser o servo de sua mente e treiná-lo com labuta e suor", seriam as palavras da personagem da Virtude. E então Zenão ouviu Vício oferecer uma alternativa bem diferente. "Espere um pouco!", gritou ela. "Não enxerga quão longo e difícil é o caminho até a felicidade que ela descreve? Venha comigo pelo caminho fácil!"

O caminho se bifurca na floresta ou, melhor dizendo, em uma livraria em Atenas. O estoico escolhe o caminho difícil.

Aproximando-se do livreiro, Zenão fez a pergunta que mudaria sua vida: "Onde posso encontrar um homem como ele?" Ou seja: Onde posso encontrar meu próprio Sócrates? Onde posso encontrar um mestre que me tutele em meus estudos, assim como fez Xenofonte com esse sábio filósofo? *Quem pode me ajudar em minha escolha?*

Se por um lado o infortúnio de Zenão fora sofrer aquele terrível naufrágio, sua sorte mais que o recompensou ao conduzi-lo àquela livraria, pois Crates, um célebre filósofo ateniense, por coincidência estava passando ali perto naquele momento. O livreiro simplesmente ergueu a mão e apontou.

Alguns dirão que foi o destino. Os estoicos que viriam depois certamente diriam isso. O herói sofrera uma grande perda e, por causa disso, cruzou um limiar para encontrar seu verdadeiro mestre. Ao mesmo tempo, foi a *escolha* feita por Zenão — ir à livraria após sua enorme perda, sentar-se e escutar o livreiro, e, o mais importante, não se contentar em deixar por isso mesmo as palavras que ouvira lá. Não, ele queria mais. *Exigia* mais respostas, exigia que lhe ensinassem mais, e foi a partir desse impulso que o estoicismo seria formado.

Crates de Tebas, assim como Zenão, era membro de uma família rica e herdeiro de grande fortuna. Por Diógenes Laércio sabemos que, após assistir a uma apresentação de *Télefo* — a história do rei Télefo, filho de Hércules, ferido por Aquiles —, Crates abriu mão de seu dinheiro e se mudou para Atenas com o intuito de estudar filosofia. Lá, ele ficou conhecido como "o abridor de portas", escreveu Diógenes, "o homem a quem se abrem todas as portas", daqueles ávidos para aprender com o grande filósofo.

Como diz o antigo ditado zen: quando o discípulo está preparado, o mestre aparece. Crates era exatamente o que Zenão precisava.

Uma das primeiras lições de Crates buscava curar Zenão de seu complexo em relação à própria aparência. Percebendo que seu pupilo se preocupava demais com o status social, Crates lhe deu a tarefa de carregar uma pesada panela de sopa de lentilha pela cidade. Zenão tentou cumprir furtivamente o que lhe fora pedido, escolhendo vielas para evitar ser avistado em meio à sua tarefa humilhante.* Após rastreá-lo, Crates quebrou a panela com seu cajado, derramando a sopa sobre Zenão. O pupilo tremia de constrangimento e tentou escapar. "Por que fugir, meu pequeno fenício?" Crates riu. "Nada de terrível lhe aconteceu."

Ser ansioso, inseguro ou ter aprendido coisas erradas no início da vida não impede ninguém de alcançar algo grandioso, desde que haja coragem (e mentores) para ajudar na mudança. Pela influência benigna, porém firme, de Crates, Zenão superou seus complexos e se tornou aquilo a que fora destinado.

---

* Lentilhas costumavam ser um alimento consumido apenas pelas classes mais baixas. Sem dúvida, foi uma tentativa de Crates de desafiar a identidade esnobe de Zenão, advinda de sua criação na elite.

Ao deixar os tempos de comerciante para trás, Zenão escolheu um novo estilo de vida que balanceava estudo e reflexão com as necessidades de um mundo controlado pelo comércio, pelas conquistas e pela tecnologia. Para Zenão, o propósito da filosofia, da virtude, era encontrar "o curso suave da vida", alcançar o estágio em que tudo que fazemos esteja em "harmonia com o espírito individual e a vontade daquele que governa o Universo". Para os gregos, cada um de nós tem um *daemon*, um guia interno ou um propósito que nos conecta à natureza universal. Segundo Zenão, são felizes aqueles que na vida mantêm a natureza individual e universal em consonância, e aqueles que não vivem dessa maneira não o são.

Em um esforço para alcançar essa harmonia, Zenão viveu uma vida simples, não muito diferente daquela de seu rival Epicuro, que fundou uma escola poucos anos antes de Zenão iniciar sua trajetória. Sua dieta consistia basicamente em pão, mel e, às vezes, uma taça de vinho. Ele morava com outras pessoas e raramente contratava lacaios. Mesmo quando estava doente, recusava as tentativas de amparo e as mudanças em sua parca dieta. "Ele acreditava", diria um estoico da fase imperial, "que alguém que um dia tenha experimentado a gastronomia gourmet a desejaria o tempo todo, visto que o prazer associado a bebida e comida cria em nós o desejo por mais comida e bebida."

Partidário de uma vida simples, Zenão se mantinha retraído, dando preferência ao círculo de amigos próximos, e não a aglomerações sociais, tendo inclusive se tornado famoso por escapulir de uma festa promovida pelo rei Antígono (e por recusar convites de visita à corte do rei). Ele concluía com rapidez seus argumentos e balançava a cabeça para os floreios retóricos desnecessários. Também era inteligente e divertido, e criou o hábito de pedir dinheiro a desconhecidos para dissuadir os outros de *lhe* fazerem o mesmo pedido. Não há indicadores de que a comodidade e a riqueza do início de sua vida o tenham acostumado mal ou deturpado seu senso de conforto. Ao contrário, perdê-lo lhe provou que dinheiro não era para ser apreciado e também importava muito pouco. Quando se descrevia alguém sóbrio, frugal e disciplinado, tornou-se quase proverbial em Atenas dizer: "Ele é mais moderado do que Zenão, o filósofo!"

Após seus estudos com Crates e o filósofo megárico Estilpo, Zenão passou também a ensinar — na ágora em si, de maneira apropriada a um ex-comerciante. Lá, em meio às lojas onde as pessoas compravam e vendiam seus artigos, Zenão debatia sobre o real valor das coisas. No que era literalmente um mercado de ideias, ele oferecia algo que acreditava ser vital: uma filosofia de vida engajada que poderia ajudar as pessoas a encontrar paz em meio a um mundo muitas vezes turbulento. "Dos três modos de vida — o contemplativo, o prático e o racional", escreveu Diógenes, os estoicos "afirmam que o último deve ser escolhido, pois um ser racional é criado pela natureza intencionalmente para se voltar à contemplação e à ação".

Zenão aprendeu a ser um tipo de instrutor criativo, promovendo a sua mercadoria do momento, suas ideias, junto a vários outros comerciantes. Em um jantar com um homem conhecido por comer tanto e tão rápido a ponto de deixar quase nada para seus convidados, Zenão pegou uma travessa inteira de peixe e fingiu que a comeria sozinho. Vendo o olhar de espanto do anfitrião, o filósofo disse: "Pois, pense, como sofrem aqueles que vivem com você, já que não consegue suportar minha gula nem por um único dia?"

Quando um jovem estudante atraiu admiradores demais, Zenão ordenou que rapasse a cabeça para mantê-los afastados. Em outra ocasião, um estudante rico e bonito de Rodes implorou pelos ensinamentos de Zenão — sem dúvida fazendo o filósofo lembrar-se de si mesmo naquela idade —, e ele lhe indicou que se sentasse em um banco empoeirado, sabendo que o jovem sujaria as roupas. Mais tarde, mandou-o andar entre os pedintes da cidade, de forma bem similar à que Crates ordenou que carregasse a sopa de lentilha pela cidade. Mas, ao contrário de Zenão, que suportou as humilhações e aprendeu com elas, o estudante simplesmente foi embora. Zenão acreditava que a presunção era o principal obstáculo à aprendizagem, e nesse caso ele provou estar certo.

Zenão acabaria se mudando para o que ficou conhecido como Stoa Poikilē, literalmente "Pórtico Pintado". Erigido no século V a.C. (as ruínas ainda estão visíveis após 2.500 anos), o pórtico pintado era o local onde Zenão e seus discípulos se reuniam para debater. Apesar de seus seguidores terem sido chamados, por um breve período, de zenonianos, é um sinal importante da humildade de Zenão e da universalidade de seus ensinamentos que a escola que ele fundou não leve seu nome. Em vez disso, nós a conhecemos hoje como *estoicismo*, uma homenagem à sua origem peculiar.

Também não é interessante que os antigos estoicos tenham escolhido um *pórtico* como referência e lar? Não foi um campanário, um palco ou uma sala de leitura sem janelas. Foi uma estrutura convidativa e acessível, um lugar para contemplação, reflexão e, principalmente, amizade e debates.

Dizia-se que Zenão tinha pouca paciência para lidar com preguiçosos e egocêntricos em seu pórtico. Ele queria que seus estudantes fossem atentos e observadores. E todos os que foram até ele com uma noção exagerada do próprio valor logo a deixaram de lado ou foram mandados embora. Mas, para aqueles que estavam prontos e dispostos, o pórtico era um local para aprender e ser ensinado.

Infelizmente, nenhum dos seus trabalhos sobreviveu até os dias atuais, nem mesmo a sua obra mais importante, *República*, que refutava magistralmente os argumentos da obra homônima de Platão. O que conhecemos desse texto nos chegou em resumos feitos por quem o leu. A partir deles, aprendemos que os estoicos antigos tinham uma clara disposição utópica. Muito desse aspecto seria descartado mais tarde pelos estoicos posteriores, mais pragmáticos, mas a visão inicial de Zenão deu uma tônica que ainda hoje soa verdadeira, em particular que "devemos considerar todos os homens pertencentes a uma única comunidade e unidade política, e ter um modo de vida uno e uma ordem una, como um rebanho que em uma mesma pastagem se alimenta em conjunto e compartilha um campo comunitário".

Zenão também escreveu célebres ensaios sobre educação, natureza humana, dever, emoções, leis, *logos* e até um com o provocante título de *Problemas homéricos*. Do que poderia tratar *Do Universo*? Não seria incrível ler *Recordações de Crates*, de Zenão? Infelizmente, tudo que sobrou desses escritos foram fragmentos ou citações ocasionais.

Esses retalhos, mesmo assim, bastam para nos trazer muitos ensinamentos. "O objetivo da vida é viver em harmonia com a natureza", é o que afirmam que ele escreveu em *Da natureza humana*, "isto é, viver de acordo com a virtude, pois a natureza nos conduz à virtude". É também creditada a Zenão a expressão que diz haver um motivo para nascermos com duas orelhas e somente uma boca. Supostamente, ele também disse que não havia nada mais inconveniente que uma pessoa arrogante, o que era ainda pior se a pessoa fosse jovem. "Melhor tropeçar com os pés do que com a língua", disse uma vez.

Ele também foi o primeiro a professar as quatro virtudes do estoicismo: coragem, temperança, justiça e sabedoria. Considerava tais qualidades "inseparáveis, porém distintas e diferentes umas das outras". Não sabemos onde ou quando Zenão registrou primeiro os "Quatro Pilares", mas podemos sentir seu impacto — pois eles aparecem nas obras e decisões de quase todos os estoicos que surgiram após ele.

Ao contrário de muitos profetas, Zenão foi respeitado e admirado na sua própria época. Não houve qualquer perseguição. Nenhum ressentimento de autoridades. Ainda em vida, deram-lhe as chaves da cidade de Atenas e dedicaram-lhe uma coroa de ouro e uma estátua de bronze.

Apesar da grande adoração que Atenas dedicava a ele e da adoração que ele lhe dedicava em troca, Zenão sabia que o *lar* importava. Após doar dinheiro para a restauração de algumas importantes termas de Atenas, ele solicitou especificamente que "de Cítio" fosse inscrito após seu nome nas construções. Ele podia ser um cidadão do mundo, um expatriado que amava Atenas, sua cidade adotiva, na qual viveria por meio século, mas não queria que ninguém esquecesse de onde viera.

Mesmo com todos os seus ditos espirituosos, a única coisa com que Zenão realmente se importava, aquilo que ele tentou ensinar, era a verdade. "Percepção", disse ele, erguendo as mãos e esticando os dedos, "é algo como isto", ou seja, algo grande e vasto. Fechando um pouco os dedos, ele diria: "assentimento", ou seja, começar a formar um conceito sobre algo, "é como isto".

Então, cerraria a mão em um punho e declara que aquilo é a "compreensão". Finalmente, envolvendo o punho com a outra mão, ele chamaria tal combinação de "conhecimento". Essa combinação final, segundo ele, era alcançada apenas pelos sábios.

Em seus estudos com professores como Crates e em suas conversas com os mortos — aquele encontro ao acaso com os ensinamentos de Sócrates, previsto pelo oráculo —, Zenão dançava com a sabedoria. Ele a explorou na ágora com seus alunos; refletiu profundamente sobre ela em longas caminhadas e a colocou à prova em debates. Sua jornada rumo à sabedoria foi demorada, cerca de cinquenta anos desde o naufrágio até sua morte. Não foi definida apenas por uma única epifania ou descoberta, mas por muito trabalho. Ele *pavimentou* cada centímetro de seu caminho até ela, por anos de estudo e prática, assim como todos nós deveríamos fazer. "O bem-estar se concretiza em pequenos passos", diria ele, olhando para trás, "mas não é nada pequeno."

Como ocorre com muitos filósofos, relatos sobre a morte de Zenão desafiam a nossa credulidade, mas também nos ensinam uma lição. Certo dia, aos 72 anos, ao deixar o pórtico, ele tropeçou e quebrou um dedo de forma dolorosa. Estatelado no chão, pareceu ter decidido que o incidente era um sinal de que havia chegado a sua hora. Socando o chão, ele citou uma frase de Timóteo, um músico e poeta do século anterior:

Venho por iniciativa própria; por que me chamar?

Então Zenão prendeu a respiração até partir desta vida.

CLEANTES,
O APÓSTOLO

NASCIMENTO: 330 A.C.
FALECIMENTO: 230 A.C.
ORIGEM: ASSOS, MÍSIA

Talvez as circunstâncias em que Cleantes chegou a Atenas tenham sido tão desesperadoras quanto as do fundador da filosofia à qual se dedicaria, mas o começo de sua vida e a de Zenão não poderiam ter sido mais diferentes. Enquanto o pai do estoicismo, que nascera em meio a riqueza e conflitos, fora criado para tornar-se comerciante, Cleantes viera de uma pequena cidade da costa egeia — hoje, o noroeste da Turquia —, que nada tinha além de uma próspera tradição acadêmica, graças à decisão de Aristóteles, menos de vinte anos antes do nascimento de Cleantes, de fundar lá sua primeira escola.

Não houve tragédias na vida de Cleantes, nenhum infortúnio como o que levou Zenão à filosofia. Em vez disso, ele chegou a Atenas falido, trazendo apenas a reputação de boxeador. Não há como ter certeza do que o levou até lá, mas a suspeita recai naquilo que sempre atraiu as pessoas brilhantes e desfavorecidas às cidades grandes: oportunidade.

Com apenas o equivalente a poucos dias de salário no bolso, Cleantes começou a estudar e trabalhar, mas, ao que parece, no começo, se dedicava sobretudo ao trabalho.

Para se sustentar, acabou acumulando uma miríade de ofícios aleatórios, inclusive o de carregador de água para os muitos jardins da cidade que precisavam ser regados a mão. Era extremamente comum vê-lo à noite carregando grandes jarros de água, e isso por fim lhe valeu o apelido de "garoto da água", ou Freantles. Em grego, a palavra significa "aquele que tira água do poço", e convenientemente rima com seu próprio nome, Cleantes.

Não sabemos como ou quando ele conheceu Zenão, mas é provável que tenha sido por meio de Crates, sob cuja tutela Cleantes também estudou. O interessante é que, mesmo após construir sua reputação como filósofo, Cleantes manteve a labuta manual, estudando muito durante o dia e trabalhando ainda mais à noite.

Quando os desconfiados cidadãos de Atenas acharam que Cleantes, já na meia-idade, parecia bem demais para alguém que trabalhava de sol a sol, arrastaram-no até o tribunal para que explicasse como ganhava a vida. Sem perder tempo, ele apresentou um jardineiro, para quem drenava água, e uma mulher, cujos grãos debulhava, como testemunhas em sua defesa. O engenhoso Cleantes não apenas foi absolvido, mas também recompensado com cem *dracmas* — valor muito superior ao que trazia no bolso ao chegar a Atenas.

A grande recompensa serviu como uma mensagem dos anciãos da cidade: pessoas como ele são de grande valor. Séculos depois, ainda não temos um número suficiente de pessoas como ele.

Há uma boa-fé inconfundível na ética de trabalho de Cleantes. E por que não haveria? A filosofia, como a vida, requer trabalho. E sofre com as alegações em contrário.

CLEANTES, O APÓSTOLO

Esse episódio também revela algo sobre o papel desproporcional que a filosofia começava a assumir em Atenas. Poucas pessoas se importam hoje em dia com a maneira como os professores de Harvard conseguem arcar com os custos do carro que dirigem ou com qual é o estilo de vida que levam. Mas em Atenas, no século III a.C., esses pensadores radicais eram mais do que apenas intelectuais conhecidos. Eles eram celebridades. Suas atitudes eram observadas com atenção arrebatada. Seus dizeres passavam de pessoa a pessoa da mesma forma que atualmente trocamos memes.

Apesar da fama, Cleantes não apenas continuou o trabalho manual, como recusou ativamente grandes quantias em dinheiro de patronos, por exemplo o rei macedônio Antígono II Gônatas, que tentou ajudá-lo a se dedicar exclusivamente aos estudos.

Para Cleantes, o trabalho manual e a filosofia não eram rivais. Eram dois lados da mesma moeda, esforços que favoreciam e possibilitavam um ao outro. Em *A leste do Éden*, de John Steinbeck, Lee, uma mente brilhante, versado em filosofia estoica, responde por que se degrada com a profissão de criado. Ele diz que a profissão de criado é, na verdade, ideal para um filósofo: É silenciosa. É fácil. Permite-lhe estudar as pessoas. Possibilita tempo para pensar. É uma oportunidade, como qualquer outro trabalho, para a excelência e maestria.

No decorrer dos séculos, essa ideia foi deixada de lado, mas ainda é interessante. Qualquer coisa que você faça bem é digna, não importa quão humilde seja. E possivelmente é ainda mais admirável se você, na busca do que realmente ama, faz uma renúncia proposital ao status.

Foi assim para Cleantes. Um rei certa vez lhe perguntou por que ele ainda drenava água. Sua resposta seguiu a mesma lógica:

Drenar água é tudo o que faço? O quê? Eu não cavo? Não rego os jardins? Ou não realizo outros trabalhos em nome do amor à filosofia?

Cleantes amava igualmente o trabalho e a filosofia. Aliás, essa era a palavra usada na Antiguidade para descrever engenhosidade: *philoponia* — amor ao trabalho. Literalmente, uma dedicação intensa ao trabalho honesto. Não apenas pelo dinheiro, claro, mas também pelo autoaperfeiçoamento.

Ário Dídimo, ao escrever na época de César Augusto, o primeiro imperador romano, explica o que Cleantes acreditava estar em jogo nos nossos esforços rumo ao autoaperfeiçoamento: "Todos os seres humanos têm, por natureza, inclinações para a virtude, como um verso semijâmbico, segundo Cleantes — inúteis se incompletas, mas valiosas quando completadas."

O que afinal levou à filosofia esse trabalhador dedicado? Não temos certeza. Será que ele a conhecia desde sempre, tendo crescido a pouca distância de Aristóteles? Teria algum dos seus clientes ricos lhe emprestado um livro? Enquanto envelhecia, será que ele quis algo mais na vida? Foi um encontro casual na rua ou na livraria que Zenão frequentava?

O chamado para encontrar um significado mais profundo na vida, o de *descobrir como viver*, pode chegar a qualquer um, em qualquer momento. São Paulo recebeu seu chamado na estrada para Damasco; mas não sabemos dizer de onde surgiu o de Cleantes. Antes de tudo, o mais importante é decidirmos responder a tal chamado — se corremos atrás dessa pergunta até acharmos a resposta ou, pelo menos, até encontrarmos a *nossa* resposta.

Seja lá qual foi o impulso que recebeu, sabemos que Cleantes, após conhecer Zenão, tornou-se seu aluno e assim permaneceu por dezenove anos. Sua permanência como aluno de Zenão, até a morte do mestre, em 262 a.C., indica que Cleantes só começou os estudos filosóficos perto dos cinquenta anos. Isso representa uma longa e difícil vida como carregador de água, um longo tempo para se manter na obscuridade, antes de partir em busca da grandeza mental e espiritual.

Talvez Cleantes tenha começado ainda jovem e tenha se "formado" após dezenove anos, antes de avançar para outra posição dentro da efervescente escola que Zenão estava construindo. De qualquer forma, é provável que ele tenha começado sua trajetória na filosofia em uma idade mais avançada do que a de Zenão (que era apenas quatro anos mais velho).

Posteriormente, Kierkegaard faria a distinção entre um gênio e um apóstolo. O gênio traz novas descobertas e novos trabalhos para o mundo. O gênio é o profeta. O criador. O apóstolo vem em seguida e é o responsável por comunicar e espalhar a mensagem. Dada a dedicação de Cleantes a Zenão, parece crível que os dois nunca tenham sido colegas nem concorrentes, mas sempre mestre e discípulo. Zenão, o profeta; Cleantes, o apóstolo do estoicismo.

Certamente, Cleantes foi o tipo de aluno ideal para um professor. Aquele que senta e escuta. Que não tem medo de fazer perguntas "burras". Que se dedica. Que nunca desanima, mesmo que absorva o conteúdo mais lentamente do que os outros estudantes.

No decorrer de cerca de vinte anos, Cleantes deve ter se sentado no Stoa Poikilē por milhares de horas, não apenas ouvindo os debates e discussões, mas sentado na primeira fileira enquanto eram estabelecidos os princípios iniciais do estoicismo. Lá estava ele enquanto Zenão dividia o currículo do estoicismo em três partes: física, ética e lógica. Ele teria ouvido a narrativa de Zenão sobre a escolha de Hércules entre dedicar a vida ao vício ou à virtude, retirada da passagem de *Ditos e feitos memoráveis de Sócrates*, de Xenofonte, que Zenão escutara em uma livraria e transformara a sua vida. Cleantes, como uma esponja, absorveu tudo isso, acreditando que de fato tinha muito a aprender, pois é certo que ninguém com um grande ego consegue permanecer aluno por duas décadas.

Devido a sua idade e sua abordagem metódica e diligente, Cleantes foi por vezes ridicularizado como um aprendiz lento e apelidado de "burro" pelos demais estudantes. Ao ser insultado dessa maneira, ele gostava de responder que ser comparado a um asno não o incomodava porque, como o animal de carga, ele era forte o bastante para transportar a carga intelectual que Zenão colocava nas costas de seus alunos. Zenão, por sua vez, fez uso de uma analogia mais generosa. Cleantes era como uma tábua de cera dura: por mais difícil que fosse escrever nela, ainda assim retinha bem o que lhe era gravado.

Aos poucos, Cleantes começou a criar renome para si — embora seja impossível precisar quando começou a escrever e publicar por si mesmo.

Alguns dos primeiros comentários que recebeu não foram positivos. O poeta satírico Tímon de Fliunte o parodiou como um simplório despejando frases como um general passando um soldado em revista:

> Quem é esse, que investe como um bode contra um esquadrão de guerreiros? Um mastigador de palavras, a pedra de Assos, uma laje funerária.

Na verdade, Assos era famosa por suas pedreiras, e sua pedra branca e sólida era usada na confecção dos caixões da Antiguidade. Quando um sátiro mira em você e encontra apenas o seu amor pelas letras para criticar, é uma indicação positiva sobre o seu caráter.

E assim foi com Cleantes. Calado. Sóbrio. Trabalhador. Uno com sua filosofia. E seu dinheiro.

Dinheiro ganho com trabalho duro não é para ser gasto de maneira frívola, e Cleantes não abria mão de seus ganhos nem da segurança que eles forneciam. Plutarco maravilhou-se com a frugalidade de Cleantes e seu desejo de manter a independência financeira. *Continuo a carregar água,* ouviu de Cleantes, *para não abandonar nem o aprendizado com Zenão nem a filosofia.* Dizia-se que Cleantes apoiava seu professor, e que Zenão tomava uma parte de seus ganhos, de acordo com o que a lei ateniense determinava em relação aos mestres e seus escravizados. E mesmo com esse pagamento, Zenão brincava que Cleantes era tão disciplinado que sobrava o suficiente para "manter um segundo Cleantes se quisesse".

Fica evidente que Cleantes abominava dívidas e luxo, preferindo a liberdade de uma vida humilde à escravidão da extravagância. Em Atenas, dizia-se que ninguém era mais moderado que Zenão, mas Cleantes fez mais para estabelecer a imagem do estoicismo no que se refere à indiferença à dor ou ao desconforto, como também o desprezo pelo luxo. Certa vez, sua manta se abriu com o vento e por baixo não havia nem mesmo um quitão, ocasionando tal demonstração de ascese que os transeuntes aplaudiram espontaneamente. Cleantes tinha fama de ser tão frugal que registrou os ensinamentos de Zenão em conchas de ostras usando lâminas de osso bovino, para poupar o custo de um papiro. Esse último relato é sem dúvida um exagero, pois Diógenes menciona que Cleantes escreveu cinquenta obras, muitas delas em vários volumes, e outros autores mencionam ainda outros sete títulos. Mas pode-se especular que ele economizou na compra de papiro até que pudesse empregá-lo da melhor maneira possível: registrar a sabedoria para as próximas gerações.

Um jovem espartano, criado em uma cultura de vida árdua e militarismo, certa vez perguntou a Cleantes se a dor era algo a ser evitado ou se, com o treinamento correto e sob as circunstâncias adequadas, poderia ser considerada um *bem*. Isso era música para os ouvidos de Cleantes. Citando a *Odisseia*, ele respondeu:

> Você é de boa estirpe, querida criança, pelas palavras que profere.

Para Cleantes, o sofrimento — se em busca da virtude — era bom e não mau. E é possível notar isso em sua vida. Ele não fugia do trabalho duro ou do desconforto. Na verdade, quase parecia ir atrás disso, para admiração e espanto de seus concidadãos. O que importava, claro, era para onde se direcionava essa força de vontade. Para Cleantes, deveríamos nos esforçar a fim de fortalecer as quatro virtudes pregadas por Zenão:

> Esse vigor e essa força, quando aplicados a coisas evidentes e nas quais se deve persistir, é sabedoria; quando a coisas que se deve suportar, é resistência; quando diz respeito a mérito, é justiça; quando se trata de escolher ou recusar, é temperança.

Em resumo: Coragem. Justiça. Temperança. Sabedoria.

Cleantes, o "garoto da água" de meia-idade, o "burro", a laje de pedra de Assos, quase um escravo de seu mestre Zenão, aos poucos viria a adquirir uma reputação de novo Hércules entre seus concidadãos. Mas, como o poeta Tímon ilustrou em primeira mão, o destino de qualquer figura exemplar é zombaria perante os parasitas, assim como o grande touro é atacado por moscas.

Esse respeito recém-adquirido foi também acompanhado de mais críticas, principalmente com o aumento de popularidade da filosofia. Zenão, Cleantes e seus estudantes estavam vivendo de formas diferentes, pensando diferente, com valores morais muito distintos, não apenas em relação à população de Atenas, mas até mesmo para outros companheiros na busca da sabedoria. Enquanto outras escolas debatiam a portas fechadas, os estoicos haviam levado a filosofia às ruas. Isso lhes deu grande visibilidade e quase os transformou em alvo.

Cleantes lidou com as críticas da maneira como lidava com qualquer outra adversidade — como uma oportunidade de praticar o que pregava. Uma vez, enquanto estava sentado na plateia do teatro, o dramaturgo Sosíteo o atacou do palco ao declamar sobre aqueles "guiados pelas bobagens de Cleantes como um gado estúpido". Cleantes permaneceu impassível, e os espectadores ficaram tão impressionados com sua calma que irromperam em aplausos por sua autodisciplina e reagiram expulsando o dramaturgo do palco. Quando Sosíteo pediu desculpas após o espetáculo, Cleantes as aceitou de imediato, dizendo que pessoas mais importantes do que ele haviam sofrido afrontas piores de poetas, e que seria loucura da parte dele se ofender com algo tão insignificante.

Não foi surpresa alguma para quem conhecia Cleantes, visto que ele era um homem com altos valores morais. O que alguns definiam como covardia e precaução excessiva, ele preferia definir como *autoconsciência*, e acreditava que era a razão pela qual cometia tão poucos erros. Não era raro encontrá-lo analisando as próprias falhas, por menores que fossem, ou se censurando em voz alta enquanto caminhava pelas ruas de Atenas. Quando outro aluno de Zenão, Aríston de Quios (ver ARÍSTON, O DESAFIADOR), ouviu-o fazer isso, perguntou com quem ele estava falando, ao que Cleantes riu e disse: "Um velho com cabelo grisalho e nenhum juízo."

Esse tipo de monólogo particular era uma das práticas centrais dos estoicos e nem sempre era considerado algo negativo. Uma vez, Cleantes entreouviu um homem solitário conversar consigo mesmo e gentilmente lhe disse: "Você não está conversando com um homem ruim." Portanto, essa interação individual deve ser rigorosa, mas nunca abusiva. Parece que sua frugalidade e ética de trabalho seguiam lógicas similares. Ele era tenaz. Era firme. Mas não apreciava a autopunição.

Os estoicos eram subestimados quanto à sagacidade. Certamente essa foi uma ferramenta essencial para Cleantes, tanto nas respostas às críticas quanto para desarmar aqueles a quem ele precisava endereçá-las. Ao conversar com um jovem que não estava entendendo seu ponto de vista, ele perguntou: "Você está conseguindo vislumbrar?" Sim, claro, respondeu o jovem. "Bem, então por que eu não consigo vislumbrar que você está conseguindo?", perguntou Cleantes. Quando Cleantes ouviu os colegas estoicos reclamarem sobre um crítico proeminente do estoicismo, Arcesilau, que discordou de seus ensinamentos sobre "ação conveniente" (*kathekon*), ele partiu em sua defesa, dizendo que tudo indicava que Arcesilau parecia viver zelosamente. Quando Arcesilau soube das palavras de Cleantes, disse: "Não sou tão suscetível a elogios." Ao que Cleantes respondeu: "É verdade, mas meus elogios consistem em alegar que sua teoria é incompatível com a sua prática."

Ao longo da história, os estoicos usaram esse tipo de bom humor como forma de evitar reclamar ou delegar culpa e de lançar luz em como nossas ações cotidianas devem se alinhar com nossas palavras. Plutarco, em seu ensaio *Como distinguir o bajulador do amigo*, relata que Arcesilau, para retribuir o respeito demonstrado por Cleantes, baniu de suas aulas um aluno chamado Baton por compor uma rima depreciativa sobre ele, proibindo que o estudante retomasse o aprendizado até se desculpar com o difamado. Podemos imaginar que, como o perdão vinha fácil para Cleantes, ele provavelmente leu tal poema com certo prazer.

Como seu mestre Zenão, Cleantes era um homem que preferia ouvir a falar e esperava o mesmo de seus discípulos. Embora Zenão tenha afirmado que temos duas orelhas e apenas uma boca por um motivo, Cleantes preferiu citar *Electra*:

Silêncio, silêncio, seja leve a tua marcha.

De fato, sua crítica aos peripatéticos (os seguidores de Aristóteles) era a de que eles não se diferenciavam de um instrumento musical, como a lira, produzindo belos sons, mas sem jamais conseguirem ouvir a si mesmos.

Cleantes era um ouvinte com o pensamento por vezes lento e cauteloso, mas isso não significa que ele não era um bom *comunicador*. Cada vez mais, Zenão passou a depender de seu apóstolo trabalhador, especialmente porque os estoicos sofriam ataques de escolas rivais. Por mais difícil que possa ter sido para esse mão-fechada esbanjar com materiais de escrita, sabemos que várias obras de Cleantes, entre sua prolífica produção de mais de cinquenta livros, articulavam e explicavam a abordagem estoica em relação a uma grande variedade de tópicos. Diógenes listou vários de seus livros, mas alguns se destacam:

Do tempo
Sobre a filosofia natural de Zenão (dois volumes)
Interpretações de Heráclito (quatro volumes)
Da sensibilidade
Do casamento
Da gratidão
Da amizade
Sobre a virtude do homem e da mulher ser a mesma
Do prazer
Das características pessoais

É uma tragédia da história que todos esses livros tenham se perdido.

Só pelos títulos, podemos concluir que esse homem não era uma mula teimosa, mas seus interesses eram variados e dinâmicos, e sua mente amava um desafio. Ao encontrar um tópico de seu agrado, ele investia com vigor, escrevendo múltiplos volumes sobre física, Heráclito, controle dos impulsos, dever e lógica. E o que mais lhe interessava era a ética — esse homem recusou presentes de reis —, então não é de surpreender que quase metade de seus trabalhos lidava especificamente com a maneira com que deveríamos nos portar no mundo.

Curiosamente, o que sobreviveu dos escritos de Cleantes foram, em sua maioria, fragmentos de poesia* repletos de belas frases que nos oferecem lampejos da sua combinação singular de determinação e aceitação. "O Destino guia o homem que assim deseja", diz um de seus pequenos fragmentos, "arrasta os que não desejam."

Em outro, preservado por Epicteto mais de três séculos depois (e antes disso por Sêneca):

Arrastem-me Céus e Destino,
Ao fim há tanto tempo determinado.
Seguirei sem tropeçar; mesmo fraco
De vontade seguirei o trabalho.

Cleantes amava os desafios da poesia, acreditando que as "regras restritivas" impostas pelo estilo lhe permitiam alcançar pessoas de uma forma profunda e emocionante. É dele a analogia sobre como um trompete canaliza nossa respiração em um som genial. Isso também serviu como uma percepção metafórica que permanece central no estoicismo: os obstáculos e as limitações — se a reação a eles for adequada — criam oportunidades para a beleza e a maestria.

Em um poema curto, ele nos fornece uma definição poderosa do significado de "bem", e de qual deveria ser sua aparência:

Caso queira saber o que é o bem, escute:
Aquilo que é constante, justo, sagrado, pio,

---

* Um poema de 39 linhas de Cleantes sobreviveu na íntegra. É possível acessar sua versão em inglês, disponível em: <https://dailystoic.com/cleanthespoem/>.

Autônomo, útil, digno, adequado,
Sério, independente, sempre benéfico,
Que não sente medo ou tristeza, lucrativo, indolor,
Prestativo, agradável, seguro, amigável,
Estimado, em concordância consigo: honrado,
Humilde, cuidadoso, brando, zeloso,
Perene, sem culpa, eterno.

Por mais bela que seja a linguagem, o que realmente importa é que essas palavras são o autorretrato perfeito do seu criador. Eram palavras que ele seguia à risca... e que nós também deveríamos seguir.

Sêneca disse que, embora cada um de nós tenha o poder da vida, nenhum de nós pode viver muito. Cleantes, o segundo na hierarquia da escola estoica, deve então ter sido abençoado pela sorte. Pois ele não apenas viveu bem, como também viveu exatamente até os cem anos de idade, provavelmente o mais velho de todos os estoicos.

Manteve o bom humor até o fim. Quando alguém zombava e o chamava de velho, ele costumava brincar dizendo que estava pronto para partir, mas, considerando a sua boa saúde e o fato de que ainda conseguia ler e escrever, poderia muito bem esperar um pouco mais. Ao se aproximar de seu centenário, no entanto, seu corpo começou a mostrar sinais de estafa. Seguindo o conselho dos médicos que tentavam tratar de suas gengivas extremamente inflamadas, Cleantes jejuou por dois dias.

O tratamento funcionou, mas esse último ato de privação deixou algo evidente: era hora de partir. Quando os médicos o liberaram para retomar sua dieta, ele respondeu que já havia avançado demais na estrada e não havia volta. Assim, morreu alguns dias depois, jejuando até o além.

Foi Diógenes quem escreveu a melhor elegia ao filósofo:

Homenageio Cleantes, mas homenageio Hades ainda mais,
Que não aguentou vê-lo envelhecer tanto.
Que deu o descanso entre os mortos
Àquele que drenou tamanha carga-d'água em vida.

ARÍSTON, O DESAFIADOR

NASCIMENTO: 306 A.C.
FALECIMENTO: 240 A.C.
ORIGEM: ASSOS, QUIOS

Em retrospecto, é fácil enxergar "os estoicos" como uma voz unida. Vislumbrar, naquele começo de filosofia com Zenão, Cleantes e seus primeiros alunos como um grupo de pessoas trabalhando juntas e construindo uma amizade. Era, afinal de contas, uma escola com uma reivindicação objetiva: que a virtude era o caminho para a felicidade, e da virtude advinha um estilo melhor de vida.

Os estoicos pregavam desde o começo que devemos viver em harmonia com a natureza, então onde poderia entrar o conflito?

A resposta, claro, é *em todo lugar*. Por exemplo, o que "natureza" e "virtude" significam? De quem é a definição correta? De quem são os melhores preceitos? E quem é o verdadeiro herdeiro do legado de Zenão, tanto como fundador da escola estoica quanto como agente da virtude acima de todas as coisas?

A história nos dá uma resposta clara — Cleantes e Crisipo (que será apresentado no próximo capítulo) —, embora não tenha sido sempre tão óbvio. A história escrita esconde os figurantes e os opositores que não triunfaram. Além do mais, não existem movimentos sem discordâncias, e tudo que envolve pessoas também envolve opiniões divergentes. O estoicismo não é exceção.

Não surpreende que os filósofos da Antiguidade vivessem se digladiando, como acontece no meio acadêmico desde sempre. Uma escola que venera acima de tudo a razão, a determinação, a coragem e valores explícitos de certo e errado irá naturalmente atrair alunos com personalidade forte que não gostam de meios-termos e concessões. A popularidade crescente da escola só aumentou o risco da ocorrência desses conflitos.

Ninguém personificou isso mais do que Aríston, o controverso discípulo rebelde que por pouco não mudou por completo o rumo da filosofia estoica.

Enquanto Cleantes era o aluno preferido de Zenão e, em 262 a.C., o sucessor escolhido por ele, Aríston era um filósofo igualmente promissor, e muito menos passivo e discreto do que o carregador de água esforçado que herdou o manto de Zenão. Aríston, o careca, de Quios, filho de Milcíades, foi apelidado de "sereia" pelo poder persuasivo de seu discurso, que encantava audiências e supostamente as desencaminhava.

Uma alcunha mais apropriada seria Aríston, o desafiador, pois ele estava sempre questionando, minando e contestando vários pontos da doutrina do estoicismo antigo, incluindo as suas regras práticas para o cotidiano.

Após cerca de três séculos das primeiras polêmicas de Aríston, Sêneca, em carta a seu amigo Lucílio, descreveria com riqueza de detalhes a desavença entre Aríston e Cleantes, de forma muito parecida com a que os historiadores expõem as divergências entre os Pais Fundadores norte-americanos sobre a separação dos poderes.

A discordância? Foi sobre o papel dos preceitos, ou regras práticas, que deveriam nos guiar nas decisões cotidianas. Regras sobre como agir em um casamento ou sobre a criação dos filhos ou sobre como senhorios deveriam tratar seus escravizados. Regras sobre o que fazer quanto às provocações de um irmão, ou como responder aos insultos de um amigo, e o que fazer quando um inimigo está espalhando mentiras a seu respeito.

Tais regras podem parecer conselhos relativamente inofensivos (e até úteis), mas para Aríston eles eram muletas que impeliam as pessoas a seguir um roteiro para as dificuldades da vida. "Pitacos de velhas senhoras", era como ele os chamava. Aríston argumentava que a perícia de um lançador de dardo durante os Jogos Olímpicos vinha do treino e da prática, e não de estudar o alvo e memorizar as regras. Você melhora ao praticar com o dardo. "Aquele que treinou para a vida em si", dizia ele, "não precisa ser aconselhado sobre os detalhes. Ele foi ensinado de forma abrangente, não em como viver com sua mulher ou filho, mas em como viver bem, e isso inclui como conviver com os membros de sua família."

Um atleta não está *pensando* na arena ou no campo; seus movimentos vêm da memória muscular do treinamento, guiados por sua intuição. É desse estado de fluxo, em vez de uma consciência deliberada, que a maestria — moral ou física — emerge.

Aríston queria que as pessoas focassem no que realmente importava, em princípios claros, coisas que podem ser internalizadas pelos sábios por meio de treinamento. Ele queria os Dez Mandamentos, e não livros sobre que ordem os sacramentos deveriam seguir. Ele queria oferecer aos alunos uma estrela-guia — virtude — e acreditava que cada limitação e explicação extras levariam a uma confusão.

A virtude era o único bem, segundo Aríston. Tudo o mais não valia a preocupação.

Isso o colocou em atrito com Zenão, que acreditava nas diversas variáveis entre a virtude e o vício. Zenão asseverava que algumas coisas na vida, como fortuna e saúde, que não possuíam valor moral por si mesmas, tendiam a ter qualidades próximas à natureza das coisas realmente boas. Ter muito dinheiro não é uma virtude, mas sem dúvida há ricos virtuosos — e, como todos os outros acontecimentos, o sucesso financeiro apresenta tanto oportunidades únicas para que se avance rumo à virtude quanto tentações que levam ao vício. O argumento de certa forma engenhoso de Zenão consistia em chamar essas coisas — ser saudável, belo, ter um sobrenome ilustre — de "indiferentes preferíveis". Ser rico e alto não é moralmente melhor do que ser pobre e baixo, mas as duas primeiras condições são provavelmente mais agradáveis.

Certo?

Para Zenão, não era controverso dizer ser possível buscar a virtude e ainda assim desejar fortuna, fama ou poder, pois essas são ferramentas que podem ser empregadas na construção de uma vida mais virtuosa. Nesse sentido, os estoicos antigos argumentavam que podemos — e devemos — correr atrás dos indiferentes preferíveis como elementos de uma vida virtuosa, de bem. É um meio-termo clássico, um realismo prático típico de alguém como Zenão — que foi comerciante antes de se tornar filósofo — e o tipo de coisa com a qual seu discípulo Aríston não concordava.

Aríston argumentava com veemência que o objetivo da vida deveria ser a total indiferença a *tudo* que estivesse entre a virtude e o vício, sem quaisquer exceções em relação aos recursos ardilosos que, embora sejam boas posses, podem se tornar perigosos quando em excesso. Ele não queria uma lista complicada de categorias. Não queria hierarquizar as coisas em grau de bom ou mau. Não queria levar em conta as variáveis ou consultar manuais. Ele queria preto no branco. Queria confiar em seus estudos e em sua intuição para *saber* imediatamente o que fazer em determinada situação.

É como a história de um general que, ao assumir o comando de uma importante unidade, recebeu um livro volumoso sobre as práticas estabelecidas pelos seus antecessores. "Queime-o", disse o general. "Sempre que um problema surgir, tomarei de uma vez a decisão — imediatamente."

Não há dúvidas de que é impactante: *Eu não cometo erros. Há apenas o bem e o mal. Não pode haver meio-termo. Um homem sábio simplesmente sabe!*

E também é uma crença bastante absurda para alguém tão inteligente quanto Aríston, conforme apontou Cícero. Com a recusa da hierarquia e das preferências, "a vida se tornaria um caos". Certamente algumas coisas são melhores do que outras, certamente há regras gerais que podem nos guiar pelo caminho. Nós precisamos de precedentes, pois as situações são complicadas e se desenvolvem rapidamente. Às vezes, as pessoas que vieram antes de nós foram de fato mais sábias e encontraram soluções por meio de experiências dolorosas.

Ainda assim, Aríston sabia argumentar de forma brilhante. Ao questionar a concepção de Zenão sobre a saúde ser um indiferente preferível, ele disse que "se um homem saudável fosse obrigado a servir a um tirano e isso o destruísse, enquanto um doente seria liberado do trabalho e, como consequência, da destruição, um sábio preferiria a doença". Esse argumento poderia ser aplicado a muitos dos indiferentes preferíveis. É realmente melhor ser rico se sua bonança o torna alvo dos mesmos tiranos? Não há situações em que a estirpe vem com desvantagens?

Não é difícil imaginar jovens alunos assentindo diante dessas críticas provocadoras e Zenão se esforçando para se explicar, apesar do senso comum de seus argumentos. (É mesmo discutível que em geral seja melhor *não* estar doente?) Há também um atrativo divertido no debate dessas questões — pois, ao contestar as variáveis de Zenão, Aríston estava revelando uma infinidade de possibilidades. Estava afirmando que as circunstâncias *sempre* alteram de forma *singular* o valor das coisas.

O objetivo de Aríston ao cutucar esses pontos fracos na filosofia é que, como o geral dispensa precedentes, um piloto habilidoso não consulta o manual do navio quando é pego por uma grande onda — não, ele faz uso de seu profundo conhecimento dos princípios de navegação e de seu treinamento e experiência para tomar a decisão correta. Existe um lado desse argumento que apela ao ego: queremos nos enxergar como pessoas sábias, com intuição infalível. Queremos acreditar que o atleta está apenas fazendo o que sabe. Mas os melhores atletas se atêm a um plano rigoroso de trabalho, eles se *submetem* a um treinador. O que estampa as paredes da maioria dos vestiários? Frases inspiracionais, lembretes e códigos de conduta. Há regras que todo atleta segue, das quais precisa estar consciente para uma performance digna. É menos atraente levar em conta esses outros fatores, mas é a verdade. É esse papel — o de treinador — que Zenão e Cleantes tentaram incumbir aos professores de filosofia.

Fontes relatam que Aríston acrescentou a essa abordagem antagônica um estilo quase agressivo, e que falou muito mais do que ouviu, ridicularizando de maneira bem deliberada a máxima de Zenão sobre a proporção de orelhas e boca. Diógenes afirma que Aríston discursava longamente e com pouca elegância, sobrecarregando as mentes menos hábeis no processo. Em determinadas ocasiões, Zenão não tinha escolha a não ser interrompê-lo. *Você é um tagarela*, gritou-lhe uma vez, *e suspeito de que seu pai estava bêbado quando concebeu você*.

Não era uma retórica estoica, mas uma com a qual qualquer professor frustrado e exausto simpatizaria. Contudo, desde quando gritar dissuade um opositor? Não impediram os questionamentos de Aríston nem suas refutações. Na verdade, sua antipatia pela ortodoxia estoica se estendeu à escrita, com a qual ele atacava agressivamente seus companheiros estoicos, chegando a publicar um livro de críticas às doutrinas de Zenão e outro intitulado *Contra Cleantes*.

Cícero nos revela que tais ataques escritos tiveram réplica de Crisipo, que revidou com um livro contra Aríston no qual confrontava diretamente sobre os perigos de seu compromisso à total indiferença. "Podemos nos perguntar", atacou Crisipo, "como poderíamos viver sem nos importarmos com a saúde ou a doença, com a tranquilidade ou com a dor, se somos capazes de ignorar ou não o frio e a fome."

De fato, como seria possível? A vida seria um caos.

Aríston permaneceu inabalável, respondendo com confiança e sorrindo: "Você viveria esplendidamente, maravilhosamente. Agiria conforme o que lhe parecesse certo, nunca se entristeceria, nunca desejaria, nunca temeria."

É um canto tão tentador — e vazio — quanto o de qualquer sereia. E um pouco além do alcance para a maioria, por mais atraente que soe. Sim, o verdadeiro sábio, firmado com solidez nos princípios corretos, saberá intuitivamente o que fazer em cada situação e não precisará de um manual. Mas e quanto ao restante de nós?

Seria possível um mundo onde todos, como Aríston sugeria, fizessem simplesmente "o que bem entendessem"? Será que alguém gostaria de viver em tal mundo?

Podemos imaginar esses grandes estoicos frustrados, arrancando os cabelos. Podemos ver o desespero estampado em suas condutas e a exasperação em suas feições. *Esse cara está acabando com o nome dos estoicos. Pensei que estivéssemos no mesmo time.* Aríston nos apresentou o mesmo dilema que João Batista mostrou aos cristãos, o dilema que todos os opositores sempre apresentaram a correntes de pensamento incipientes. Essa pessoa é um rival ou um seguidor? Um santo ou um herege? Um amigo ou um inimigo? Aríston foi todas essas coisas, ontem e hoje.

Marginalizado pelos estoicos enquanto possivelmente ainda se considerava um membro, Aríston compartilhou muitas de suas ideias com os cínicos e foi influenciado pela academia cética, batendo de frente com os peripatéticos. Por sua independência, ele conquistou para si um lugar além dos muros de Atenas, além do Stoa Poikilē, em um ginásio cínico chamado, apropriadamente, de Cinosarges (como as sereias que lhe renderam o apelido, sua presença atraía os homens). Aríston ensinava lá com outros radicais, como Antístenes, um dos fundadores da escola cínica. Aríston ganhou fama e não demorou para ser considerado fundador de uma escola própria, conforme relata Diógenes: os aristonianos, conhecidos por sua persuasão e decência.

Mas, por ser um desafiador nato, ele tinha seus inimigos. Afirmava que "quando as pessoas constroem pouco a pouco suas reputações, outras atacam por todos os lados", o que é verdade, embora possamos desconfiar de que o antagonismo que ele sofreu esteja mais ligado a sua atitude combativa e provocadora do que a qualquer outro fator. Sendo mais respeitoso e conciliador, Aríston poderia ter conquistado mais? Isso é quase uma certeza, e teria cabido então aos estoicos futuros provarem que trabalhar dentro do sistema era uma maneira mais eficaz de convencimento do que desafiar tudo e a todos.

Aríston pregava que, além de buscar a virtude ou a maestria, o homem sábio simplesmente fará o que lhe der na telha ao lidar com indiferentes. Ele foi o primeiro estoico a argumentar que uma pessoa sábia é como um ator disposto a assumir os papéis designados pelo Destino. Esse exato argumento é encontrado em Epicteto séculos depois: ele também repreendia seus alunos que pediam manuais, como se um roteiro pudesse ajudá-los a lidar com a vida. Tanto Aríston quanto Epicteto acreditavam que, ao desempenharmos nosso papel no mundo, o roteiro já estava escrito e não deveríamos tentar criar um por nós mesmos. Deveríamos nos esforçar para estar à altura de nossos papéis. Mas, ao contrário de Aríston, isso não impediu Epicteto de oferecer vários bons conselhos.

Diógenes também nos conta que Aríston apreciava a ideia de que ele, como um homem sábio que possuía o verdadeiro conhecimento, não poderia ser iludido por meras opiniões. Isso alarmou os estoicos de tal forma que eles enviaram o escriba de Zenão para provar que Aríston estava errado. A peça que pregariam era simples: um gêmeo deixaria com Aríston determinada soma para que fosse guardada, então o outro, passando-se pelo primeiro, pediria o dinheiro de volta. Aríston, que de forma arrogante proclamara poder fazer uma escolha sábia não importava qual fosse a circunstância, cometeu um engano e entregou o dinheiro ao irmão errado.

Era um caso básico em que uma regra — como a de checar a identidade — seria imensamente superior a confiar na própria intuição. Quando Aríston descobriu que havia entregado o dinheiro à pessoa errada, ficou aturdido e envergonhado, pois dessa forma sua sabedoria havia sido refutada.

Mais uma vez, foi um comportamento estoico pregar tal peça? Fazer isso com a intenção de humilhar um companheiro estoico por causa de uma diferença tão pequena de opinião? No entanto, a divisão era muito maior do que isso.

A escola de Aríston, em uma espécie de desvio deliberado para se diferenciar da escola de Zenão e Cleantes, aboliu os tópicos de física e lógica. O primeiro estava além da nossa capacidade e o segundo não valia a pena — essa era a posição de Aríston. Apenas a ética importava, apenas a virtude.

Com certa ironia, o mestre dos argumentos perspicazes sustentava que os argumentos de um especialista em lógica eram como uma teia de aranha — claramente um produto da perícia, mas de todo inútil (ainda que bem útil às aranhas!).

Os questionamentos de Aríston encorajaram outros pensadores heterodoxos e renegados, que devem ter passado a impressão de que, na Atenas do século III a.C., a escola estoica estava se rompendo.

Em retrospecto, ver como esses argumentos insignificantes foram intensa e violentamente debatidos deveria nos tornar mais humildes e nos envergonhar um pouco. Aos estoicos antigos que participaram deles, contudo, as distinções dos "indiferentes preferíveis" eram uma questão de vida ou morte. Poder, influência e ego desempenhavam um papel nisso. Apenas Cleantes mantivera seu trabalho fora da escola, o que implicava que esses debates filosóficos representavam *tudo* para um Zenão ou um Crisipo ou um Arístron. Eles eram como monges enclausurados debatendo sobre o sexo dos anjos.

Era o narcisismo de querer estar certo — de ser a pessoa que batia o martelo quanto à questão. Com o destino da escola em aberto depois de Zenão e Cleantes, quem poderia se dar ao luxo de ceder? Ser lembrado pela história ajuda muito pouco depois que se está morto... mas é difícil ser indiferente a respeito do próprio legado.

Tudo isso é compreensível, mas dificilmente filosófico e muito menos estoico. Teria sido muito mais impressionante se esses homens tivessem impedido antagonismos provenientes da dominação dos seus relacionamentos com as pessoas com quem concordavam na maioria dos assuntos. Deveriam ter focado no *próprio* trabalho, na *própria* evolução.

Assim como nós.

De qualquer forma, o desenrolar da história resolveu a questão. O trabalho de Arístron e seus questionamentos, embora logo tenham sido descartados pelos estoicos que o sucederam, causaria um impacto considerável no jovem Marco Aurélio. Aos 25 anos, uma geração ou duas após Sêneca, Marco leu Arístron e ficou tão impressionado com as provocações levantadas por aquelas questões que perdeu o sono e precisou se afastar delas. Em vez de enxergar um herege, tudo que viu foi alguém clamando para que ele não memorizasse, mas praticasse e treinasse até a virtude se tornar um instinto. Conforme escreveu para seu professor de retórica, Fronto:

A escrita de Aríston está me deliciando e me atormentando ao mesmo tempo. Quando ensinam virtude, é claro que me deleitam; mas quando mostram quanto meu caráter está aquém daqueles modelos de virtude, este seu pupilo fica ruborizado por vezes demais e tem raiva de si mesmo, pois, até os 25 anos, ele não absorveu em seu coração nada ainda da boa opinião e da razão pura. Então cumpro a pena, estou raivoso e triste, invejo outros homens, jejuo. Atual prisioneiro desses cuidados, todo dia adio para o seguinte a tarefa de escrever.

Resumindo, esqueça os preceitos. Não fique refletindo sobre regras. *Apenas faça*.

Marco conhecia bem a história de sua escola. Sabia que todas as disputas doutrinárias tinham virado cinzas. Tudo desaparece. Torna-se pó ou lenda, ou menos que isso. Citações de citações de livros perdidos no tempo.

Tudo que resta, diria Aríston, é a vida que vivemos, quanto nos aproximamos da virtude nos momentos que importam.

CRISIPO, O LUTADOR

NASCIMENTO: 279 A.C.
FALECIMENTO: 206 A.C.
ORIGEM: SÓLIS

Foi logo no começo de sua vida que Crisipo, o homem que se tornaria o terceiro escolarca dos estoicos, conheceu a corrida, um esporte que mudaria sua trajetória. A prática da corrida na Antiguidade, assim como hoje, não é como a dos outros esportes. Luta livre é um teste de força e estratégia entre dois lutadores igualmente capazes que se atracam corpo a corpo. O arremesso de um disco ou de um dardo é uma proeza de técnica e coordenação, medida pela distância.

Mas a corrida, principalmente a de resistência, com a extensão predeterminada e os competidores separados por raias, é tanto uma batalha da mente e do corpo *contra si mesmo* quanto é uma competição contra todos ou *tudo* o mais.

Qual a conexão entre a filosofia e a corrida? Nenhuma. Mas e entre o estoicismo, uma filosofia de resistência e força interior — da transcendência de limites pessoais e da autoavaliação contra um alto padrão de valores —, e a corrida de longa distância?

Nesse caso, a justaposição é profunda, especialmente para um jovem como Crisipo, nascido na cidade portuária de Sólis, na Cilícia, competindo pela primeira vez nos Jogos Olímpicos em uma corrida de cerca de cinco quilômetros, o *dólico*, sem equivalente moderno. O *dólico* não era uma volta de cinco quilômetros como o *cross-country*, nem uma prova de pista como os cinco mil metros; em vez disso, consistia em uma extensão de cerca de 24 estádios, unidade de medida antiga que equivalia a 4,5 quilômetros, percorrida quase em *sprints* em uma quadra de basquete.

Não é difícil de imaginar esta mente estoica em formação enquanto seu molde, Crisipo, corria tão rápido quanto possível, *indo e voltando, indo e voltando,* não apenas na tentativa de superar os demais corredores, mas também de se convencer a prosseguir ao ofegar e conforme seu cérebro o mandava parar. Lutando pela dianteira entre o grupo de competidores, ele desenvolvia de forma inconsciente uma estrutura ética que direcionaria sua vida e o futuro da escola estoica.

"Competidores em uma corrida devem disputar e se esforçar pela vitória o máximo que podem", diria Crisipo tempos depois, "mas isso não significa de maneira alguma que devem derrubar seus concorrentes ou empurrá-los. Assim também é na vida; não é errado ir atrás do que é útil, mas prejudicar os outros para isso não é justo."

Mas foi sozinho, nos longos treinos de corrida pelas planícies costeiras de sua terra natal na Cilícia, no que hoje é o sul da Turquia, que Crisipo se preparou para os desafios que a vida lhe reservaria e para os feitos de resistência intelectual e física que a filosofia viria a exigir.

De fato, vivendo, como os demais estoicos, no caos de um mundo pós-alexandrino, Crisipo conhecera pouca paz no início de sua vida. A Cilícia era um alvo frequente de invasões devastadoras. Sua família se deslocou de Tarso para uma cidade nas redondezas, Sólis, apenas para se deparar com outro tipo de invasão, quando a considerável propriedade da família foi confiscada para encher os cofres de um dos antigos generais de Alexandre. Como ocorreu com Zenão, a perda de uma fortuna revelou-se um golpe de sorte, pois encaminhou Crisipo à filosofia.

Também o levou a Atenas. Com poucas opções em casa e provavelmente temendo qual seria a próxima exigência do regime tirânico, Crisipo, assim como Cleantes antes dele, deixou seu lar à procura de oportunidades mais interessantes. Por gerações, Atenas atraiu não apenas os melhores e mais brilhantes do mundo helênico no estudo da filosofia, mas também os expropriados, os falidos e os sem rumo. Crisipo, como Zenão e Cleantes haviam sido, era uma mistura de tudo isso.

Não sabemos com exatidão quando ele aportou na cidade farol do aprendizado e do comércio, mas, na época de sua chegada, o legado de Zenão e Cleantes já estava firmemente estabelecido. A filosofia e a fama deles tinham se espalhado pelo mundo grego. Estivesse ou não vivo quando Crisipo, aos dezessete ou dezoito anos, chegou a Atenas, a presença de Zenão surgia para os alunos em cada conversa, cada livro e cada ideia que aprendiam.

É evidente que Crisipo — cujo nome significa, literalmente, "cavalo dourado" — trouxe consigo a energia e a atitude de uma nova geração. Essa energia vinha embalada em um pequeno pacote, pois sabemos que ele era de baixa estatura por uma estátua sua erguida pelo sobrinho Aristocreonte, a qual antigamente se localizava no noroeste da ágora ateniense, próxima ao Stoa Poikilē. Diógenes relata que a estátua era pequena o bastante para ser obscurecida pela equestre que ficava ao lado, o que mais tarde levou outro filósofo a fazer um trocadilho, chamando Crisipo de Crípssipo, que significa em grego "escondido pelo cavalo".

A estátua, que permaneceu erguida por tempo suficiente para que Plutarco escrevesse sobre ela em 100 d.C., nos informa mais do que apenas o tamanho de Crisipo. Consta na inscrição: "Aristocreonte dedica esta estátua a seu tio Crisipo, o cutelo para os nós da Academia."

Que nós? As críticas que Cleantes recebeu de poetas e sátiros não foram motivadas por falta de estima. O estoicismo, com sua popularidade crescente, tornou-se alvo de críticos e céticos. Podemos imaginar as escolas filosóficas de Atenas nesse período — epicuristas, platonistas e aristotélicas — digladiando-se como se fossem grupos religiosos, cada uma afirmando conhecer o verdadeiro deus.

Cleantes se contentara em responder com gracejos ou com um silêncio impassível. Quando o estoicismo se baseava apenas nas ideias de Zenão ou nos ensinamentos de Cleantes, talvez essa atitude pudesse ter sido suficiente. Mas em algum momento a escola precisaria ser defendida. Suas teorias precisariam ser sustentadas, e suas doutrinas, definidas e codificadas. Contradições — mesmo nos escritos desses dois primeiros pensadores — precisariam ser esclarecidas.

E havia também as provocações de Aríston — e os provocadores encorajados por ele —, que avultavam sobre o futuro do estoicismo. Havia Dionísio, o Renegado, que começou como um estoico e se juntou a uma escola rival, pregando que a vida deveria ser voltada ao prazer. Havia Hérilo, que foi discípulo de Zenão, mas acreditava, diferentemente de seu mestre, que o conhecimento era mais importante que a virtude. Havia todas essas vozes brigando, questionando, se contradizendo.

CRISIPO, O LUTADOR

O que viria a se tornar o estoicismo? Que tipo de instrução e orientação ele ofereceria? Quais seriam seus líderes?

E assim recaiu em Crisipo o papel ingrato, porém essencial, de proteger essa escola que, mesmo iniciante, prosperava. Quando Aríston publicou seu livro *Contra Cleantes*, foi Crisipo quem se sentiu compelido a responder. Quando um filósofo tentou rebater Cleantes sobre uma questão insignificante de lógica, foi Crisipo quem tomou a dianteira, gritando ao homem para que parasse de distrair seu professor e que, se ele quisesse criar caso, Crisipo estava preparado. Não apenas preparado, mas preparado para ganhar, ao que parece.

Que ninguém pense que ideias sejam transformadoras por si só. Como um sábio cientista diria tempos depois, as pessoas precisam que essas ideias sejam enfiadas goela abaixo. Ou no mínimo defendidas e disputadas.

Cícero deu um veredito anos depois sobre um desses conflitos, envolvendo Hérilo, um estoico menos conhecido, porém controverso. Ele "havia sido rejeitado por um longo tempo", escreveu Cícero. "Ninguém disputou com ele diretamente desde Crisipo."

O lutador deu fim à contenda e relegou outro desafiante às notas de rodapé da história.

Sêneca discorreria mais tarde sobre a importância de ler e estudar outras filosofias, como um espião no campo inimigo. E, realmente, constatamos que os primeiros anos da carreira de Crisipo foram gastos não sobre os ombros dos mestres estoicos vivos, mas ao lado de Arcesilau e Lácides, os quais dirigiam a Academia de Platão. Isso não significa que havia um conflito em relação a sua lealdade; ele sabia que, para o estoicismo sobreviver, precisaria aprender com seus rivais mais bem estabelecidos.

É possível imaginar Crisipo — o competidor, o corredor — desejando desesperadamente a vitória. Ele estudou os argumentos das escolas rivais, inclusive frequentando aulas em escolas platônicas para poder encontrar falhas em seus argumentos. Ele estudou a fraqueza de seus próprios argumentos para saber em que pontos o estoicismo precisava melhorar.

Às vezes não há melhor maneira de reforçar suas defesas do que descobrir as armas do inimigo, e isso é precisamente o que um bom filósofo faz. Hoje, essa técnica de argumentação é chamada de *steelmanning* — derivado de *steel man*, ou homem de aço, em oposição à falácia do espantalho —, em que você não precisa de subterfúgios ao assumir o pior em relação às ideias contra as quais está debatendo. Em vez disso, pode interagir com seriedade e sinceridade com elas, ganhando por mérito e não por deturpações. E, como lutador, Crisipo gostava de um desafio.

Segundo relatam, Crisipo confiava tanto em sua capacidade de destruir argumentos contrários que certa vez disse a Cleantes que só precisava saber qual era a doutrina do oponente para descobrir as provas (ou, pelo jeito, as refutações) sozinho.

Enquanto Cleantes era lento e metódico, e sempre generoso com seus rivais, Crisipo era orgulhoso e amava o embate intelectual. Sua competitividade, afiada no *stadion*, acabou por ser canalizada para o mundo da filosofia. Ele nunca recorreria a truques baratos — um limite que, infelizmente, nem todos os estoicos que viriam depois respeitariam —, mas disputava para ganhar.* Porque, para Crisipo, assim como a vida, a filosofia era uma batalha. Mas deveria ser uma batalha justa.

---

* Podemos supor que ele não tenha aprovado a peça que Zenão pregou em Aríston.

Dessa forma, é estranho considerar as personalidades e respectivas conquistas atléticas de professor e aluno, mestre e protegido. Cleantes, boxeador, foi o trabalhador esforçado, já Crisipo, que sobressaiu em um esporte mais solitário, foi o explosivo, o agressivo.

Aliado a esse temperamento, ele também tinha verdadeiro talento. Naquele tempo havia um ditado popular que dizia: "Se os deuses resolvessem estudar a ciência da argumentação, usariam Crisipo como modelo." Foi uma sorte o estoicismo ter uma figura tão brilhante no seu campo. Enquanto Aríston empregava sua inteligência para questionar a ortodoxia de forma a quase não deixar pedra sobre pedra, Crisipo, ao definir a filosofia como "o cultivo da retidão da razão", estava sistematizando todos os ensinamentos estoicos.

É um papel atemporal, porém anônimo na história de incontáveis filosofias, negócios e até mesmo países: as gerações fundadoras tiveram a coragem e a genialidade de criar algo novo. É deixado para as gerações seguintes — em geral mais novas, mais bem preparadas e muito mais pragmáticas — limpar as bagunças, os excessos e as contradições que tais fundadores deixaram pelo caminho.

Esse trabalho, sem dúvida, não é tão glamoroso quanto o dos fundadores, nem tão reconhecido. Não é nem mesmo tão gratificante quanto o trabalho do apóstolo, que tem o encargo de difundir a mensagem. Mas, de muitas formas, é o mais importante. A história do estoicismo reconhece isso sem alardes e, na verdade, imortaliza essa máxima na frase mais famosa sobre Crisipo a que hoje temos acesso: "Se não houvesse Crisipo, não haveria Stoa."

Ou melhor, provavelmente não estaríamos falando dela da mesma forma.

Quando Cleantes morreu, em 230 a.C., Crisipo tornou-se o terceiro líder dos estoicos, aos 49 anos. Sua primeira medida não foi somente explicar os ensinamentos de seus predecessores, mas torná-los populares. Zenão e Cleantes lecionaram apenas no Stoa Poikilē; Crisipo, por sua vez, buscou também o palco mais amplo do Odéon (uma sala de concertos). Ele parece ter sido o primeiro a realizar palestras ao ar livre no bosque do Liceu, a escola dos peripatéticos, seguidores de Aristóteles. Podemos imaginar que, como cutelo e lutador, ele gostava da ideia de levar sua mensagem diretamente ao campo inimigo.

Enquanto Cleantes preferira o poder da poesia e usara com frequência a analogia, a metáfora e a métrica para transmitir suas verdades, Crisipo insistiu, tanto no ensinamento quanto na prosa, na precisão da lógica argumentativa e da prova formal. Embora célebre pela paixão e pelo tino no que dizia respeito à argumentação — era raro Crisipo simplesmente deixar que um assunto falasse por si mesmo, por exemplo, visto que ele tinha inclinação a argumentar sempre sobre os mesmos tópicos —, ele era igualmente famoso por suas inovações no campo da lógica e por sua prodigiosa produção literária. Ele ostenta uma quantidade de escritos que ultrapassa 705 volumes, e cerca de trezentos deles abordam o tema da lógica. Dos títulos listados por Diógenes, existem em torno de duas dúzias exclusivamente sobre o infame Paradoxo do Mentiroso. (Não podemos acreditar em nada que um mentiroso diz, mas podemos acreditar em um completo mentiroso quando ele afirma estar mentindo? Se ele sempre mente, não é falso, mas verdadeiro... mas então ele não estaria sempre mentindo.) Um de seus trabalhos, *Teses lógicas*, foi até mesmo descoberto entre os papiros soterrados em Herculano (em uma biblioteca da escola epicurista rival, pertencente a Filodemo). O que Homero era para a poesia, disse um escritor da Antiguidade, Crisipo era para a lógica.

Sua paixão pela literatura e a poesia era tal que chega a contradizer sua reputação no campo da lógica. Em um ensaio, Crisipo supostamente citou tantas falas da peça *Medeia*, de Eurípides, que as pessoas brincavam dizendo que ele incluíra cada palavra da obra. Era a "*Medeia* de Crisipo", comentavam. De fato, ele apreciava tanto citar outros escritores que suas vozes abafavam a dele em alguns dos ensaios. Críticos de seus livros definiam esse uso das citações como "despropositado", mas uma análise melhor diria que Crisipo realmente amava selecionar e compartilhar grandes pensadores e dramaturgos da história, e se tornaria notório por fazer uso da prática diligente de citá-los, ou a outras fontes, sempre que dessem base para seus argumentos.

Mas ele era tão diferente assim de Cleantes e dos outros estoicos? Crisipo também era humilde, trabalhador e pé no chão. Ao que tudo indica, ele tinha uma casa simples, com apenas uma criada. Segundo ela, sua maratona intelectual implicava um ritmo constante de escrita de, no mínimo, quinhentas linhas por dia. Ele recusava convites, até mesmo de reis, pois o afastariam de seu trabalho. Raramente deixava seu lar, a não ser que fosse para discursar.

Há relatos de que ele evitava ocasiões sociais e frequentemente permanecia em silêncio nas que comparecia. De acordo com sua criada, em festas com bebidas, o único indicativo de que se divertia eram suas pernas um pouco trêmulas. Certa vez, foi criticado por não se juntar a um grupo que comparecia às palestras de Aríston, ao que ele simplesmente respondeu: "Se eu me importasse com a multidão, não teria estudado filosofia."

Não que Crisipo tenha renunciado a todos os prazeres e a todo o dinheiro; ele desconfiava da *vontade*, do *desejo* por qualquer coisa. Um homem sábio pode encontrar utilidade para o que quer que surja em seu caminho, afirmou, desde que nada queira. "Por outro lado", disse, "de nada precisa o tolo, pois não entende como usar seja lá o que for, e ainda assim tudo quer."

Não há definição melhor para um estoico: ter e não querer, desfrutar sem *precisar*.

Dessa crença advêm a liberdade e a independência de Crisipo. Ele nunca vendeu seu trabalho ou cobrou por conselhos, tudo por causa de um desejo de não rebaixar a filosofia. Ele não tomava dinheiro emprestado nem o emprestava. Diógenes observa que nenhum dos livros de Crisipo foi dedicado a um rei. Alguns de seus contemporâneos interpretavam isso como arrogância, mas era, na verdade, sinal de sua autossuficiência. Diferentemente de Zenão e Cleantes, que aceitaram dinheiro de reis, Crisipo não estava interessado em patronagem. Se você aceita o dinheiro de um rei, disse ele, então será sua obrigação agradá-lo.

Ele não aceitou o dinheiro... o que significava que ninguém poderia dizer o que deveria fazer.

A independência do pensamento de Crisipo, seu amor pelos princípios mais elevados e seu zelo intelectual eram claramente virtudes, mas, como qualquer coisa, podiam se tornar excessivos. Quanto mais inteligente somos, mais fácil é se apaixonar por nossa voz e nossos pensamentos. O custo disso não é apenas o orgulho, mas a qualidade da mensagem. Epicteto, cujos estudantes tiveram dificuldade de entender a obra de Crisipo três séculos depois de escrita, diria: "Quando as pessoas assumem ares de grandeza sobre a própria capacidade de entender e interpretar os trabalhos de Crisipo, lembre-se de que, se Crisipo não tivesse escrito de maneira tão rebuscada, eles não teriam nada do que se gabar."

Como a maioria da produção de Crisipo está perdida para nós, exceto por cerca de quinhentos pequenos trechos recolhidos por outros escritores, não podemos saber quão ruim ele realmente era como escritor. É significativo que, apesar dessas supostas falhas, suas percepções tenham perdurado — e continuaram sendo difundidas mesmo após sua morte.

Embora tão dedicado ao próprio trabalho, Crisipo também era um homem afetuoso em família. Ele mandou buscar os filhos de sua irmã, Aristocreonte e Filócrates, e os acolheu em casa, cuidando da educação deles. Ficou particularmente próximo de Aristocreonte, a quem dedicou ao menos três dúzias de seus livros. Aristocreonte retribuiu não apenas com a estátua e a inscrição no túmulo do tio, mas também ao escrever um livro celebrando o filósofo.

Contudo, mesmo no seu papel de figura paterna, a natureza competitiva de Crisipo era evidente. Uma mãe lhe perguntou certa vez a quem ela devia confiar a educação de seu filho. Ele respondeu que certamente não havia melhor professor do que ele... pois, se houvesse, ele mesmo estaria estudando com tal pessoa.

Apesar de todas as controvérsias com Aríston (o qual acreditava que apenas a ética importava), eles tinham mais em comum do que imaginavam. Plutarco nos conta que tudo que Crisipo escreveu não possuía "nenhum outro propósito além da diferenciação entre as coisas boas e as más". A vida virtuosa era a essência e a finalidade de tudo.

Conforme mencionado anteriormente, Crisipo desenvolvera uma filosofia do bom competidor devido ao seu histórico como corredor. Ele sabia que, mesmo enquanto os atletas competiam entre si no desesperado intuito de triunfar uns sobre os outros, havia uma irmandade entre todos os participantes — do melhor ao pior. Tad Brennan, o acadêmico especializado no período clássico, chama isso, apropriadamente, de "modelo de comportamento não invasivo" de Crisipo, um modelo enraizado em nossa empatia pelo outro. Não foi sua única contribuição nesse quesito. Outra descoberta de Crisipo no campo da ética foi desenvolver a ideia estoica de *sympatheia*, construída por meio da crença de Zenão de que todos pertencemos a uma mesma comunidade, o que nos encoraja a refletir sobre a interconexão entre todas as pessoas e nossa cidadania cósmica compartilhada.

Seria ótimo se o empurra-empurra da rivalidade entre os estoicos da Antiguidade tivesse refletido um pouco melhor essa ideia. Se tivessem percebido que não havia nenhuma "vitória", pois todos estavam no mesmo time e concordavam em relação às grandes questões, imagine quantos problemas poderiam ter sido evitados. Eles hoje seriam um exemplo muito melhor para nós.

Ironicamente, Crisipo recebeu um dos seus maiores elogios do cético platonista Carnéades — que, como se verá, se tornaria o maior calo no pé dos estoicos muito após sua morte. Carnéades não apenas acreditava que sem Crisipo não haveria Stoa, como também declarou que "se Crisipo não existisse, *eu* não teria existido". As palavras mais verdadeiras são frequentemente ditas como brincadeira.

Enquanto a obra de Crisipo talvez seja eterna — e seu rosto ainda era cunhado em moedas na sua terra natal décadas após sua morte —, o homem sabia que ele mesmo não era eterno.

Certa noite, após uma palestra no Odéon, um grupo de seus alunos o convidou para beber. Após tomar um pouco de vinho doce não diluído, Crisipo foi acometido por uma vertigem e morreu cinco dias depois, aos 73 anos.

Se sua morte realmente ocorreu dessa maneira, isso confirmaria sua representação como um homem que levou o trabalho e a si mesmo a sério, e no fim morreu em uma rara noite de descanso da rotina de escrita e reflexão. Talvez seja verdade, e, se for, é até um pouco desinteressante.

Os outros relatos sobre a morte de Crisipo são mais interessantes, pois adicionam outra dimensão ao homem e ao suposto estereótipo apático do estoico. Segundo consta, Crisipo estava sentado em seu pórtico quando um burro solitário se aproximou e comeu de seu jardim. Crisipo achou a cena muito engraçada, e começou a rir sem parar. "Dê ao burro um pouco de vinho para ajudá-lo a engolir os figos", gritou ele ao dono, então riu ainda mais, até que, literalmente, morreu de rir.

Se isso for verdade, ele seria o segundo fundador do estoicismo a falecer não no calor de um debate ou em um afã de escrita — algo a que dedicou muito tempo de sua vida —, mas de bom humor e desfrutando os prazeres simples do mundo.

Não é uma maneira ruim de morrer.

ZENÃO, O GUARDIÃO

NASCIMENTO: DESCONHECIDO
FALECIMENTO: 190–180 A.C. (?)
ORIGEM: TARSO

Na virada do segundo século antes de Cristo, o estoicismo completava cem anos. Os ensinamentos de Zenão foram passados a Cleantes e então a Crisipo, sobrevivendo a provocações, céticos e ataques de outras escolas.

Mas e agora? Quem seria o próximo?

Uma das crenças centrais do estoicismo é a ideia de que a história é cíclica. Que a mesma coisa acontece de novo e de novo e de novo. Não somos tão especiais assim, afirmavam seus adeptos. Somos peças intercambiáveis, atores em uma encenação que começou no início dos tempos.

Poucas coisas tornam isso mais evidente do que este fato: o líder seguinte do estoicismo, abrindo um novo século, estava de certa forma nos levando de volta ao começo. Pois ele também se chamava Zenão.

Após o sucesso de Crisipo em estabilizar a escola, era dele a escolha de quem assumiria o manto. Como a família de Crisipo era oriunda de Tarso e ele alcançara tamanha glória, isso deve ter despertado o interesse de muitos de seus conterrâneos. Um desses estudantes de Tarso, Dioscórides, do qual pouco se sabe além de que Crisipo lhe dedicara ao menos seis obras que se dividiam em vinte e um volumes, era visto como seu herdeiro. Mas Dioscórides era velho demais ou enfermo, ou talvez tivesse morrido.

No entanto, ele tinha um filho, e esse filho era Zenão de Tarso. O escritor cristão Eusébio nos conta que esse segundo Zenão não dava muito crédito para a ideia da reencarnação:

> Afirmam os filósofos estoicos que a substância universal se transforma em fogo, na forma de uma semente, e retorna, pois isso completa tal ordenação, assim como era antes. Eis a doutrina aceita pelos antigos primeiros líderes do secto, Zenão, Cleantes e Crisipo. Pois do Zenão que fora discípulo e sucessor de Crisipo na Escola diz-se que teve dúvidas sobre a conflagração do Universo.

Talvez tenha parecido um pouco conveniente demais para ele. Mas não devemos concluir a partir desse questionamento que ele tenha sido outro Aríston. É mais provável que ele não tenha sido nem revolucionário nem provocador. Ele não era nem mesmo um ardente defensor. Mas talvez tenha sido exatamente o que a filosofia precisava na época — um *guardião*, um administrador, cordato apenas o suficiente para acalmar as coisas e então se estabelecer. Às vezes, a história — assim como a vida — pede um lutador, e, às vezes, pede alguém com comportamento estável, imparcial e porte calmo. Às vezes, a ocasião pede uma celebridade; às vezes, humildade.

Coragem nem sempre significa partir para a luta. Em muitos momentos é resiliência. Por vezes é introspecção. Os estoicos acreditavam que temos cada uma dessas habilidades dentro de nós, e era uma questão de agregar a virtude certa ao momento certo. Precisamos cumprir nosso dever, seja lá qual for.

E assim foi com o segundo Zenão. Quando se envolveu em conflitos relativos à doutrina, foi por questões menores. Em alguns casos ele concordava com Cleantes; em outros, com Crisipo. Mas parece que não se importava com o ego. Ele não gostava de confrontos, embora possamos imaginar que, quando o problema batia na porta, ele o recebia (escreveu um livro intitulado *Contra Jerônimo de Rodes*). Ele não precisava do holofote, não precisava escrever centenas de livros ou realizar grandes palestras. Zenão de Tarso era um homem entediante o suficiente — e escreveu apenas o bastante — para apaziguar as agitações e os conflitos de sua época e passar adiante a filosofia para a próxima geração.

O primeiro Zenão desbravou um novo território. Crisipo desferiu alguns golpes e se defendeu de outros. O segundo Zenão não precisou fazer nada disso. O estoicismo já se encontrava bem estabelecido havia décadas. Era um navio que flutuava, uma filosofia com milhares de praticantes espalhados pela Grécia. O que o segundo Zenão precisava fazer era consolidar e seguir em frente.

O momento não poderia ser mais decisivo.

A Grécia estava em declínio. Roma estava em ascensão. E o estoicismo deixaria o berço da democracia e ficaria a postos para fazer frente às necessidades de uma potência crescente. Não sabemos quando Zenão de Tarso morreu, mas ele foi sucedido por Diógenes da Babilônia, outro estudante de Crisipo, uma transição marcada pela ascensão do poder romano.

A mudança política também conduziria à Idade de Ouro do estoicismo, quando a República e a filosofia se encontraram e se amalgamaram, e então a República se tornou *Império*.

Zenão de Tarso seria, então, esquecido quase por completo — lembrado tal qual tantas figuras importantes, como, na melhor das hipóteses, um símbolo de transição? Bem, isso é algo com que um estoico não pode se importar. Tudo o que importa é que ele concluiu todo o trabalho que precisava concluir.

DIÓGENES, O DIPLOMATA

NASCIMENTO: 230 A.C.
MORTE: 142 A.C.
ORIGEM: BABILÔNIA

Em 155 a.C., Diógenes da Babilônia, o quinto escolarca do Stoa, foi enviado a Roma em uma missão diplomática de Atenas. Lá, junto a outros líderes das grandes escolas filosóficas da Grécia, ele daria uma série de palestras sobre os ensinamentos das diferentes filosofias. Embora pareça um evento sem tanta importância, ele mudaria não apenas Roma, mas o mundo todo.

Como ato diplomático, parece loucura a ideia de enviar um grupo de filósofos anciãos de doutrinas rivais a uma cidade notoriamente hostil à filosofia. Havia apenas alguns anos, o Senado romano decretara uma proibição total aos filósofos, e lá ia Atenas, enviando justamente esses párias para representá-la e argumentar a seu favor. Eles não eram soldados. Nem diplomatas. Nem advogados. Nem mesmo levavam presentes ou subornos. Eram filósofos. Por quê?

Momentos desesperadores requerem medidas desesperadas.

Os anos desde a morte de Alexandre, o grande, foram uma sequência infindável de ataques e contra-ataques na Grécia e na Itália. O período foi marcado pela ascensão e queda de incontáveis reis e principados. Atenas esteve sob ocupação por boa parte do século anterior, enquanto os reis macedônios combatiam os inimigos para se manter no poder. Com essa brecha, Roma, uma pequena cidade às margens do rio Tibre, aos poucos começou a ganhar poder, até alcançar uma hegemonia internacional com ambições coloniais. Supervisionando uma disputa entre Atenas e um vizinho, magistrados controlados por Roma deram um veredito contra Atenas e emitiram a multa exorbitante de quinhentos talentos. Era uma soma que a cidade mal poderia pagar, então Atenas revidou com uma das poucas armas que possuía: seus filósofos.

Nenhum dos líderes das duas cidades sabia, mas a decisão de Atenas de enviar a Roma a nata de sua intelectualidade para recorrer à decisão jurídica foi a primeira saraivada no que viria a ser um século de batalhas pela supremacia cultural. Também foi o primeiro passo do estoicismo para fora da sala de aula e para dentro do centro do poder.

Diógenes da Babilônia, nascido no ano da morte de Cleantes, foi então o primeiro homem ao qual os atenienses se voltaram no momento de necessidade. Originário da cidade de Selêucia, no que é hoje a metrópole de Bagdá, Diógenes estudara em Atenas sob a tutela de Crisipo. Ele ainda era um jovem quando Zenão de Tarso herdou o manto, e, ao contrário de seu célebre e homônimo predecessor, Diógenes, o cínico, esse Diógenes não era um rebelde antissocial. Ele era pragmático demais para isso.

Esse Diógenes — ao contrário de Diógenes, o cínico, de cerca de dois séculos antes — não dormia em um barril. Não se masturbava em público. Até onde sabemos, ele vestia roupas perfeitamente apropriadas e era capaz de participar de debates e argumentações em público. Ele não era um provocador como Arístonnem um lutador como Crisipo. Não era particularmente engraçado nem sagaz, mas era um pensador brilhante e capaz de expressar suas ideias de maneira crível *como um cidadão ateniense de plenas capacidades*, um líder respeitável e não apenas uma mente perspicaz. Diógenes era uma estrela em ascensão na filosofia, oferecendo importantes contribuições no início do pensamento estoico nas mais diversas áreas, como linguística, música, psicologia, retórica, ética e filosofia política.

O que levou Diógenes à filosofia estoica? Segundo Plutarco, Diógenes foi inspirado pelo que havia lido do caráter de Zenão, o fundador. É um lembrete, após todo esse tempo, para qualquer um refletir sobre o próprio legado. O que sobrevive para a posteridade não é o que você diz; não é o que você escreve nem o que você construiu. É o exemplo que você dá. São as coisas pelas quais você vive.

Não sabemos quando Zenão de Tarso morreu e foi sucedido por Diógenes, mas sabemos que Diógenes foi um professor habilidoso, que atraiu muitos alunos. Um deles, um contestador ríspido chamado Carnéades, um dia viria a se tornar líder da academia cética. Fora atraído por Diógenes por meio do estudo dos trabalhos de Crisipo e acabou se tornando um dos membros da missão diplomática de Atenas em Roma.

De novo, confiar essa importante missão a pensadores diz algo sobre o poder da filosofia — ou ao menos sobre quanto decaiu desde então. Mas, no mundo antigo, os filósofos ocupavam um lugar diferente daqueles que nossos acadêmicos ocupam hoje.

A missão diplomática começou com uma série de palestras públicas, seguidas de discursos ao Senado, tudo com a intenção de exibir a cultura e o aprendizado extensos dos líderes das grandes escolas de Atenas, de forma a amenizar o sentimento que envolvia a condenação e a sentença proferidas por Roma.

A missão não começou bem. Carnéades falou primeiro, discorrendo com eloquência para uma plateia grande, cativada, a favor da justiça. Mas ele retornou no dia seguinte, para se deparar com uma multidão ainda maior, e então começou a discursar *contra* a justiça, tão veementemente quanto no dia anterior. Uma testemunha, Catão, o velho, um dos cidadãos mais moderados e politicamente influentes, ficou horrorizado. Que tipo de absurdo era aquele? Como pode um homem argumentar a favor de um tema para logo em seguida refutá-lo? Ele exigiu que o impetuoso Carnéades fosse enviado para casa, antes que tivesse a chance de corromper ainda mais a juventude romana.

Não sabemos com exatidão o que Diógenes disse ao Senado, mas é evidente que foi uma mensagem apaziguadora, demonstrando que Atenas era melhor como aliada do que como inimiga. Cada um dos oradores deve ter sido designado para falar sobre o poder da justiça, para mostrar aos romanos que os gregos eram merecedores dela. Carnéades, graças ao seu ego, quase sabotara a mensagem, mas felizmente Diógenes e Critolau, o terceiro orador, foram suficientemente refinados e persuasivos. Diógenes, um pensador brilhante e estratégico, pode ter argumentado que punições severas seriam menos benéficas a Roma do que a misericórdia. Os relatos indicam que os romanos ficaram admirados com a "compostura e sobriedade" de Diógenes, que provavelmente se destacou em contraste com o seu compatriota exibido e insensível.

Isso era parte da genialidade de Diógenes e o que fazia dele um grande filósofo do *mundo real*. Carnéades, em um de seus discursos, referiu-se a Roma como "uma cidade de tolos" — uma observação não muito prudente vinda de um homem cuja missão era pleitear clemência. Para piorar a situação, quando a afronta ofendeu seus anfitriões, ele culpou Diógenes, visto que, desde Zenão, os estoicos acreditavam que apenas um sábio era capaz de governar. Em vez de ser ríspido, Diógenes foi diplomático no melhor sentido da palavra. Não se alterou frente a provocações nem se deixou arrastar para conflitos.

Podemos imaginá-lo respondendo às tolices autodestrutivas de Carnéades e às zombarias e críticas de sua plateia romana com a mesma tranquilidade que anteriormente demonstrara ao receber uma cusparada e ser importunado por um adolescente em Roma. "Não estou com raiva", respondeu com uma piscadela, "mas não tenho certeza se deveria estar." E foi assim que ignorou tudo o que o distraía da sua missão ateniense. Havia muito em risco.

Apesar de toda a comoção envolvendo os embaixadores visitantes, seus conhecimentos e sua eloquência, e das opiniões exaltadas sobre as palestras contraditórias de Carnéades, essa histórica missão política foi um estrondoso sucesso. A multa foi reduzida de quinhentos para cem talentos, e a reputação dos três, especialmente a de Diógenes, ficou marcada com firmeza no imaginário romano. Catão, o velho, por mais chocado que tivesse ficado com o que testemunhou, se tornaria involuntariamente uma prova do sucesso da missão. Seu bisneto, Catão, o jovem (conforme capítulo posterior, sobre o homem de ferro de Roma), não apenas conseguiria escapar da "corrupção" da filosofia, como, ainda por cima, se tornaria um dos maiores estudiosos do estoicismo, alcançando a glória eterna por isso.

Mas, na verdade, quem mais saiu ganhando com o episódio — ou, melhor dizendo, com o *processo* pelo qual o episódio ocorreu — foram a Grécia e os estoicos. Por vários séculos antes, a filosofia era antes de tudo um acontecimento de sala de aula. Versava sobre a busca por uma boa vida — sobre a verdade e o significado —, mas isso se aplicava, acima de tudo, a seus alunos. Quase todas as escolas filosóficas — cínica, platônica, aristotélica, epicurista, e até o estoicismo — ignoraram o mundo real, deixando de lado a vida política e social.

Em vez disso, debatiam entre si a definição de "virtude". Do que mais eles precisavam? Atenas pode ter sido o berço da democracia, mas era como viver em uma cidade pequena. Insular. Protegida. Autocentrada. Enquanto Zenão sustentava que os estoicos precisavam participar da vida pública se tivessem capacidade para tal — e alguns de seus estudantes haviam optado por isso —, a maioria, até aquele momento, não o fizera.

A ascensão de Roma, o chamado ao serviço público durante uma crise como a que Diógenes apaziguou, mudou isso. Cícero, "cujo conhecimento de filosofia política do passado era extenso", conforme escreveu Dirk Obbink em seu trabalho *Diogenes of Babylon: The Stoic Sage in the City of Fools* [Diógenes da Babilônia: O sábio estoico na cidade dos tolos, em tradução livre], "não tem ciência de nenhum escrito estoico que tratava sobre questões práticas de política anterior a Diógenes". Claro, alguns estoicos menos conhecidos serviram como generais e até morreram em batalha, assim como houve outros que aconselharam reis e os consultaram, mas os professores de filosofia se mantinham largamente à margem ao lidar com a política apenas de forma abstrata.

O pensamento político do estoicismo antigo se estruturara amplamente em oposição às obras *República* e *As leis*, de Platão, começando com o radical *A República*, do próprio Zenão, e seguindo com os trabalhos de Crisipo em *Against Plato on Justice*

[Contra a justiça em Platão] e *Exhortations* [Exortações]. Esses debates eram pouco mais do que argumentos sobre tipos diferentes de utopia. Antes de Diógenes da Babilônia, a visão estoica sobre política até aquele momento fora mais bem colocada por Crisipo, que, pressupõe-se, lera em Zenão que *apenas o sábio é verdadeiramente apto à liderança política.**

É uma ideia atraente, mas que dificilmente se propaga. Como seria possível encontrar uma quantidade suficiente de sábios para preencher o Senado, muito menos comandar um Império? Pelo exemplo de Carnéades, é perceptível que Atenas teve dificuldade em encontrar um número suficiente de intelectuais para preencher até mesmo sua comitiva de embaixadores a Roma! A razão por que Diógenes de repente priorizou uma filosofia política mais prática se torna evidente quando entendemos a mudança na balança do poder que ocorreu em sua época, quando o pequeno mundo grego foi obscurecido pela enorme e ascendente sombra de Roma.

Mesmo com o estrondoso sucesso de sua missão, Atenas decidiu não pagar nem sequer a multa reduzida que os magistrados de Roma haviam fixado. Será que Roma entraria em guerra por causa disso? Por uma multa decorrente da invasão de Atenas a uma cidade vizinha? Depois que, com tamanha maestria, Atenas distraíra e encantara os romanos com a sua filosofia e os seus discursos sobre justiça? Era improvável. E tudo indica que Atenas saiu ganhando com o blefe.

Para Diógenes, deve ter sido um momento político informativo. Da mesma forma que, séculos depois, Marco Aurélio observaria que a vida não era uma "República de Platão", Diógenes

---

* Carnéades usou essa ideia para insultar os romanos.

percebeu que também não era a República de Zenão. Em vez disso, viu um mundo repleto de pessoas falhas e confusas. Diógenes enxergara essa verdade em primeira mão — e talvez tenha sido o primeiro entre todos os estoicos — ao entrar em Roma e no campo diplomático. O que absorveu disso foi um senso crucial de pragmatismo do qual a filosofia precisava desesperadamente.

Aríston acreditava que a filosofia era exclusivamente destinada aos sábios, para a autorrealização do indivíduo. Seu estoicismo funcionava bem na sala de aula e levantava discussões interessantes, mas não daria certo no *mundo*. Diógenes enxergava o estoicismo de forma diferente. Era uma maneira de pensar — assim como um conjunto de regras — para servir ao bem comum, para servir ao país.

Já não era mais suficiente para os filósofos fantasiar a respeito de povoar uma pequena cidade com apenas pessoas sábias e, dessa forma, criar uma ordem social melhor. Também não eram suficientes a ironia e as provocações de Diógenes, o cínico — o homem que tratara com desdém Alexandre, o grande. As habilidades do filósofo — racionalidade, virtude, lógica, ética — eram urgentemente necessárias fora do Stoa, até mesmo fora da ágora. Para resolver problemas reais. Para construir estruturas e escrever leis. Guiar os magistrados. Forjar acordos. Persuadir e conter a agitação da multidão. Resolver disputas entre cidades.

Diógenes da Babilônia sem dúvida era habilidoso e tinha talento para a política. Cícero relata uma discussão entre Diógenes e seu aluno Antípatro, sobre a ética de vender um terreno ou uma remessa de grãos. O estudante acreditava que o vendedor era obrigado a revelar toda a informação — que várias outras remessas de grãos estavam chegando, o que provavelmente abaixaria os preços, ou que o preço de venda do terreno estava mais alto do que o valor de mercado. Era apenas justo e correto, afirmava. Mas Diógenes argumentou que nada jamais seria vendido se todos os fatos fossem revelados. Como um mercado poderia funcionar sem a busca mútua do benefício pessoal? Sem falar que os vendedores têm inúmeras obrigações conflitantes, como sustentar suas famílias e proporcionar o retorno mais vantajoso aos investidores. Cícero registra com suas próprias palavras: "O vendedor deveria declarar todos os defeitos em sua mercadoria, tanto que tal procedimento é determinado pelo direito comum; mas, quanto ao resto, como há bens a serem vendidos, pode-se tentar vendê-los em busca da melhor vantagem, desde que não haja qualquer deturpação."

Para tudo o mais, *Caveat emptor* era seu argumento. Compradores, cuidado.

"Mesmo que eu não esteja contando tudo a você", explicou Diógenes, "não estou escondendo a natureza dos bens, ou do bem mais valioso; e saber esses fatores beneficia você mais do que saber que o preço do trigo estava em queda." Há síntese melhor para a filosofia pragmática desse diplomata que foi a Roma argumentar pela redução de uma multa que sua cidade provavelmente nunca teve a intenção de pagar? Quem, com uma das mãos, cativou os romanos com discursos enquanto metia-lhes a outra mão no bolso, talvez argumentando para si mesmo que estava prevenindo Roma de fazer o mesmo a Atenas? Havia interesses divergentes em disputa: Atenas *vs.* Roma, potência comercial *vs.* potência colonial, pagar as dívidas *vs.* uma sentença injusta.

De alguma forma, ele fez com que desse certo. Encontrou um meio-termo entre interesses e lealdades conflitantes — o papel perfeito de um diplomata e de um conselheiro político.

Ele assumiu um papel semelhante ao resolver, na prática, alguns dos debates mais espinhosos do estoicismo. Aríston tentara afirmar que deveríamos ser indiferentes a tudo. Diógenes sabia que isso não era factível. Riqueza, disse ele, "não era um simples condutor ao prazer e à boa saúde, mas era essencial". Não era *mais* importante que a virtude, mas era importante — se você conseguisse obtê-la. E a virtude, de acordo com Cícero ao parafrasear Diógenes, "requer uma vida inteira de estabilidade, firmeza de propósito e consistência".

Dinheiro tornava a vida mais fácil. Virtude, por outro lado, era o trabalho de uma vida inteira.

Infelizmente, pouco ou quase nada dos escritos de Diógenes sobreviveu, um fato triste, visto que ele foi, ao menos de acordo com os textos descobertos soterrados na cidade destruída pela erupção do monte Vesúvio, um dos autores mais citados no mundo antigo, superando Platão e Aristóteles.

Assim como as obras de Diógenes se perderam para nós, também ele se perdeu para o mundo. Não só desconhecemos os detalhes de sua morte, como nem sequer temos certeza a respeito da data. Cícero relata que em 150 a.C. — apenas alguns anos após sua missão em Roma — Diógenes estava morto. Luciano afirma que ele viveu até os oitenta anos. Mas outras fontes apontam que ele viveu por mais uma década ou até que Antípatro, seu aluno, herdou o manto.

De qualquer forma, esse príncipe da filosofia não viveu para sempre, mas seu legado — o estoicismo como uma força política e o exemplo de seu caráter — estava apenas começando. Na verdade, logo conquistaria o mundo.

ANTÍPATRO, O ETICISTA

NASCIMENTO: DESCONHECIDO

MORTE: 129 A.C.

ORIGEM: TARSO

Se Diógenes foi o político pragmático, então seu aluno Antípatro, o líder seguinte do Stoa, foi o eticista do mundo real. Prático, sim, mas determinado a estabelecer princípios claros dos quais cada ação deve derivar.

Não se sabe quando Antípatro de Tarso nasceu, nem mesmo qualquer outro detalhe de seus dias em Tarso. Sabe-se apenas que ele sucedeu Diógenes da Babilônia como líder do Stoa após sua morte, por volta de 142 a.C., e que sua visão de mundo foi definida em grande parte pela influência de Diógenes e a sua oposição ao antigo aluno de seu professor, o sedutor, porém volúvel, Carnéades.

Enquanto Carnéades se contentava em debater, em dias alternados, ideias conflitantes, como fizera em Roma — saboreando qualquer oportunidade de iludir seus espectadores atenienses, auxiliado por sua fama recente —, Antípatro tornava-se um militante da verdade e da honestidade. E, conforme Diógenes inseria a política no campo da filosofia — ou a filosofia no campo da política do mundo real —, Antípatro procurava levar o exercício da ética cotidiana a todas as facetas da vida. Mesmo com metas tão ambiciosas, ele também trouxe a humildade de volta ao estoicismo.

Ninguém veria Antípatro brigar pelo holofote. Como todo bom filósofo, ele estava ocupado demais *trabalhando*.

Até o meio pelo qual ele fazia as próprias argumentações era condizente e comum. Estoicos que vieram antes dele discursavam no Stoa e em palcos, mas Antípatro não. Em vez disso, preferia convidar os amigos para jantar e ter longas conversas sobre filosofia. Ateneu nos relata, em seu livro *O banquete dos sábios*, escrito logo após a vigência de Marco Aurélio, que Antípatro era um maravilhoso contador de histórias nesses encontros, exemplificando e pontuando seus argumentos com anedotas impactantes. Ao passo que os apoiadores clamavam para que ele usasse seu dom de linguagem contra a oratória de Carnéades — que tentara incitá-lo ao debate público —, Antípatro canalizou toda sua energia para a diplomacia da mesa de jantar e também para a produção de seu trabalho escrito, com foco não nas vitórias sobre seus rivais, mas em ajudar as pessoas a lidarem com as questões atemporais do cotidiano.

Como um homem com senso aguçado para a ética, Antípatro era beneficiado por seus argumentos discretos, pois na escrita ele conseguia articular melhor seus pontos de vista. Nessas pequenas reuniões, ele podia se conectar em maior grau com os indivíduos, podia entrar em detalhes e podia ser gentil. Elas também lhe permitiam ver de perto as necessidades, vontades e dificuldades das pessoas reais — não apenas rostos abaixo do púlpito. Tivesse nascido dois mil anos depois, poderíamos imaginá-lo obtendo grande sucesso oferecendo conselhos em seções de revistas. Se considerarmos Diógenes um diplomata e estadista, caberia a Antípatro o papel de político local, desenvolvendo relações, conversando cara a cara, com foco nos indivíduos e na melhoria da vida de cada um.

Por exemplo, Antípatro foi o primeiro estoico a debater com afinco sobre casamento e vida doméstica, algo que estranhamente havia sido negligenciado pelos primeiros filósofos. Zenão não deixara herdeiros consanguíneos. Não havia espaço para uma esposa na existência frugal de Cleantes. Crisipo tentou ser pai solteiro de seus sobrinhos quando a necessidade surgiu, porém sua vida foi voltada para o trabalho. Mas Antípatro desbravou novos territórios para o estoicismo ao tratar apaixonadamente da importância de escolher o cônjuge certo e de criar bons filhos. Tentem aprender com os erros de Sócrates, advertia aos seus jovens discípulos ao contar uma história sobre a esposa de Sócrates, que tinha uma reputação ruim e temperamento hostil. Se você não escolher sabiamente com quem se casar, sua sabedoria — e felicidade — com certeza passará por provações.

Para Antípatro, uma cidade e um mundo bem-sucedidos só poderiam se constituir a partir do fundamento da família. Casamento, conforme dizia aos seus alunos, estava "entre as ações apropriadas primárias e mais necessárias". Antípatro chegou a se casar? Foi um marido e pai melhor que Sócrates? Os registros são escassos, mas esta frase de seu livro sobre casamento parece sugerir que sim: "Além disso, é um fato que quem não vivenciou a vida de casado e a paternidade não desfrutou a mais verdadeira e genuína boa vontade."

Estoicos podem amar e ser amados? Com certeza. Não apenas podem, mas também *devem*, como Antípatro claramente fez.

Michel Foucault, teórico social e filósofo francês do século XX, deu a Antípatro o crédito de pioneiro em um novo conceito de casamento, em que dois indivíduos unem suas almas e se tornam pessoas melhores por essa parceria, ao contrário de um arranjo financeiro ou legal. Conforme observa Foucault, o *oikos* estoico, lar, é aperfeiçoado no casamento, criando uma "unidade conjugal" que pode suportar os reveses do destino e constituir uma boa vida.

Foi uma mudança importante e humanizadora para uma filosofia que antes se focava em manter os limites da *indiferença* para a vida cotidiana. Conforme escreveu Diógenes Laércio, os estoicos passaram a ter uma visão positiva "sobre honrar pais e irmãos em segundo lugar, logo após os deuses. Também afirmam que o amor dos pais pelos filhos é natural aos bons, mas não aos maus". Essa visão não apenas transformaria a filosofia estoica e depois a vida romana, mas também seria absorvida pelo cristianismo e o mundo em que vivemos hoje.

Não é esse o trabalho de um eticista? E muito mais importante do que vencer debates?

Vários estoicos antigos afirmavam que todos os pecados e erros se equivaliam. Ficar longe de casa, segundo esse argumento, consistia no mesmo que abandono — fosse a uma distância de um quilômetro, fosse de mil. Mas claro que isso é ridículo. Estar fora de casa não é o mesmo que abandono, assim como cometer um assassinato não é o mesmo que mentir, ainda que nenhum dos dois comportamentos se aproximem da ética. De maneira similar, a mentira da omissão que Diógenes, professor de Antípatro, defende por meio do seu *Caveat emptor*, ou a ludibriação causada por um diplomata, no intuito de manter a paz, não são o mesmo que um tirano forjar razões para a guerra à custa de muitas vidas.

Antípatro foi a principal força dos estoicos nesse direcionamento ao senso comum. Ele afrouxou o extremismo de só considerar possível a vida em total virtude ou em total vício. Parou de minimizar as coisas "indiferentes" do cotidiano — com quem nos casamos, como nos vestimos, o que comemos — e trouxe a ética à linha de frente das pautas de um filósofo, pois assim a filosofia poderia ser uma prática de vida produtiva. Um guia sobre como viver. Um sistema operacional.

Além disso, podemos imaginá-lo *delineando* esses elementos em seus jantares com amigos e em sua rotina, da mesma forma que Zenão delineou o caminho do sábio para Cleantes muito tempo antes.

Isso não significa que Antípatro foi o primeiro estoico a prestar atenção na ética prática. Crisipo empregou sua experiência no esporte para sugerir a "boa competição" como princípio — a ideia de que não se deve nunca trapacear ou recorrer a subterfúgios para ganhar. Antípatro não só desenvolveu o conceito, como também propôs que o comportamento ético — ou até mesmo o espírito esportivo — vinha a ser um tipo de arte que exigia esforço e trabalho reais. Para ele, o ser humano em ação é mais bem compreendido como um arqueiro. Treinamos e exercitamos. Puxamos o arco e miramos com toda a nossa capacidade. Mas estamos cientes de que, apesar de nossos treino e mira, muitos fatores fora de controle influenciarão onde a flecha acertará o alvo — ou se nem sequer irá acertá-lo.

É isso a busca da virtude na vida real. Estudamos. Treinamos até que se torne uma segunda natureza. O momento chega. Comprometemos-nos. Buscamos como alvo aquilo que é certo. Partimos para a ação. Mas ocorre muita coisa depois disso, e boa parte desses acontecimentos não está em nossas mãos. E por isso sabemos que nosso verdadeiro valor não reside em termos acertado na mosca ou não.

No mundo real, erramos o alvo. Por muito, às vezes. Mas precisamos continuar tentando. Quanto mais praticamos, melhores ficamos. Quanto mais flechadas disparamos, mais vezes acertamos o alvo e mais boas ações teremos feito.

Não é exagero reforçar quanto esse modelo ético é inovador. Assim como Diógenes percebeu que a filosofia precisaria fazer parte do espaço público, Antípatro certificou-se de levá-la também para a vida privada. Ele tentou ajudar a solucionar as situações reais enfrentadas pelas pessoas: Com quem devemos nos casar? O que é mais importante, a família ou o trabalho? Que regras devem reger uma transação entre duas pessoas quando a lei não é clara? Devemos ser honestos mesmo quando isso nos causa prejuízo financeiro? Como podemos tratar os menos afortunados que nós? A sociedade tem alguma dívida com os mais pobres ou com os desfavorecidos?

Mais tarde, monges debateriam sobre quantos anjos cabem no buraco de uma agulha. Hoje, filósofos discutem se estamos vivendo em uma simulação computacional ou qual é a atitude correta para o chamado "dilema do bonde". Mas a verdade é que você nunca se encontrará na situação de precisar acionar uma alavanca para impedir que um bonde atropele uma pessoa ou cinco. Não há como saber se essa vida é real ou se é uma ilusão. No entanto, assim como os cidadãos de Atenas, há decisões que precisamos tomar e preocupações concretas diariamente. E a maneira como essas decisões são tomadas na *polis* afetam a *cosmopolis*, mais ampla.

O conceito estoico de *oikeiosis* — que as pessoas compartilham algo e seus interesses são naturalmente conectados àqueles da espécie — era tão premente no mundo antigo quanto é hoje. Devemos doar uma parcela de nossa renda para a caridade?

ANTÍPATRO, O ETICISTA

É justo que algumas pessoas tenham mais dinheiro e recursos do que outras? O direito de ser feliz e viver com dignidade não deveria valer para todos?

Retomemos a discussão entre Diógenes e Antípatro sobre vender grãos ou um terreno. Diógenes estava certo em relação às demandas do comércio tornarem impraticável a total transparência. Mas a apreensão de Antípatro é sutil e importante — encontrar o equilíbrio entre o justo e o debilitante moralismo autodestrutivo. Há uma tensão óbvia entre o interesse próprio e o alheio, mas não estaríamos, ao menos até certo grau, no mesmo time? Como concidadãos? Como pessoas que acreditam na justiça? Um homem que erra ao omitir os problemas sanitários da casa que está vendendo talvez esteja pensando na ventura da própria família, mas pode fazer isso em detrimento imediato da saúde e do bem-estar de outra família. Como isso pode ser justo? E o sofrimento dessa segunda família não prejudica o sucesso da cidade, do Estado, de que você também faz parte?

O que é ruim para a colmeia também é ruim para a abelha, e vice-versa, diria mais tarde Marco Aurélio. Foi uma percepção que ele apreendeu diretamente da vida e do trabalho de Antípatro.

Antípatro acreditava que o interesse mútuo pelo bem comum era a principal obrigação das pessoas. Cícero conservou tal argumento: "É seu dever levar em consideração o interesse de seus companheiros e servir à sociedade; você foi trazido ao mundo sob essas condições e com esses princípios inerentes, aos quais obedecer e seguir são seu dever de ofício: que seu interesse seja o interesse da comunidade e, reciprocamente, que o interesse da comunidade seja seu interesse." Diógenes — que não pensou duas vezes na hora de enganar os romanos — acreditava que o bem individual vinha em primeiro lugar, defendendo, conforme visto, que ter total conhecimento de seu contexto moral implica mais do que salvaguardar dos outros aquilo que devem descobrir por si mesmos. Diógenes disse que por certo deveríamos permanecer nos limites da lei, mas que não era preciso fazer mais do que isso pelos outros quando o assunto é negócios. O professor Malcolm Schofield explicou os argumentos de Antípatro da seguinte maneira: assim como não devemos cometer violência uns contra os outros, não devemos cometer injustiças uns com os outros, e não devemos tratar os interesses dos demais como alheios aos nossos.

Até que ponto Antípatro estava disposto a levar esses argumentos? Em que grau eles afetavam suas políticas? É interessante perceber que um dos alunos do filósofo e proeminente professor romano, Caio Blóssio, se envolveria no episódio de Graco, uma missão controversa que tentou redistribuir parte do território romano aos cidadãos mais pobres. Tibério Graco seria assassinado por sua ideia revolucionária, e Blóssio, interrogado pelo Senado por ser o professor e mentor de Graco, por pouco não perdeu a vida. Antípatro já estava em idade avançada nessa época, mas podemos suspeitar de que tenha ficado satisfeito ao ver um discípulo seu cuidando dos interesses dos desfavorecidos. Certamente teria concordado que a enorme desigualdade de renda era uma questão que precisava ser abordada por um estoico em exercício político. Talvez tenha até mesmo feito um brinde em homenagem a Blóssio em um de seus tranquilos jantares, após ter recebido a notícia de que sobrevivera ao interrogatório dos cônsules. Até mesmo Diógenes, se ainda estivesse vivo, teria ao menos admirado o brilhantismo político do populismo de Graco.

Mais interessante é que Antípatro acreditava que a maioria dessas questões éticas era bastante óbvia. Sua fórmula de virtude consistia "em escolher, contínua e firmemente, aquilo que era conforme à natureza e rejeitar aqueles contrários à natureza". Era sobre certificar que nosso interesse individual não se sobrepusesse à bússola com que cada um de nós nasceu.

É preciso fazer a coisa certa. Seja você quem for, seja lá o que estiver fazendo. Seja você Panécio, de quem falaremos a seguir, no cenário mundial, seja um cidadão comum na privacidade de seu lar.

Antípatro morreu em 129 a.C. Há o receio de que uma pessoa extremamente ética vivendo em um mundo antiético ou de dogmatismo fervoroso — como Antípatro foi certa vez descrito por Cícero — se tornará amarga com a idade. É difícil manter protegido esse tipo de espírito, e, no decorrer de uma longa vida, é frequente que se desanime, e a ferida decorrente infecciona com muita facilidade.

Mas isso não ocorreu com Antípatro. Plutarco registra que suas últimas palavras foram de gratidão. "Diz-se", escreveu ele, "que Antípatro de Tarso, quando estava próximo ao fim e enumerando as bênçãos de sua vida, não se esqueceu de mencionar sua viagem próspera de seu lar [em Cilícia] a Atenas, pois acreditava que cada presente da benevolente Fortuna pedia por uma enorme gratidão, e se agarrou a isso até o fim na sua memória, que é o armazém mais seguro para as bênçãos de um homem."

Então seguiram-se as gerações, mais bem armadas para a busca da virtude do que estavam antes que Antípatro caminhasse pela terra durante seu breve período no mundo.

PANÉCIO, O AGREGADOR

NASCIMENTO: 185 A.C.
MORTE: 109 A.C.
ORIGEM: RODES

O estoicismo nasceu em Atenas, mas alcançou a maioridade e o poder em Roma, uma história que reflete a vida de Panécio de Rodes, que se tornaria um dos maiores embaixadores do estoicismo no mundo. Sabemos que, em 155 a.C., Diógenes e sua missão diplomática foram bem-sucedidos em apresentar o estoicismo ao Império em expansão, que incorporaria a doutrina ao seu DNA. Mas, na verdade, é possível que tenha feito uma aparição treze anos antes, quando Crates de Malos, um filósofo estoico originário de Pérgamo, foi enviado em outra missão a Roma no intuito de defender os interesses de seu país durante as guerras macedônicas.

Após quebrar a perna em uma queda, Crates passou meses se recuperando e discursando sobre filosofia para pequenas plateias de romanos. Por coincidência, outra missão diplomática levara o pai de Panécio a Roma na mesma época em que Crates se recuperava lá. É possível que ele tenha frequentado as palestras de Crates? Levado para casa alguma cópia dos discursos, que se espalharam por Roma na forma de poemas e relatos? Ou será que ele trouxe consigo o filho para passear e o enviou para ver Crates?

Logo o jovem Panécio, futuro diplomata e agregador, se tornou um aluno de Crates em Pérgamo, tendo sido apresentado à filosofia por meio de uma conexão diplomática fortuita.

Não sabemos muito sobre os estudos de Panécio sob a tutela desse estoico antigo, mas é evidente que foram planejados tendo em vista prepará-lo para seguir os passos do pai e no percurso que Diógenes e Antípatro assentaram para os futuros estoicos: servir ao bem público. Em 155 a.C., Panécio foi designado como sacerdote sacrificial em Poseidon Hippios, em Lindos. Seria o primeiro de muitos cargos públicos que desempenharia na vida.

Seja lá o que tenha aprendido nesse trabalho, ficou evidente para Panécio que ele também precisava de mais educação formal. Em determinado momento, partiu para Atenas no intuito de ser discípulo de Diógenes, que se tornara mundialmente famoso após sua missão diplomática a Roma, e de Antípatro, protegido de Diógenes. Foi como se Panécio retornasse para conseguir seu Ph.D. em filosofia — essa segunda fase de seus estudos em Atenas duraria cerca de cinco anos — e depois voltasse ao mundo real, onde aplicou o que aprendeu ao seu trabalho nos níveis mais altos de influência e poder em Roma.

Aprender. Aplicar. Aprender. Aplicar. Aprender. Aplicar. Esse é o jeito estoico.

Durante seu período em Atenas com Diógenes, Panécio conheceu Caio Lélio, também aluno de seu mestre e com quem daria prosseguimento a seus estudos. Por meio de Lélio e, mais tarde, em um destacamento naval, Panécio serviu a Cipião Emiliano, um dos grandes generais romanos, filho adotivo de uma das mais poderosas famílias e amante do pensamento grego e da literatura.

De volta a Roma, esses três homens formaram uma espécie de clube de filosofia — conhecido hoje como Círculo Cipiônico — que se encontrava nas enormes casas de Cipião para discutir e debater a filosofia estoica, comum a todos ali. Cipião pagava as contas, Panécio fornecia a base intelectual. Muitos outros juntaram-se a eles nesses encontros e foram moldados por eles. Assim como o fato de que os estrangeiros se reunirem na França após a Primeira Guerra Mundial fomentou as carreiras de Hemingway, Stein e Fitzgerald, ou como a PayPal deu ao mundo Peter Thiel, Reid Hoffman e Elon Musk, o Círculo Cipiônico se tornou uma espécie de incubadora para estoicos influentes e uma geração de líderes. Públio Rutílio Rufo, que desafiara a cultura romana de corrupção e a quem o leitor será apresentado no próximo capítulo, era uma presença constante dos encontros, e o historiador Políbio também.

Era uma forma de influência e acesso que nem o pai de Panécio nem seus professores, Crates e Diógenes, jamais poderiam ter imaginado. Cipião, com o passar do tempo e o crescimento de Roma, tornou-se o homem mais poderoso do mundo grego. Os reis da Grécia eram agora vassalos dele e de Roma, e Panécio atuava como uma espécie de tradutor, conselheiro e confidente.

Alguns historiadores hoje debatem sobre a frequência das reuniões do Círculo Cipiônico e qual o impacto de sua influência. Mas não resta dúvida a respeito de sua importância no mundo antigo. Veleio Patérculo registra em sua *História romana* que Cipião "mantinha constantemente junto a si, em casa e no campo, dois homens de ilustre genialidade, Políbio e Panécio". Ele descreve Cipião como profundamente devotado à arte da guerra e da paz, mencionando que estava sempre "engajado na busca de armas ou no próprio aprendizado, tendo o hábito de treinar seu corpo ao se expor ao perigo ou sua mente por meio do estudo".

Cícero, que era fascinado por relatos sobre Panécio, permeou seus diálogos com cenas e anedotas de tais encontros. Escritores posteriores, como Plutarco, não tinham dúvidas a respeito do Círculo e, além disso, fizeram relatos sobre o tipo discreto de influência política exercido por Panécio. Em "Preceitos políticos", de sua *Obras morais*, Plutarco escreve que "é também admirável, ao ganhar a vantagem da amizade de homens importantes, aplicá-la ao bem-estar de nossa comunidade, como os benefícios que Políbio e Panécio levaram às respectivas terras natais por meio da boa vontade que Cipião dedicava a eles".

Foi para isto que Panécio treinara: direcionar políticas e moldar decisões expressivas que afetariam milhões de pessoas.

Na trajetória estoica, Zenão foi o gênio fundador e Crisipo foi o cutelo para os nós da Academia. Aríston optou pelo extremismo, em vez de um direcionamento pragmático, e Antípatro foi na direção oposta, tentando estabelecer as regras para o dia a dia. Panécio foi uma espécie de tecelão: costurava as perspectivas éticas do estoicismo e de Roma, levando, com uma das mãos, a reflexão filosófica à elite romana, e com a outra direcionando-a sutilmente para defender e atender aos interesses de sua pátria distante. Decerto, o Stoa teve um embaixador prático e em ótima posição em Roma.

O momento não poderia ser mais importante.

Não é difícil perceber certo regionalismo nos estoicos antigos. Zenão insistiu que o nome de sua terra natal fosse inscrito próximo ao seu em um prédio cuja restauração ele custeara. O estilo de vida frugal de Cleantes não incentivava viagens, muito menos um interesse em assuntos internacionais. Até mesmo Diógenes retornara sem delongas para Atenas após sua missão em Roma. Não eram atitudes muito adequadas a um império global.

Panécio, ao contrário de seus predecessores, já nascera globalista. Sua vida teve início em Rodes, mas se expandiu quando estudou fora, tanto em Pérgamo quanto em Roma. Ele viajou por quase todo o Mediterrâneo, e nesse período se envolveu com romanos fascinados pelo Oriente. Panécio foi capaz de gerenciar e integrar de forma surpreendentemente moderna todos esses laços diversos e conflitantes. Em *Meditações*, Marco Aurélio descreve a si mesmo como um "cidadão do mundo", e dessa maneira, percorria a nova trilha filosófica que Panécio assentara.

Contudo, mesmo com sua mentalidade cosmopolita, Panécio nunca perdeu a ligação com suas origens. Quando Atenas lhe ofereceu cidadania, ele recusou educadamente, dizendo que "uma cidade era o suficiente para um homem sensato".

Todos estavam cientes de que Panécio tinha um efeito apaziguador no frenético, porém prático, Cipião, equilibrando sua ambição com brandura e princípios. Mas com certeza ele não era nenhum estraga-prazeres, pois, nesse caso, não teria conseguido cultivar um círculo social tão animado e diversificado. Cipião desfrutava tanto a companhia de Panécio que, na primavera de 140 a.C., pediu que o filósofo o acompanhasse em uma ambiciosa missão diplomática ao Oriente. Essa missão foi relatada por muitas fontes e há registros de várias paradas ao longo do Egito, de Chipre, da Síria, de Rodes e de diversos lugares da Grécia e da Ásia Menor. Plutarco escreveu que Cipião convocou Panécio em pessoa, e outra fonte menciona que o Senado os enviou para "presenciar a violência e a anarquia dos homens". Hoje poderíamos chamar isso de "missão para checagem de fatos".

Gostamos de pensar que o mundo sofreu muitas mudanças desde os tempos de Panécio, mas a verdade é que, da mesma forma que fizeram com esse soldado e filósofo há mais de dois mil anos, os governos ainda têm despachado homens para as mesmas regiões no intuito de realizarem os mesmos tipos de observação — assim como ainda tentamos alcançar um equilíbrio, como Panécio fez, entre nacionalismo e globalismo, os interesses gerais e os nossos.

Como Zenão, que seguiu a profissão de comerciante do pai, Panécio também, por ser filho de um diplomata e aluno de dois filósofos diplomatas, deu continuidade ao negócio da família — e à transição do estoicismo do Stoa ao centro do poder, da ágora provinciana de Atenas ao palco mundial. Em uma época em que muitos ainda acreditavam que os deuses desempenhavam papel relevante nas questões humanas, em que sacrifícios e rituais eram realizados para apaziguar as divindades, Panécio era um livre-pensador. Ele rejeitava as teorias simplistas de profetas e astrólogos, e provavelmente foi nessa época que, por causa de seu conselho, Cipião os expulsou de seus domínios.

No ensaio "Máximas romanas", de suas *Obras morais*, Plutarco narra uma história divertida ocorrida nesses quase dois anos da missão de checagem de fatos. Quando Cipião chegou a Alexandria, após viajar com uma comitiva que incluía Panécio e cinco criados, as pessoas ficaram em tamanho frenesi que gritaram a ele que descobrisse a cabeça, pois queriam dar uma boa olhada, e, quando ele o fez, a massa irrompeu em aplausos. Ele relata que o rei egípcio Ptolomeu VIII — "o gordo" — "mal conseguia acompanhá-los em suas caminhadas devido a sua vida sedentária e seu corpo fora de forma, e Cipião sussurrou para

Panécio: 'Os alexandrinos já estão se beneficiando com nossa visita. Pois, graças a nós, eles viram seu rei andar.'"

Chefes de Estado fora de forma e preguiçosos são personagens históricos recorrentes.

Em 138 a.C., Panécio e Cipião retornaram a Roma. Panécio estava então com 47 anos e adquirira uma vasta experiência de vida: seus estudos, havia muito terminados em Pérgamo e Atenas; um cargo público interino em Rodes em seu currículo; o tempo na Marinha. Agora ele se encontrava estabelecido nos círculos internos de Roma. E, como muitos homens na sua idade, iria, de maneira novamente moderna e atemporal, passar a se dedicar à escrita.

Seu livro mais importante, *Sobre os deveres*, que é uma longa reflexão sobre o comportamento ético na vida pública, não era exclusivamente teórico. Enquanto ele terminava a obra, Cipião, que ainda contava com os conselhos e a orientação de Panécio, começou a julgar uma série de importantes casos de corrupção contra os políticos romanos. Um dos casos, contra Lúcio Cota, era de extorsão. Outro envolvia o episódio de Graco e o cunhado de Cipião, Tibério Graco. Os ensinamentos de ética de Antípatro foram parcialmente incentivadores dessa revolta popuísta (seu aluno Blóssio era um dos líderes), que buscava distribuir terra aos pobres, mas Panécio era contrário. Defender e manter a ordem era papel da classe dominante — e o julgamento agressivo que Cipião realizou no episódio de Graco é interessante porque colocou dois mestres estoicos um contra o outro. Temos em Blóssio o estoico revolucionário e, em Panécio, o estoico conservador, ambos cumprindo com o que acreditavam ser seus deveres frente ao Estado. É menos uma estranha coincidência histórica do que uma consequência natural da integração crescente do estoicismo à política mundial. Claro, Panécio foi pego no meio de um conflito intenso, no qual conhecia todas as partes envolvidas — é isso que acontece quando você tem conexões.

Cícero escreveria que *Sobre os deveres* "nos deu o que é, inquestionavelmente, a discussão mais completa sobre nossos deveres morais", uma declaração contundente, ainda mais considerando que, cem anos depois, Cícero presenciaria os tempos incertos da revolução política, quando César destituiu a República. Os estoicos anteriores por vezes desprezaram ativamente as convenções sociais, mas Panécio enxergava em cada ser humano um *prosopon* particular — em grego, "personagem" ou "papel", que deve ser cumprido com honra, coragem e comprometimento, seja ele humilde ou grandioso.

Panécio defende que, se vamos ter uma vida ética e escolher comportamentos apropriados, precisamos encontrar uma forma de equilibrar:

1. os papéis e deveres comuns a todos os seres humanos;
2. os papéis e deveres únicos a nosso *daimon* individual ou nosso dom/missão particular;
3. os papéis e deveres designados a nós pelo contexto de nossa posição social (família e profissão);
4. os papéis e deveres que surgem das decisões e dos compromissos que assumimos.

Cada uma dessas ações é um componente essencial de uma vida virtuosa no mundo real. Um soldado precisa lidar com suas obrigações como ser humano, como guerreiro, como membro de uma família (seja um imigrante, seja um herdeiro rico) e como uma pessoa com promessas e obrigações (com amigos, familiares ou parceiros de negócio). Os componentes da equação são diferentes para um chefe de Estado e um mendigo, mas o equilíbrio complicado — e a necessidade de orientação — é igual.

Portanto, ao chamar Panécio de agregador, não estamos só dizendo que ele agregava pessoas como uma espécie de especialista em networking — embora fosse um. Mais do que apenas procurar ideias obscuras nos livros, ele estava conectando princípios atemporais a pessoas para serem utilizados na vida real.

Não é exclusividade do homem e da mulher modernos se indagar: Quem eu sou? O que devo fazer da minha vida? Como posso fazer algo significativo com ela? Os antigos também lutavam com essas questões, e a solução de Panécio os ajudou, da mesma forma que também pode nos ajudar.

Panécio acreditava que todas as pessoas carregam um desejo inerente para a liderança, e que nós somos obrigados a realizar esse potencial, cada um à sua maneira. Nem todos têm a capacidade de ser um Cipião no campo de batalha ou mesmo um Panécio com sua educação de elite e conexões diplomáticas, mas podemos servir ao bem público de muitas outras maneiras e com coragem equivalente. E isso era o Círculo Cipiônico — uma variedade de homens com os mais diversos talentos, posições e interesses, tentando encontrar uma maneira de contribuir e prosperar no mundo.

Todos podem ter uma vida com relevância e propósito. Todos são capazes de realizar suas atividades *como um bom estoico*.

Panécio, podemos supor, era do tipo a quem os amigos se voltavam em busca de conselhos sobre a melhor maneira de proceder, e era para os *aformai* (nossos recursos inatos) que Panécio os guiava. Seria um tema, de fato, levado adiante por estoicos pelas obras de Marco Aurélio. Esses instintos voltados para a virtude são naturais ao ser humano, e podemos prosperar e viver com dignidade se aprendermos a viver de acordo com nossa natureza e nossos deveres, enquanto exploramos da melhor forma possível os recursos que nos foram dados. Panécio, bem-nascido, escolheu não se acomodar no conforto de uma vida tranquila. Em vez disso, abraçou sem hesitar o dever e a responsabilidade de um palco muito maior. Ele alavancou os recursos que lhe foram dados, tornando-se a melhor versão de si mesmo e contribuindo ao máximo para os grandes projetos de seu tempo.

Cada um de nós, acreditava ele, tem o dever de fazer o mesmo.

Ao contrário do tudo ou nada de uma corrida em que um atleta como Crisipo evita jogar sujo no seu caminho até a vitória, Panécio assume o modelo de um outro tipo de esportista ao refletir sobre a melhor forma de cumprir seu dever social. Ele considerava o pancraciasta (um adepto do pancrácio, uma espécie de boxe grego) o modelo ideal para captar as tensões e a essência de levar uma vida virtuosa. Seu pancraciasta é uma das metáforas esportivas mais impactantes e ilustrativas, não só no estoicismo, mas em toda a filosofia.

Conforme registrado por Aulo Gélio:

> Sobre o ponto de vista do filósofo Panécio, expresso em seu segundo livro, *Sobre os deveres*, no qual clama aos homens que estejam atentos e preparados para se resguardarem contra calúnias em todas as situações. "A vida dos homens", afirma, "que ocupam seu tempo com os acontecimentos e desejam ser prestativos a si mesmos e aos outros, está exposta a problemas constantes, quase diários, e a perigos súbitos.

Resguardar-se e escapar deles requer uma mente ágil e alerta, como as dos atletas designados 'pancraciastas'. Pois, assim como eles — que erguem os braços e se alongam ao serem chamados para a luta; que, com as mãos erguidas diante de si como muralhas, protegem a cabeça e o rosto; que antes do começo da batalha, como todos os seus membros, estão prontos para se desviarem dos golpes ou desferi-los —, o espírito e a mente do homem sábio, a qualquer tempo e lugar, contra a violência e insultos, precisa estar alerta, de prontidão, fortemente protegido, preparado para tempos difíceis, nunca perdendo o foco, sem jamais relaxar sua vigília, erguendo o julgamento e a premeditação como os braços e as mãos em defesa contra os golpes do Destino e as armadilhas dos cruéis, para que nenhum ataque repentino jamais nos seja desferido quando estivermos despreparados e desprotegidos."

Tal metáfora criada por Panécio apareceria, sem crédito, nos trabalhos de Marco Aurélio e Epicteto — dois filósofos que lutaram para abrir o próprio caminho na vida. Diferentemente do arqueiro de Antípatro, que captou a realidade das muitas coisas fora de nosso controle na tentativa de tomar boas decisões frente aos desafios da vida, ou do lançador de dardo de Aríston, Panécio enxergava a vida como algo menos teórico e muito mais violento e contundente. Não era apenas uma competição contra si mesmo, mas um combate propriamente dito — contra inimigos e o destino. Ele acreditava que precisamos estar preparados para os golpes que inevitavelmente recairão sobre nós.

Panécio nunca terminaria o livro, por motivos que desconhecemos. Mas o que conseguiu registrar por escrito foi um feito incrível e reconhecido como tal em sua época. Um de seus alunos mais ativos politicamente, Públio Rutílio Rufo, que também serviu a Cipião na Guerra Numantina, em 134 a.C. e estava envolvido em reformas do treinamento militar, impostos e falência, explicou que, mesmo incompleta, essa obra foi de grande impacto no mundo político e filosófico: "Como não foi encontrado nenhum pintor para completar a parte da Afrodite Anadiômene que Apeles deixara inacabada (pois a beleza de seu rosto tornou impossível qualquer tentativa de representar adequadamente o restante da imagem)", disse ele, "então ninguém, devido à excelência insuperável do que Panécio de fato completou, se aventuraria a inteirar o que ele deixou por fazer."

Apesar de tudo que ele não conseguiu dizer, muito do que foi dito e estabelecido permitiu ao estoicismo prosperar na vida política romana pelos trezentos anos seguintes. Cícero afirmou, por exemplo, que Panécio argumentava ser possível a um bom advogado defender um cliente culpado — desde que não fosse flagrantemente perverso ou depravado. Tal ideia não apenas faz sentido, tendo em vista a crença profunda de Panécio no dever de cada indivíduo e em seu papel na vida, como também é uma inovação prática que se tornou um pilar do sistema legal pelos últimos dois mil anos — se ninguém se apresenta para defender clientes indesejáveis, como podemos ter certeza de que a justiça está sendo feita?

Panécio era um escritor simples e objetivo, e um orador que ajudou a livrar a filosofia de terminologias enigmáticas e de estilos pouco atraentes — sem dúvida resultantes da influência dos primeiros mestres estoicos. Ainda mais importante: ele tornou a filosofia em si mais acessível e prática. Conforme explicado por Cícero: "Panécio se esforçou para evitar [o] desenvolvimento rude e repulsivo do estoicismo, censurando de forma similar a aspereza de suas doutrinas e a rabugice de sua lógica. Na doutrina ele era mais afável e no estilo, mais lúcido."

Ele foi um dos primeiros estoicos que parecia ser menos *filósofo* e mais um homem grandioso. Estoicos como Zenão afirmaram que a virtude por si só era o suficiente para ser feliz, o que é simples e verdadeiro o bastante, mas traz pouco com que nos guiarmos. Segundo Diógenes Laércio, Panécio foi o primeiro estoico a acreditar que a virtude não era autossuficiente, "afirmando que força, saúde e recursos materiais também são necessários".

Panécio sabia que a filosofia não existe se isolada; ela deve estar interconectada com outros fatores importantes. É no equilíbrio, na integração de obrigações, nos interesses e talentos conflitantes que a boa vida é encontrada e vivenciada.

Em 129 a.C., Cipião morreu, uma grande perda sentida tanto pela República quanto por seus amigos. Podemos imaginar Panécio sofrendo esse luto, mas também fazendo uso de um exercício que ensinara a seus alunos. "Suponha que seu filho morra", disse ele. "Você precisa se lembrar de que sabia que ele era mortal quando o trouxe ao mundo." O mesmo vale para os amigos, ele teria dito a si mesmo. O mesmo vale para carreiras.

Tudo termina. A filosofia está aqui para nos lembrar disso e nos preparar para as adversidades da vida.

Após a morte de Cipião, Panécio compreendeu que um capítulo de sua vida havia terminado — tudo que lhe restava era escrever o próximo (e, possivelmente, o definitivo). Ele retornou a Atenas naquele mesmo ano, após outra grande perda — dessa vez a de Antípatro —, para assumir o comando da escola. Lá ele serviria ao Stoa por mais vinte anos, continuando a ensinar e a escrever. Talvez, como na aposentadoria das figuras políticas de hoje, ele retornasse ocasionalmente a Roma para dar uma palestra, aconselhar magistrados ou promover seus livros.

E em seguida ele, também, em 109 a.C., deixou este mundo.

PÚBLIO RUTÍLIO RUFO, O ÚLTIMO HOMEM HONESTO

NASCIMENTO: 158 A.C.
MORTE: 78 A.C.
ORIGEM: ROMA

Política é um jogo sujo. Assim como é hoje, também era antigamente. Tanto em Roma como no mundo contemporâneo, o poder atrai egos. Corrompe. Recompensa a vaidade. Desencoraja a responsabilidade. É dominado, e sempre será, por mentirosos, trapaceiros, demagogos e covardes.

E foi por isso que Mark Twain acertou ao dizer que "um homem honesto na política brilha mais do que em qualquer outro campo". É uma questão de contraste. De todos os políticos estoicos, talvez nenhum tenha brilhado ou se destacado mais do que Públio Rutílio Rufo, que bateu de frente com a corrupção romana com uma honestidade feroz, porém discreta, o que era tão raro entre seus pares quanto é atualmente.

Sua carreira não poderia ter começado de forma mais ilustre. Ele estudou filosofia sob a tutela de Panécio, que retornara a Roma em 138 a.C., quando Rutílio tinha cerca de vinte anos. Membro casual e querido do Círculo Cipiônico, Rutílio serviu como tribuno no estado-maior de Cipião Emiliano durante a brutal Guerra Numantina no centro-norte da Espanha. Ele era um jovem promissor em um império em rápida ascensão, que proporcionava oportunidades quase ilimitadas aos homens jovens de sua classe social.

Mesmo que outros tivessem personalidades mais efusivas, viessem de famílias com mais status ou exibissem ambições maiores que o sério e austero Rutílio, sua presença e sua convicção eram evidentes para todos que o conheciam. Ele era instruído, bem treinado e, segundo testemunhas, "arguto e sistemático" como orador, embora Cícero menosprezasse sua eloquência. Seu estoicismo era incontestável, e, no mesmo livro sobre Rutílio, Cícero observa que a autossuficiência de sua filosofia "era nele exemplificada em sua versão mais firme e resoluta".

O primeiro indício de que Rutílio operava por regras diferentes veio em 115 a.C., quando perdeu o cargo de cônsul para Marco Emílio Escauro, que, como muitos outros antes, chegara à função por meio de subornos. Teria sido fácil, e talvez esperado, que Rutílio tivesse feito o mesmo, mas ele se negava ostensivamente, ainda que isso assegurasse sua derrota. Em vez disso, acusou Escauro de *ambitus* — corrupção política. O próprio Escauro — o corrupto — também acusaria Rutílio desse crime.

Nenhum dos julgamentos foi conclusivo, mas a disputa serviu de presságio para a batalha por vir.

Durante a Guerra de Jugurta, em 109 a.C., Rutílio se encontraria no fogo cruzado entre tipos políticos ainda mais ambiciosos e inescrupulosos, que começaram a surgir nas disputas pelo controle da enorme República Romana. Um deles era Sula, um forte líder conservador que chegaria ao poder pelo uso de força bruta e crueldade. Outro era Caio Mário, que começou no serviço militar sob o comando de Cipião Emiliano na mesma época que Rutílio Rufo. Mário, um *novus homo* [novo homem] do destacamento da cavalaria, teve uma brilhante carreira militar que o levaria ao recorde de acumular sete cargos como cônsul, um feito que Mário afirmava ter sido previsto por um presságio em que um ninho de águia com sete ovos caía em seu colo. Era um sinal, de acordo com o vidente, de que ele estava destinado à grandeza e alcançaria o poder sete vezes na vida.

Por um período, Rutílio e Mário foram aliados. Durante esse tempo de expansão e aperfeiçoamento militares, Rufo passou a comandar o treinamento e posicionamento estratégico de Roma das novas tropas diversificadas. Relata-se que Mário preferia lutar apenas com tropas treinadas por Rutílio, pois tinham o melhor treinamento, mais disciplina e mais coragem.

Se você precisa que o trabalho seja feito da maneira correta, não há ninguém melhor para isso do que um estoico. Se precisar de alguém que seja seu comparsa em crimes e corrupção, não há ninguém pior.

Mário, que vivia e comia com suas tropas e descontinuou a exigência de propriedade que antes limitava quem poderia servir no Exército, era imensamente popular entre as massas. Ele também era brutal e impiedoso. Em 101 a.C., após seu quarto cargo consular, Mário alcançou uma vitória dramática sobre os cimbros, onde ocorreu o massacre de 120 mil vidas de suas destemidas tropas. Mário foi então declarado o "terceiro fundador de Roma", mas, como todo personagem cuja carreira se apoiou nos caprichos das massas, ele era profundamente temido pela elite romana, que questionava suas intenções.

O primeiro conflito de Rutílio com Mário foi mais simples: ele acreditava que Mário alcançara uma de suas vitórias eleitorais por meio de subornos, pagando dívidas alheias e comprando votos. Por já ter sido prejudicado por esse tipo de trapaça, Rutílio não pôde deixar a questão passar em branco, embora Mário tivesse feito um trabalho digno em manter a paz. Além disso, qual é o propósito de haver eleições se elas vão ser fraudadas? Rutílio não ficou calado — e, no processo, fez um inimigo que dificilmente esqueceria essa traição.

Por um tempo, Rutílio esteve a salvo: Mário estava perdendo prestígio com as massas, e seu poder começava a enfraquecer. Um grupo de aristocratas raivosos se mostrou muito além de qualquer controle, até mesmo para Mário. Eles atacaram e mataram um de seus antigos aliados, literalmente arrancando o teto de sua cela, apesar de todas as tentativas de Mário para protegê-lo. Tensões eclodiam por todos os lados, e, como o Senado nunca confiou plenamente em Mário, ele sentiu que era melhor deixar a cidade por um tempo.

Plutarco afirma que, durante esse exílio, Mário incitou Mitrídates, rei do Ponto e da Armênia Menor, a travar guerra contra Roma, pois ele tinha certeza de que isso apaziguaria as apreensões do Senado a seu respeito e os forçaria a chamar o "terceiro fundador" de Roma de volta. Era uma época de intrigas, violência política e corrupção escancarada — oscilando abruptamente das figuras políticas reacionárias às muito conservadoras —, como são todos os momentos de revolução e agitação.

Mesmo que ele não tivesse entrado em disputa com Mário, era quase inevitável que Rutílio, de honestidade rigorosa e instigado por seu senso estoico de dever, em algum momento se tornasse um alvo. Ele não apenas conquistou respeito para suas bem disciplinadas tropas, mas também deu início a reformas nas leis de falência para fazer frente ao endividamento exponencial, liderando uma iniciativa de proteção aos gregos na Ásia Menor contra a taxação extorsiva dos *publicani*, membros da Ordem Equestre romana.

É uma ironia populista — um forte líder chega ao poder por fazer promessas impossíveis e destrutivas aos desfavorecidos. Será que eles tinham de fato alguma intenção de ajudar essas pessoas? Claro que não. Na verdade, esses políticos bloqueiam ativamente qualquer reforma que possa fazer com que o sistema se torne mais justo. Tudo que importa é o controle ferrenho sob seus apoiadores ignorantes e o poder que resulta disso.

Rutílio simplesmente cumpriu seu papel, seguindo o princípio de que, pelo interesse próprio, nunca devemos perder de vista o interesse dos outros. Sua prática estoica da *oikeiosis*, a serviço do bem comum, colocou-o na linha de frente de um grande conflito, muito maior do que ele. Rutílio sabia com quem estava mexendo quando decidiu pregar por reformas que causariam prejuízo aos ricos? Fazia diferença que ele tentasse sinceramente acabar com uma enorme injustiça? Não. O que aconteceu em seguida foi um truque muito antigo, o mesmo empregado por Escauro: acusar um homem honesto e suas ações do exato oposto, atribuindo-lhe o pecado que você mesmo está cometendo. Usar a reputação dele contra ele. Criar dúvidas. Maculá-lo com mentiras. Expulsá-lo da cidade ao constrangê-lo a um padrão moral que, se aplicado igualmente a ambas as partes, não permitiria a sobrevivência dos interesses corruptos.

Foi assim que Rutílio, o mesmo que denunciara e presidira vários casos de corrupção, acabou sendo falsamente acusado de extorquir as pessoas que estava protegendo... por quem estava extorquindo-as de fato. Não ajudou o fato de que alguns de seus escritos criticavam as pessoas de quem ele era acusado de roubar. Ainda assim, ele pareceu quase atordoado pela animosidade de seus inimigos e pelos extremos aos quais estavam dispostos a chegar. O júri foi escolhido. Mário operou nos bastidores, pressionando a acusação. Como ele poderia não estar envolvido? O historiador Dião Cássio nos conta que um homem como Rutílio, "digno e de boa reputação, seria um estorvo" para Mário. Estorvo? Ele era um espelho. Uma crítica em carne e osso a tudo aquilo que os corruptos e egoístas defendiam.

Com a consciência limpa no tocante à própria inocência, Rutílio abriu mão da oportunidade de se defender, recusando-se a convocar seus aliados políticos ou mesmo a se pronunciar em sua defesa. Será que ele acreditou que sua reputação o salvaria? Será que estava acuado pela própria dignidade? Na obra *Sobre o orador*, Cícero observa que não foi apenas o silêncio de Rutílio que o condenou, pois o fato é que ninguém de sua equipe de defesa ergueu a voz contra a oposição naquele tribunal de fachada. Frente a tamanho fracasso, Cícero ironizou que a equipe de defesa de Rutílio temia se empolgar e fazer uma defesa acalorada e acabar sendo denunciada para os estoicos. Era a estratégia de Sócrates: eu me recuso a legitimar as acusações. Foi como Lutero: não vou me retratar. É essa minha decisão. Não há nada a fazer.

Foi uma atitude nobre, mas que permitiu aos inimigos livrarem-se dele bem depressa. A vultosa quantia imposta pela condenação era mais do que Rutílio — ou qualquer um, a não ser os oficiais mais corruptos — jamais conseguiria pagar. Sua propriedade foi confiscada e ele, exilado. Sua teimosia e retidão não atrapalhariam mais a pilhagem que Mário conduzia em Roma, nem a existência desse homem ético poderia continuar a constranger ou desmascarar a classe crescente de criminosos.

Conforme sem dúvida aprendera com seu professor, Panécio, você deve estar sempre preparado, como o pancraciasta, para as adversidades inesperadas da vida — se não for possível impedi-las, ao menos aceitá-las e suportá-las sem reclamar.

Ao aplicarem esse golpe, os inimigos de Rutílio permitiram a esse nobre servo civil e herói militar um resquício de dignidade, e tal atitude deixou evidente para a história a total inocência do filósofo. Os acusadores de fachada ofereceram a seu bode expiatório a chance de escolher o local do exílio.

Rutílio, talvez como uma última cartada, ou ao menos com a determinação imperturbável de um homem que sabe não ter cometido erro algum, escolheu Esmirna — a própria cidade que ele supostamente fraudara. Esmirna, grata pelas reformas e pela honestidade zelosa do homem que um dia a governara, recebeu Rutílio de braços abertos. A cidade até lhe ofereceu cidadania. Suetônio nos conta que Rutílio se fixou em Esmirna com Aurélio Opílio, "um ex-servo liberto de um epicurista, [que] primeiro ensinou filosofia, depois retórica e por fim gramática... onde viveu com ele até idade avançada". Cícero visitaria Rutílio lá em 78 a.C. e o chamaria de "padrão de virtude, da honra dos velhos tempos e de sabedoria".

Rutílio se tornara amargo? Não há indícios disso. Os relatos apontam que ele seguiu com a vida e sua fortuna aumentou, apesar de sua exclusão dos círculos de poder. Chegavam presentes de admiradores. Diz-se que um amigo de Rutílio tentou confortá-lo, afirmando que, com a provável guerra civil em Roma, todos os exilados teriam permissão de retornar em algum momento. "Que pecado terei cometido para que você me deseje um retorno mais infeliz do que foi minha partida?", respondeu Rutílio. "Prefiro que meu país esteja envergonhado com minha saída do que aos prantos ao meu retorno!"

Melhor que sintam saudade do que abusar da hospitalidade. Conforme acreditavam os estoicos, quando o Estado está além da reparação e a corrupção é incontrolável, o homem sábio ficará longe. Confúcio, ele mesmo um filósofo e conselheiro de príncipes, dissera algo parecido vários séculos antes. O que sabemos é que Rutílio permaneceu em Esmirna e escreveu sua *História de Roma* em grego. Nem um pouco abalado pela desonra do que lhe fizeram, ele apenas continuou com seu trabalho.

Quando por fim Rutílio foi convidado a retornar a Roma por Sula, que triunfou sobre Mário e se tornou ditador, a "honra" foi educadamente recusada.

Os companheiros estoicos de Rutílio ficaram lívidos com o tratamento dado a esse homem digno, mas de certa forma foi uma importante lição. *Fazer a coisa certa pode custar caro.* Aquela não era a República de Platão — reis-filósofos não eram apenas indesejados, eram o inimigo daqueles que tentavam enriquecer por meio do Império. Desgraças tinham se tornado lugar-comum. Todas as personalidades de mais relevância do período seriam acusadas de corrupção, eleitoral ou financeira.

Ao contrário de Rutílio, quase todas elas eram culpadas.

Por que parecia que os bons eram punidos, enquanto os maus saíam impunes? É como o mundo funciona, infelizmente. "Quando um homem bom encontra um final ruim", escreveu Sêneca, "quando Sócrates é forçado a morrer na prisão, Rutílio, a viver no exílio, Pompeu e Cícero, a entregar-se a sua clientela, e o grande Catão, a representação viva de todas as virtudes, cai sobre a própria espada para mostrar que o fim chegou para ele mesmo e para o Estado ao mesmo tempo, não há como não lamentar que o Destino recompense de forma tão injusta."

Ainda assim, quem você preferia ser? Pois há um custo para a traição, para o roubo, para as coisas erradas — ainda que a sociedade o recompense. Você prefere partir como Rutílio, com a cabeça erguida, ou viver em negação de sua vergonha inegável?

Por pior que fosse, os estoicos do tempo de Rutílio tinham pouca noção do que o futuro lhes reservava. Eles não tinham como saber que, mesmo em uma situação tão adversa, que aquele era apenas — como o escritor e *podcaster* Mike Duncan descreveria dois mil anos depois — "o prenúncio da tempestade". As instituições da República Romana haviam sido muito enfraquecidas, e tudo que restou foi a corajosa resistência de homens honrados e grandiosos. Por quanto tempo mais eles conseguiriam nadar contra a corrente? Por quanto tempo mais conseguiriam preservar a ética e as instituições políticas que a Grécia levara a Roma?

Com o advento de Júlio César, a resposta é que, infelizmente, não por muito mais tempo.

Mas, por um período, Rutílio Rufo deixou sua luz brilhar. Ele havia sido uma força do bem no mundo e pagou por isso. Mas, ao que parece, ele nunca questionou se valia a pena. Nem guardou qualquer rancor quanto ao seu destino. Ele olhara para si mesmo e para a corrupção ao redor e decidiu que, fosse lá o que as pessoas diriam ou fariam, era sua função ser bom. Ele sabia, como Marco Aurélio lembraria muitas vezes a si mesmo, que tudo que ele podia controlar era seu caráter e sua capacidade de deixar seu verdadeiro eu brilhar sem se exaurir. Mãos violentas podem me atacar, dissera Zenão, mas minha mente se manterá dedicada à filosofia.

Contudo, Zenão só precisara dizer isso. Marco nunca foi falsamente condenado. Nunca perdeu seu lar. Rutílio não apenas acreditou nessas palavras e as pronunciou, como também, as viveu.

Foi ele quem precisou aguentar firme quando forjaram acusações a seu respeito, quando macularam sua reputação, roubaram seus bens e o exilaram do país que amava. Ainda assim, sob toda essa pressão, ele não cedeu. Não fez concessões. Ele não se ajoelhou. Recusou aquela isca implícita que estava no anzol dos processos legais: retire suas queixas incômodas e podemos torná-lo rico e importante.

Públio Rutílio Rufo foi, inflexivelmente, o último homem honesto de Roma. É um exemplo para nós hoje, assim como foi para os corajosos estoicos de seu tempo e todos os que vieram depois.

POSIDÔNIO, O GÊNIO

NASCIMENTO: 135 A.C.
MORTE: 51 A.C.
ORIGEM: APAMEIA, SÍRIA

Posidônio de Apameia foi outro estoico nascido em família abastada em um tempo de fortunas desventuradas. O ano de seu nascimento, 135 a.C., na atual Síria, marcou o começo da agitação política que, de certa forma, continua até hoje. Mas, para Posidônio, foi o mesmo tipo de experiência formada em incertezas que deu origem a Zenão e Cleantes em tempos passados.

Talvez sejam estas as condições ideais para o surgimento do estoicismo: uma terra natal com liderança instável e sofrendo ataques de poderosas forças externas; a posição privilegiada para assistir aos perigos do excesso e da ganância. Tudo isso serviu como uma lição precoce de que, em um mundo imprevisível, a única coisa que podemos de fato controlar somos nós mesmos — e que o espaço entre nossas orelhas é o único território que podemos conquistar com algum tipo de certeza e duração.

De qualquer forma, Posidônio mais tarde lembraria com desaprovação que a riqueza da Síria naquele período fez seu povo "ser livre das incômodas necessidades da vida, assim estavam sempre em eterna rotina de festividades, e seus ginásios foram convertidos em casas de banho". Ele escreveu sobre como os déspotas locais estavam "embriagados de ambição". As coisas iam bem, mas épocas de bonança raramente criam pessoas grandiosas, ou governos grandiosos.

No fim das contas, ele saiu à francesa como muitos dos estoicos antigos fizeram, trocando sua pátria aos dezoito ou vinte anos por Atenas.

Quando Posidônio chegou a Atenas em algum momento entre 117 a.C. e 115 a.C., encontrou o Stoa Poikilē nas mãos firmes de Panécio, que era então um homem idoso e uma figura eminente, não apenas na escola estoica, mas também no Império. Pais em toda a classe dominante de Roma — desde senadores e generais até reis de províncias distantes — começaram a contratar filósofos para a educação de seus filhos. Como Panécio ensinara Rutílio uma geração antes, muitos entre os mais ricos e poderosos agora enviavam seus filhos mais promissores até ele em Atenas, para prepará-los ao ingresso na vida romana.

Mesmo entre tantos alunos talentosos da Cidade Eterna, o jovem Posidônio deve ter se destacado por seu brilhantismo. Fontes o retratam como um erudito com múltiplos interesses, tais como história natural, astronomia, meteorologia, oceanografia, geografia, geologia, sismologia, etnografia, matemática, geometria, lógica, história e ética. Talvez tenha sido Panécio, por ter viajado por muitos lugares em sua missão de checagem de fatos, quem encorajou seu jovem pupilo a viajar para aprender mais. O que sabemos é que, após um período em Atenas, boa parte da fase seguinte da vida de Posidônio transcorreu enquanto ele estudava em lugares distantes da Itália, desde a Sicília, a Grécia e a Dalmácia até o norte da África e o Oriente Próximo.

POSIDÔNIO, O GÊNIO

Não se pode dizer que os estoicos, como alguns filósofos, estavam interessados apenas em seus argumentos ou debates. Posidônio ilustra perfeitamente a curiosidade, o fascínio com o mundo belo e complexo que nos cerca, algo que caracterizou o estoicismo do mundo antigo e continua até hoje. Conforme instruíram os estoicos, você pode e deve se interessar por tudo, porque pode e deve extrair conhecimento de tudo. Quanto mais você vivencia, mais aprende e, paradoxalmente, mais humilde se torna devido à quantidade infinita de sabedoria que se estende diante de você.

Durante as viagens de Posidônio, ele alcançou a reputação de maior erudito desde Aristóteles. Mensurou as marés na Espanha e conduziu pesquisas etnográficas sobre os celtas na Gália. Ele era um observador arguto que amava dados — independentemente de seu conteúdo — e um inventariante de tudo isso. Ele mediu a circunferência da Terra, o tamanho e a distância do Sol e da Lua, criou modelos tanto para o globo quanto para o sistema solar conhecido. O único empecilho à sua genialidade eram as ferramentas de mensuração rústicas da época, que muitas vezes atrapalhavam seus cálculos. Ainda assim, suas viagens incessantes e uma curiosidade ímpar aumentaram de maneira expressiva a compreensão do Universo conhecido da época.

E também o levou para longe, mares afora, terra firme adentro. Sua sala de aula era o céu e as estrelas e os agitados mercados, assim como foi para Zenão, assim como é para a criança que fica fascinada até por uma folha comum de grama. Posidônio viveu, conforme Sêneca mais tarde escreveria, como se o mundo inteiro fosse um templo dos deuses.

Alguns gênios ficam satisfeitos em viver inteiramente dentro da própria mente. Muitas filosofias — repletas de filósofos que sem dúvida se consideram gênios — encorajam discretamente essa tendência. O epicurismo, por exemplo, que renasceu na época de Posidônio, incentivou seus seguidores a deixar o mundo para trás, ignorar a política e os acontecimentos ao redor. Posidônio, graças à influência de estoicos como Diógenes e Panécio, resistiu à atração dessa bolha e, como um bom estoico, também empregou seu intelecto na política e na governança.

De fato, suas viagens remotas o deixaram em contato constante com as legiões romanas, legiões que haviam sido treinadas para Mário por seu companheiro de estoicismo e também aluno de Panécio, Rutílio Rufo. Nos fragmentos de seus escritos, há evidências de que Posidônio estudou formação tática de tropas, a história das estratégias de guerra e os costumes dos nativos, e até mesmo recolheu inteligência de potências estrangeiras, que ele não só forneceu aos generais, como também incluiu em seus muitos livros. Ele chegou a escrever um manual de táticas militares, uma espécie de *A arte da guerra*, tão detalhado que foi considerado avançado demais para qualquer um que não fosse um general. Além de ser uma compilação de táticas, Posidônio também possuía percepções etnográficas profundas sobre territórios estrangeiros, motivo pelo qual generais como Pompeu procuraram seus conselhos durante muitos anos.

Ele era um homem completo. Um desbravador. Estrategista. Cientista. Político. Portanto, ele era um *verdadeiro* filósofo.

Em algum momento, porém, todo viajante deve retornar para casa, e Rodes tornou-se o lar de Posidônio. Colocando seus estudos sobre política em prática, ele subiu na hierarquia de liderança da cidade até o maior posto civil, prítane, e presidiu o conselho de governantes em Rodes enquanto construía sua escola filosófica.

Suas responsabilidades políticas o levariam a Roma em uma missão diplomática em 86 a.C., mas é mais provável que tenham sido sua curiosidade e sua vontade de estudar os seres humanos que o conduziram ao leito de morte de uma das mais perversas forças políticas romanas, Mário. Ele fora eleito para seu sétimo consulado no fim de 87 a.C., e parecia acreditar que seu poder político o tornava imortal. Mário não poderia ter imaginado que um dos últimos rostos que veria seria o de Posidônio.

Delirante, torturado por sonhos sombrios, esgotado por uma vida de ambições sem fim e pelo medo debilitante de que tudo tivesse sido em vão, Mário recebeu Posidônio, um observador arguto que ficou enojado com o que presenciou. Poucos dias após o encontro, Mário morreu, convencido até o fim de que voltaria a liderar as tropas em batalhas e expandir suas conquistas. Como estoico, Posidônio deve ter notado — como Plutarco notaria — que aquela morte estava muito distante de ser tranquila como a do filósofo Antípatro, que passara seus momentos finais enumerando as bênçãos de sua jornada pela vida.

É uma questão eterna: se você realmente soubesse as consequências do "sucesso" e do "poder" — o que ocasionaram às pessoas que os alcançaram —, você ainda os desejaria?

Escritos posteriores de Posidônio estão repletos de observações em primeira mão sobre os custos da ambição e do apetite insaciável. Em uma de suas histórias, ele relata sobre um filósofo chamado Aristíon, que aspirava se tornar um tirano em Atenas. Posidônio deve ter percebido quão facilmente as pessoas são corrompidas e dissociadas da virtude, pois lá estava um homem com um treinamento similar que abandonou sua índole para se casar com uma prostituta e tornara-se dependente das massas para conseguir alavancar suas ambições políticas.

Em outro relato de uma revolta na Sicília, ele falou de Demófilo, "um prisioneiro do luxo e da incompetência percorrendo o país em carruagens levadas por cavalos, com criados sensuais e uma afluência de bajuladores e soldados escravizados". Com certa satisfação, Posidônio nos conta como Demófilo teve um fim violento e doloroso nas mãos de seus escravizados. Podemos supor que Posidônio nutrisse expectativas de um castigo similar para Apício, o monstro glutão e ganancioso que, com falsas acusações, foi responsável pelas denúncias contra Rutílio Rufo, amigo do filósofo.

Na visão de Posidônio, o que conectava todos esses casos históricos era uma falha de caráter. "Ladrões, pervertidos, assassinos e tiranos", escreveria posteriormente Marco Aurélio, "se reúnem para uma análise daquilo que eles chamam de prazer!" Posidônio de fato fizera isso, estivera no quarto de Mário, observara de perto aspirantes a tiranos e assassinos, da mesma maneira que avaliara as marés e os movimentos dos planetas.

A partir disso, ele se tornou apto a compartilhar suas percepções, tão valiosas quanto os estudos científicos: tenha cautela com a ambição. Evite a multidão. Luxo, tanto quanto o poder, corrompe. Por meio de Sêneca, conhecemos o julgamento final de Posidônio sobre Mário: "Mário comandou exércitos, mas a ambição comandava Mário." Sêneca parafraseou: "Homens como esses, quando estavam perturbando o mundo, eram eles mesmos perturbados."

Após a morte de Panécio, em 109 a.C., Posidônio deixaria Atenas pela última vez, convencido de que o povo se tornara simplesmente uma *ochloi anoetoi* [massa irracional]. Posidônio provavelmente não tinha opiniões mais generosas a respeito dos romanos após o que assistiu em primeira mão.

Rodes, isolada e ao mesmo tempo central para o fluxo de bens e ideias através do Mediterrâneo, foi o ninho perfeito para esse pensador independente. Posidônio trabalhou em suas histórias e em sua teoria da personalidade humana ao longo desse período, e ambas refletem uma avaliação mais realista e desiludida do indivíduo — uma análise compartilhada muitas vezes pelos gênios. Mas, enquanto essa visão estava se assentando, Posidônio recebeu uma visita iluminada. Em 79 a.C., o jovem Cícero, então com 27 anos, possuindo um tipo de talento ímpar (assim como Posidônio), iria até Rodes para estudar sob a tutela do grande homem. Panécio teve seu Posidônio, e agora chegara a hora de Posidônio ter seu próprio aluno brilhante, que em troca se referiria com carinho ao seu professor como "nosso Posidônio" em suas obras.

O restante de seus anos se passaria entre a escrita e a reflexão filosófica — e, claro, o ensino. Fica evidente que suas viagens e suas experiências concretas com os altos círculos políticos orientaram cada uma dessas áreas. Posidônio, como antes dele seu professor Panécio, possuía visões aristocráticas — hoje poderíamos defini-lo como membro da "elite". Contudo, ao contrário das elites atuais, que com frequência estão desconectadas da realidade e inseridas em uma bolha junto de seus pares, Posidônio desenvolveu suas ressalvas em relação às massas e ao populismo por meio de sua experiência.

Ele vira o mundo, ele vira a guerra, e isso formou uma filosofia — baseada em ciências naturais, história e psicologia humana — que se tornou requisitada pelas pessoas mais importantes de sua época. Isso, sem dúvida, foi o que atraiu Pompeu, o grande general que então ascendia ao poder, para assistir às palestras de Posidônio em Rodes.

Em 66 a.C., antes de sua investida contra piratas da Cilícia, Pompeu visitou Posidônio e, em uma reunião particular, perguntou-lhe se o filósofo tinha alguma recomendação para ele. Posidônio, citando Homero, respondeu que fosse "melhor e sempre superior aos outros". Era um sutil conselho moral, cujo sentido Pompeu, com o que Posidônio mais tarde chamaria de "seu amor insano pela glória ilusória", com certeza não captou.

"Melhor", para os estoicos, não significava vencer batalhas. "Superior" não significava acumular as maiores honrarias. O sentido era, então, o mesmo de hoje: *virtude*. Indicava que a maestria não estava no exterior — embora fosse sempre agradável quando o destino assim permitia —, mas nas áreas que você controla: seus pensamentos, suas ações, suas escolhas.

Todavia, embora sempre em busca da glória, o general permaneceu um aluno respeitoso. No ápice de seu poder, após grandes conquistas no Oriente durante a Terceira Guerra Mitridática, Pompeu retornou para visitar Posidônio, em 62 a.C., e fez uma reverência com seus estandartes militares ao pé da porta do filósofo. Talvez Pompeu tenha, a sua maneira, captado o que Posidônio quis dizer com "melhor", ainda que não tenha posto em prática suas palavras.

Apesar de ter sido acometido por um caso grave de artrite e gota durante a visita, Posidônio deu de sua cama uma palestra particular a Pompeu sobre por que apenas o honrável é bom, na qual, em meio a gritos de dor, precisou enfatizar que ele ainda não admitia que a dor é um mal.

Esse triunfo sobre a dor — sobre si mesmo —, era a isso que Posidônio se referira como "melhor". E, o mais impressionante, ele efetivamente vivenciou isso.

Em seus escritos, Posidônio afirmava que a mente procurava por sabedoria e pelo que era verdadeiramente bom, ao passo que as partes inferiores da alma buscavam tanto poder e a glória da vitória (como Pompeu) quanto os prazeres do corpo. Estilo de vida e bons hábitos — organizados pela mente — são controles contra essas partes irracionais da alma. Essa ideia, que uma parte de nós é racional e a outra não, era um conceito bastante inovador para o pensamento estoico, que por muito tempo defendeu que o ser era racional por completo.

Mas essa batalha interna — que mais tarde Martin Luther King Jr. chamaria de Guerra Civil entre o "Norte" e o "Sul" de nossa alma — soa verdadeira a qualquer pessoa com um pingo de autoconsciência. Temos partes conflitantes dentro de nós, e o que importa na vida é para qual lado escolhemos nos voltar. A vida deve ser planejada, disse Posidônio, "para viver contemplando a verdade e a ordem do Universo, promovendo-as tanto quanto possível, sendo de forma alguma conduzida pela parte irracional da alma". Esse era um feito que Mário, Sula, Aristíon e, infelizmente, até mesmo Pompeu não conseguiram alcançar, mesmo com tanto poder militar ou astúcia.

A razão para isso é que realmente é um feito muito, muito difícil de realizar — seja você um gênio ou um conquistador. Mas, caso consiga, de acordo com o que os estoicos acreditavam, você produzirá algo muito mais impressionante do que livros brilhantes ou vitórias esplêndidas.

Os estoicos antigos tentaram dividir a filosofia em três partes, e para isso usaram como analogia uma fazenda ou um pomar, com um campo (física), frutos (ética) e uma cerca (lógica). Sexto Empírico relata que Posidônio pensava diferente: "Como as partes da filosofia são inseparáveis umas das outras, mas é possível diferenciar os frutos das plantas e as plantas das cercas, ele afirmava que o ser humano deveria ser a analogia para a filosofia, no qual a física é o sangue e a carne, a lógica é o esqueleto e os nervos e a ética é a alma." Essa também é a metáfora perfeita para os estoicos, porque a filosofia é feita para ser *vivida* pelos seres humanos.

Elaborando a partir de Crisipo e Zenão, Posidônio levou ainda mais longe essa ideia. Ele enxergava o cosmo inteiro como um ser vivo, senciente, em que todas as coisas estão conectadas (*sympatheia*). O estudo da ciência pode, por vezes, conduzir a pessoa ao ateísmo, mas, no caso de Posidônio, seus experimentos com as marés e suas observações das estrelas lhe deixaram com a forte convicção da existência de um Criador — de que havia uma providência do destino governando o Universo. Indo além da regra do "bom competidor" de Crisipo, ele acreditava que todos os seres humanos estavam literalmente no mesmo time. Posidônio pensava que estamos todos interligados pela simpatia cósmica e que nenhum de nós é inteiramente autossuficiente ou autônomo. A cada um de nós foi designado um papel nesse corpo maior — um de nós é um dedo; outro, uma célula epitelial; outro, um fígado — e existimos em colaboração e tensão uns com os outros. Era Deus, conforme acreditava, que corria através desse organismo como *pneuma* — um tipo de alma do Universo.

Em seus anos derradeiros, Posidônio se dedicou quase inteiramente a completar suas grandes histórias. Preenchendo cinquenta e dois volumes e representando um terço de toda a sua produção escrita, suas histórias começam a partir de Cartago em 146 a.C. com Cipião Emiliano e vão até a pilhagem de Atenas ordenada por Sula em 86 a.C. Estrabão relata que ele inclusive estava escrevendo um trabalho à parte, dedicado inteiramente a Pompeu. Seus trabalhos conhecidos se estendem desde os sobre destino e ética até outros, que abordam sobre como lidar com as emoções e o eterno inimigo dos estoicos: a raiva. Ele também escreveu sobre luto e dever, e, claro, muitos trabalhos científicos baseados em suas explorações dos oceanos, clima e a circum-navegação da Terra.

Embora apenas fragmentos dessas grandes obras tenham sobrevivido e Posidônio seja quase desconhecido hoje em dia, ele era uma figura imponente em sua época e assim permaneceu por muito tempo. Séculos depois, Santo Agostinho, em seu ilustre *Cidade de Deus*, fez questão de citá-lo pelo nome e responder ao mais científico dos estoicos, mesmo que tenha sido apenas para criticar seu uso da astrologia. Posidônio pode não ser um nome célebre hoje, mas que autor não ficaria satisfeito por ser citado quase quinhentos anos após sua morte? E por ninguém menos que um santo?

Posidônio trabalhou e viveu em muitos lugares em sua longa vida — Síria, Atenas, Roma e Rodes — e viajou por quase todo o mundo conhecido. Escreveu muitos livros. Aconselhou muitos homens poderosos. Foi um dos homens mais inteligentes do mundo antigo — uma parte pequena do Universo cósmico, como ele mesmo admitiu, mas, ainda assim, um enorme contribuidor.

Mas até mesmo os gênios são em algum momento esquecidos, e, no fim das contas, todos eles são mortais. Nenhum estoico desmentiria ou se oporia a isso, e Posidônio muito menos.

Em 51 a.C., ele morreu pacificamente aos 84 anos, e, embora não haja nenhum registro desse fato, podemos imaginar que ele aprendeu a ser um homem que parte do mundo de forma mais feliz e mais grata do que o fim inquietante e desprezível que ele presenciou no leito de morte de Mário.

DIÓTIMO, O INFAME

NASCIMENTO: DESCONHECIDO
MORTE: DESCONHECIDA (100 A.C.?)
ORIGEM: DESCONHECIDA

Foi Shakespeare, o grande observador dos estoicos, quem disse — na mais estoica de suas peças — que o bem que fazemos em vida é facilmente esquecido, mas o mal que fazemos perdura.

Talvez nenhum filósofo estoico represente melhor esse princípio do que Diótimo, sobre quem muito pouco se sabe. Não sabemos quando nasceu. Não temos certeza de quando ou como morreu. Temos ciência de apenas algumas de suas crenças: por exemplo, que a principal meta da vida deveria ser o bem-estar, e que a busca da virtude era a maneira de alcançá-lo.

Ele estudou sob a tutela de quem? Não estamos certos a esse respeito também. Fontes sugerem que ele conheceu Posidônio, mas apenas isso. Como foi apresentado à filosofia? Quem eram seus pais? Quais foram seus alunos? Como ele os ajudou? Como ele viveu? Que atos de bondade realizou? Que honrarias ele recusou?

Novamente, não temos essas respostas. Ele é um completo enigma para nós.

Tudo que sabemos a seu respeito advém de um único ato de incontestável malícia, que deixa perplexos historiadores e estudiosos do estoicismo há mais de dois mil anos. É um ato que parece tão sem sentido, tão mesquinho e, de maneira cômica, tão conflitante com os ensinamentos da filosofia da qual Diótimo afirmava ser adepto que quase parece mentira.

Em algum momento perto da virada do século I a.C., enquanto a filosofia de Epicuro gozava de um renascimento em Atenas em meio à ascensão ao esplendor e poder de Roma, Diótimo forjou mais de cinquenta "cartas devassas", com a intenção de difamar a reputação do fundador da escola rival. Na verdade, ele foi muito além. Diótimo retratou Epicuro como um tipo de maníaco depravado — uma reputação que até hoje recai como uma sombra sobre Epicuro — no intuito de reforçar seus argumentos contra a doutrina.

Parte da motivação foi, sem dúvida, autodefesa. Naquele momento, a escola epicurista estava em ascensão sob a liderança do prolífico Apolodoro, que, além de escrever cerca de quatrocentos livros, fora apelidado de "Tirano do Jardim". Diógenes Laércio conta que Apolodoro passara a caluniar Crisipo, afirmando que o estoico enchera seus livros com citações roubadas de outros. Tal difamação ao grande lutador do Stoa precisava ser resolvida.

Diótimo escolheu responder a uma difamação com outra difamação. Decidiu cometer um crime pior do que aquele que Apolodoro estava alegando falsamente contra Crisipo.

Para uma escola que prezava a lógica e a verdade tanto quanto o comportamento virtuoso, as ações de Diótimo eram imperdoáveis. Ainda que o epicurismo representasse, naquele momento, uma ameaça à existência do estoicismo, isso dificilmente justifica a execução de uma fraude literária. "Se não é correto, não faça", escreveria Marco Aurélio em seu resumo da doutrina estoica, "se não for verdade, não diga." O estoico deveria ser um indivíduo que se mantém alheio ao ressentimento, à vingança, às brigas mesquinhas ou à necessidade de vencer discussões. Certamente, eles não deveriam fazer nada — muito menos mentir e enganar — por malícia. Em algum momento, de alguma forma, Diótimo perdeu o rumo.

E para quê? Para desacreditar uma escola que também, com toda a honestidade, buscava conduzir seus alunos a uma boa vida?

Essa seria a única contribuição de Diótimo à história do estoicismo, tornando-o um exemplo a não ser seguido. Ele provara que os estoicos não eram nada perfeitos, e que não importa quanto estudo e leitura sejam feitos, uma decisão repentina tomada no calor do momento pode desfazer tudo.

O que Rutílio Rufo deve ter pensado ao descobrir que, próximo à época em que estava sendo falsamente acusado por seus inimigos políticos, outro estoico se esforçava para incriminar Epicuro postumamente? Mas tal é a vida e a história — complicada, contraditória e, muitas vezes, decepcionante.

Ateneu, citando Demétrio da Magnésia, afirma que Zenão de Sídon, sucessor de Apolodoro como chefe da escola epicurista, rastreou Diótimo e abriu um processo contra ele. A corte ficou ao lado de Zenão de Sídon e sentenciou Diótimo à morte, que é uma forma bastante extrema de justiça — e certamente uma que Roma não teria aprovado.

Embora seja improvável que a pena de morte tenha sido aplicada para algo tão corriqueiro como difamação, não há dúvida de que uma multa considerável e o exílio de Atenas foram impostos a Diótimo. E, mais do que isso, a vergonha.

Esse é o erro que cometemos. Combatemos fogo com fogo e acabamos nos queimando. Ninguém se lembra de como a chama se acendeu, mas nossas cicatrizes permanecem para sempre, se é que conseguimos sobreviver ao incêndio. Quando estamos com raiva, é quase sempre melhor esperar e não fazer nada. Em relação aos nossos inimigos, se possível, é melhor deixar que se autodestruam.

A infâmia de Diótimo manchou seus companheiros estoicos a tal ponto que, por exemplo, levou Posidônio a escrever o que certamente foi um livro mais comedido contra o acusador de Diótimo, Zenão de Sídon, do que ele teria feito a princípio. Não é como se um homem honrado como ele defendesse as falsificações de Diógenes. Em vez disso, é provável que ele precisasse desviar a atenção do aluno para a escola, evidenciando quais eram as objeções de fato que o estoicismo mantinha contra os ensinamentos de Epicuro. Posidônio desculpou-se por Diótimo? Repudiou as táticas desprezíveis do homem? Corrigiu a difamação que Apolodoro cometeu contra Crisipo? Espera-se que sim, mas não se sabe.

Ainda assim, é interessante que não haja registros de nenhuma das notas de repúdio ao crime de Diótimo, nem na época que ocorreu nem nas gerações posteriores. Sêneca, que escreveu extensamente sobre todos os tipos de filósofo e seus comportamentos, e mais de oitenta vezes sobre epicuristas ao longo do que restou de sua obra, nem uma vez sequer menciona esse incidente e o triste erro de sua escola.

Talvez o desespero das disputas intra-acadêmicas tenha atingido um ponto muito sensível.

Samuel Johnson certa vez observou que nunca foi fácil compreender a amargura das disputas entre os acadêmicos clássicos. "Coisas pequenas tornam os homens orgulhosos", disse ele, "e a vaidade se aproveita de pequenas brechas; ou todas aquelas opiniões contrárias, mesmo direcionadas àqueles que não podem mais defendê-las, causam raiva em homens orgulhosos; é muito comum encontrar em comentários um fluxo espontâneo de injúria e desprezo, mais ávida e venenosa do que aquilo que o mais furioso polemista político profere sobre aqueles contra os quais foi contratado para difamar."

Ele não poderia ter capturado melhor a insensatez de Diótimo. Nem o discurso fúnebre de Shakespeare em *Júlio César* seria mais adequado. Porque, na peça, o único feito de Bruto, outrora estoico — o assassinato de Júlio César —, obscureceria e subjugaria tudo o mais que o homem faria em vida. O mesmo ocorreu com Diótimo, um filósofo que talvez tivesse muitas ideias profundas e interessantes sobre a busca da perfeição moral e do bem-estar, mas que, em vez disso, é conhecido por sua decisão cruel e vingativa de tentar destruir a reputação do fundador da escola rival.

CÍCERO,
O COMPANHEIRO
DE VIAGEM

NASCIMENTO: 106 A.C.

MORTE: 43 A.C.

ORIGEM: ARPINO

Não se pode dizer que Cícero foi um estoico. Ele nem mesmo se declarava dessa forma. É inegável, contudo, que ele foi um estudioso aplicado do estoicismo. Passou algum tempo sendo diretamente instruído por Posidônio. O estoico cego Diódoto morou por anos em sua casa, vindo a falecer nela, deixando seus bens ao poderoso jovem que por muito tempo foi seu discípulo. Os estoicos, conforme Cícero avaliou em seu livro *Discussões tusculanas*, "são os únicos filósofos de verdade". De fato, as obras de Cícero são responsáveis por conservar a maior parte do que sabemos hoje sobre o mundo antigo.

Apesar disso, Cícero nunca abraçou realmente em sua vida prática os princípios aos quais tanto se esforçou para articular e conservar. Ele era um companheiro de viagem, um homem sem partido, alguém a quem, mesmo com todo seu sucesso e ambição, faltavam a coragem e a força de caráter que eram uma exigência do momento histórico — e do estoicismo.

Ainda assim, ele foi o grande talento de sua geração.

O século I a.C. foi um período em que o antigo modo de agir começou a ruir. Houve conflitos políticos e insurgências populistas. Demagogos haviam concentrado um poder incrível. O sistema de justiça retroagiu a um jogo de cartas marcadas. O Império estava em frangalhos e implodia.

Esse caos nunca atrasaria alguém empenhado como Cícero, mas definiria sua vida.

Cícero nasceu em 3 de janeiro do ano 106 a.C., em Arpino, uma cidade interiorana a cerca de 110 quilômetros na direção sudeste de Roma, em uma abastada família da Ordem Equestre que havia pouco tempo recebera o direito à cidadania romana. O nome de família deriva da palavra latina *cicer* (grão-de-bico), uma indicação de que, assim como a família de Zenão, em algum momento eles estiveram envolvidos com atividades comerciais.* Em vez do senso de dever que atraiu os estoicos antigos para a política e a vida pública, Cícero buscava algo mais: a ascensão social.

Como um jovem emergente do interior entrou neste livro sobre a vida dos estoicos? Sua inspiração não era a política relutante de Diógenes, a ética flexível de Antípatro, a influência nos bastidores exercida por Panécio, nem mesmo seu professor estoico, Posidônio. Em vez disso, sua primeira inspiração foi a ascensão meteórica de Mário, aquele cujos últimos suspiros Posidônio presenciou e que alcançara — por meio de pura ambição — fama e poder enormes, embora lhe faltasse uma linhagem nobre. Mário também foi um emergente de Arpino. Quando os amigos sugeriram a Cícero que mudasse seu nome para esconder sua origem de novo-rico, em vez disso ele jurou alcançar uma fama tão grande que ninguém jamais pudesse sugerir algo

---

* Assim como o incidente de Zenão com a sopa de lentilha é repleto de referências de classe, a associação de Cícero com o "modesto" grão-de-bico também é.

assim novamente. De fato, tanto ele quanto Mário se tornariam *novi homines*, "novos homens", os primeiros das respectivas famílias a alcançarem o poder no Senado sem pertencerem à classe de patrícios romanos.

A vida de Cícero em Roma se iniciou em 90 a.C., quando, aos dezesseis anos, ele foi enviado para lá por seu pai, no intuito de estudar oratória e direito. Ele chegou à capital com os privilégios das conexões comerciais da família e imediatamente se apaixonou pelo que hoje podemos chamar de estilo de vida das "elites". Conforme observado pelo biógrafo Anthony Everitt, "foi durante esses anos que Cícero passou a cultivar a ambição de se tornar advogado... Ele foi arrastado pelo intenso entusiasmo dos julgamentos no Fórum Romano e pelo glamour da profissão, muito similar ao de um ator principal".

Enquanto outros jovens de sua classe social festejavam e aproveitavam seu dinheiro (e a ausência de supervisão parental), Cícero estudava como se tivesse algo a provar. Relata-se que ele produzia — sem sombra de dúvida uma homenagem propositai ao seu herói da filosofia — no mínimo quinhentas linhas por noite, algo pelo qual Crisipo era reconhecido por fazer. Cícero escrevia, lia e observava. Ele amava a filosofia e a literatura? Claro. Mas também as enxergava como um meio de prosperar. Era o veículo que o levaria a concretizar seu potencial, assim como um atleta nato é atraído para o esporte e extrai do jogo toda vantagem possível. Cícero também fazia networking, encontrando-se com outros jovens destinados a atos de grandeza, inclusive um rapaz seis anos mais novo, Caio Júlio César.

Os anos iniciais de Cícero foram quase como uma preparação para a montagem dos eventos cinematográficos e decisivos que ele enfrentaria no auge da vida. E talvez enxerguemos dessa forma porque Cícero — ele próprio a fonte da maior parte do que sabemos sobre ele — era um hábil fabricante da narrativa de sua ascensão.

Eis a história: aos dezoito anos, ele se aproximou do chefe da Academia platônica, Filão de Lárissa, que fugira de Atenas para Roma. Assumiu seus primeiros processos judiciários durante as tumultuadas reformas de Sula, vencendo diversos casos importantes contra o poder vigente. E terminou seu primeiro livro sobre retórica — tornando-se um autor respeitado — com apenas vinte anos. Depois, saiu da cidade e se instalou em Atenas para continuar os estudos, sob a tutela de professores de todas as escolas. Então, caiu na estrada novamente para estudar estoicismo com Posidônio em Rodes, onde um gênio reconheceu o outro.

Ao retornar a Roma, aos 29 anos, ele era um homem moldado pela experiência de muitos anos de trabalho duro e motivação incansável. "E então eu volto para casa após dois anos", escreveu ele, "não apenas mais vivido, mas quase outro homem; o agudo excessivo da minha voz sumira; meu estilo, por assim dizer, relaxou; meus pulmões estavam mais fortes e eu já não estava tão magro."

Repare que ele lista apenas características, e não crenças.

Essa foi uma questão crucial em quase tudo o que Cícero fez, assim como é para muitas pessoas talentosas e ambiciosas: As motivações eram sinceras? Ou era tudo parte de um plano maior? Eles estão *praticando* ou preenchendo currículo?

Diz-se que um oráculo advertira Cícero, ainda na juventude, a deixar que sua vida fosse guiada pela consciência e não pelas opiniões da multidão. Mas, para alguém tão motivado quanto Cícero, era impossível seguir uma advertência como essa. Sêneca mais tarde escreveria sobre a importância de escolher para si "um Catão" — alguém para usar como padrão e guia daquilo que deve ser seguido. Cícero, que conviveu com um verdadeiro estoico como Catão, preferiu, na maior parte das vezes, procurar inspiração em outros lugares. Em vez de Catão, Cícero escolhera, no começo de sua vida, Mário, algo quase equivalente a escolher Richard Nixon ou Vladimir Pútin como norte.

Era uma escolha estranha, sugestiva. Como os estoicos costumavam dizer, tal demonstração de caráter provou ser premonitória.

Após conseguir riscar cada item de sua lista pouco antes dos trinta anos, chegou o momento de Cícero começar sua escalada política, a qual planejara por tanto tempo. Aos trinta, um romano se tornava elegível para assumir o ofício de questor — do latim *quaestor*, que se traduz como "aquele que faz perguntas", mas era simplesmente o encarregado por formular leis e atender os requerentes — e depois se tornar um membro do Senado. A família de Cícero empregou sua riqueza e seus contatos para se certificar de que ele ganhasse com tranquilidade sua primeira eleição. Ele não era apenas um talento nato, era um *trabalhador*. Plutarco conta que Cícero, inspirado por artesãos que sabiam o nome de cada uma de suas ferramentas ou instrumentos, fez questão de cultivar o hábito de conhecer não apenas o nome de todos os constituintes eminentes, mas também o tamanho de suas propriedades, seus negócios e suas necessidades.

Necessidades, no caso, não se refere ao sentido estoico, do que é bom para a *pólis*, do que é bom para a nação, mas *necessidades* no sentido político cru. O que eles queriam? O que ele poderia fazer por eles? Em que ponto seus interesses convergiam, *quid pro quo*? Não há dúvida de que Cícero era um político hábil. Ele era, realmente, o melhor de sua geração. Mas sua bússola operava de modo bastante diferente do de Diógenes, Antípatro ou Posidônio.

Em 75 a.C., Cícero estava empossado no cargo, com as atribuições de coletor de impostos e gerente na Sicília. Ele se adaptou à administração com bastante facilidade e talento, mas, ao contrário dos populistas da época, permaneceu um amante da alta cultura e da filosofia. Ele narra uma história sobre quando estava na Sicília e saiu à procura do túmulo de Arquimedes em Siracusa, um local que, na época, já transcorridos quase 150 anos, se encontrava abandonado e tomado pela vegetação. Em seu estilo característico e meio egocêntrico, Cícero se parabenizaria pelos seus esforços de encontrar o túmulo: "Veja, uma das cidades mais ilustres da Grécia, que outrora também fora um grande centro de aprendizado, permaneceria ignorante quanto ao túmulo de seu cidadão mais brilhante, não fosse por um homem de Arpino o revelar."

Se o pedantismo soa constrangedor hoje, imagine à época.

Sicília fora apenas uma parada para Cícero e serviu para o que mais tarde os biógrafos chamariam de *philodoxia* e *philotimia* — amor pela fama e pela honra, precisamente aquilo contra o que os oráculos o advertiram. Ele aceitou o cargo no intuito de se tornar um senador, o que por si só já era uma honra vertiginosa para um homem cuja família, poucas gerações antes, não tinha nem mesmo direito à cidadania. Mas essa conquista nem de perto foi o suficiente, e Cícero logo começou a planejar como alcançar êxitos cada vez maiores. Em 71 a.C., ele assumiu a função de promotor público em um caso de extorsão peticionado pelos cidadãos da Sicília contra Verres, na esperança de que isso pudesse auxiliá-lo no próximo passo de seu *cursus honorum* — como os romanos se referiam ao "plano de carreira" que os ambiciosos galgavam — ao posto de edil, que em 70 a.C. regulava e reforçava a ordem pública. Cícero conduziu uma investigação esmagadora durante cinquenta dias e retornou a Roma com uma extensa carga de provas documentais contra os crimes de Verres.

Foi um caso dramático. Verres roubara quarenta milhões de sestércios durante os três anos que passara na Sicília, e Cícero tinha como provar. Conforme relatara à corte em sua declaração inicial, "é o caso deste homem que determinará se, com uma corte composta por senadores, é possível condenar um homem muito culpado e muito rico. E, ademais, o prisioneiro é tal que nada o distingue, exceto suas infrações monstruosas e sua imensa fortuna: por conseguinte, sendo ele absolvido, será impossível imaginar qualquer motivo que não o mais ignóbil; e nada indicará qualquer apreço por ele, nenhum laço familiar, nenhum registro de outras ações que sejam boas, não, nem mesmo a moderação de algum mal, nada será capaz de aplacar a quantidade e a enormidade de seus feitos imorais". Cícero sabia que o júri havia sido subornado e, ainda assim, conseguiu obter uma condenação. Na ocasião, alcançado o posto de edil, ele saíra duplamente vitorioso.

Foi um grande dia para a virtude estoica da justiça — da integridade e da verdade —, mas foi esse o motivo que o levou a usar esses argumentos? Faz diferença?

A constância na vida de Cícero foi o movimento — para a frente, *para cima*. Quase tudo que ele fez, inclusive vencer casos importantes de corrupção como aquele contra Verres, tinha segundas intenções. Ele fazia o certo com frequência, mas sempre de olho nos benefícios que sua ação poderia trazer. Não era algo puramente estoico... mas funcionava.

Desde Cleantes e Zenão, os estoicos permaneceram, como regra, indiferentes a riqueza e status. Por mais que Cícero respeitasse os filósofos, não conseguia seguir esses princípios. Ele não se privaria do luxo. Iria atrás dele. Advogado e político bem-sucedido, ele seguiu primeiro o conselho de Antípatro, casando-se com uma mulher rica e maravilhosa chamada Terência e começando uma família. Depois, usou sua riqueza, tanto a da herança quanto a do casamento, para adquirir propriedades. Ele terminaria dono de nove mansões, além de outros investimentos imobiliários — entre os quais um resort à beira-mar em Fórmias e a mais querida de suas casas, uma vila em Túsculo, que pertencera a Sula. Somado ao dinheiro de sua família e ao dote da esposa, Cícero angariou uma grande fortuna por meios que não parecem ter sido exatamente éticos. Cleantes, por instrução de Zenão, rejeitara doações. Marco Aurélio faria o mesmo ao ser nomeado no testamento de alguém. Já Cícero parecia ser quase um herdeiro profissional — um trabalhador que arranjou uma forma de se meter entre os bens das pessoas para que um dia talvez elas lhe deixassem algum dinheiro.

Próximo do fim da vida, Cícero forneceu uma espantosa avaliação de sua renda: "Na verdade, meus registros contábeis mostram que recebi mais do que vinte milhões de sestércios em heranças... Só fui beneficiado de tal forma por aqueles que eram meus amigos, então toda vantagem recebida veio acompanhada de certo nível de tristeza." Dióodoto, seu professor estoico, não deve ter sido contrário à prática, visto que ele também deixaria tudo para Cícero na ocasião de sua morte, em 60 a.C. Ainda assim, é difícil não achar toda a situação meio estranha.

"Se você tem um jardim e uma biblioteca", Cícero escreveria em uma carta em que debatia Crisipo e Dióodoto com um amigo, "tem tudo de que precisa." Era evidente que parte dele não acreditava naquilo, pois não ficaria satisfeito apenas com uma vida de simplicidade ou reflexão. Como muitos que desejam ter o mesmo que ele, Cícero não foi capaz de enxergar o custo que tais conquistas acarretariam... e depois já era tarde demais.

Mas, com toda a sua ambição e todo o seu gosto por coisas caras, é preciso lhe dar o crédito de ter dado um basta na corrupção. Ao contrário da maioria dos políticos romanos, ele não aceitava subornos. Servidor público honesto e admirável, abria mão da cobrança de taxas por seus serviços. Claro, ter herdado milhões tornava mais fácil adotar esse tipo de atitude.

Após servir como questor e como edil, o próximo título a ser conquistado por Cícero era o de pretor, ao qual concorreu e venceu aos 39 anos, em 67 a.C. — servindo aos quarenta anos, a idade mínima permitida por lei em 66 a.C. —, devido, em boa parte, ao apoio dado a Pompeu. Isso também foi uma plataforma para o cargo final, o mais cobiçado, em especial para um "novo homem": cônsul. Presidente do Senado e comandante do Exército romano, o papel de cônsul era quase exclusivamente reservado às famílias mais importantes da elite de Roma. Como aponta o historiador Gerard Lavery, nos 150 anos finais da República Romana apenas dez *novi homines* foram eleitos cônsules. Entre 93 a.C. e 43 a.C., Cícero seria o único.

A escalada de Cícero ao topo não aconteceu sem percalços. Ele enfrentou dois concorrentes à vaga, Catilina e Antônio. Investindo em seus pontos fortes, Cícero começou uma agressiva campanha retórica contra "o homicida e corrupto" Catilina, alertando o Senado e o povo sobre um insurgente plano de usurpar a República. Foi o suficiente para garantir o consulado a Cícero. Mas o custo seria alto — se Catilina fez parte ou não de uma tentativa anterior de golpe, é algo que ainda não se tem certeza, mas, após ser vítima da difamação de Cícero, ele estava pronto para colocar abaixo o sistema como forma de vingança.

Cícero assumiu o cargo em 63 a.C., em meio a uma crise econômica. As rotas comerciais do Oriente foram fechadas por inimigos de Roma. A taxa de desemprego estava elevada. A recessão atingiu todas as classes sociais. Tensões cresciam, como sempre acontece em épocas assim. Cícero prometera *concordia ordinum*, o acordo de classes — mas o significado de suas palavras era que ele evitaria que tudo explodisse. Ser de fato justo não era sua maior preocupação, ainda que tivesse aprendido sobre seus benefícios, suas *virtudes*, por Posidônio ou Diódoto.

Cícero aprovou uma lei que aumentava para dez anos de exílio a penalidade por suborno eleitoral — uma boa lei, com certeza. Mas foi apenas em benefício do povo? Ou era uma jogada contra seus inimigos políticos? Catilina acreditou que a lei o prejudicava e formulou um plano para assassinar Cícero e seus aliados no Senado. Quando um proeminente romano entregou cartas que comprovavam a conspiração de Catilina, Cícero reuniu o Senado e proferiu o maior discurso de sua vida.

"Quando, ó Catilina", começou, "você pretende parar de abusar de nossa paciência? Por quanto tempo ainda zombará de nós com a sua loucura? Quando será o fim da sua audácia desenfreada, vangloriando-se como faz agora?"

Ao exigir a execução de seu inimigo, Cícero bradava: "Vergonha dessa era e de seus princípios!" Catilina, que se encontrava na plateia durante o discurso, tentou sem sucesso retrucar. Ele não era páreo para um orador tão brilhante. Tudo que conseguiu foi recair nos clichês do elitismo romano. Ele lembrou que Cícero viera de uma família com pouco prestígio, questionando a credibilidade de um homem que vencera na vida por esforço próprio.

Não funcionou.

Então ele fugiu — para o Exército que deixara de prontidão, acabando assim com qualquer dúvida de que Cícero estivesse certo. Catilina era um traidor e um rebelde. Mas o grau de seriedade da ameaça ainda permanece em aberto. Os contemporâneos e historiadores suspeitam de que Cícero, sempre em busca de poder e fama, pode ter exagerado significativamente os perigos corridos pela nação — para ganho pessoal.

O Senado, confiando em Cícero, conferiu-lhe poderes quase ditatoriais para pôr fim à ameaça. A República e o próprio Cícero, como muitos impérios que pensam que suas instituições estão sob a sombra de um perigo mortal, não resistiram sob pressão. Catão, o estoico, clamava para que Cícero empregasse a total força da lei contra os criminosos. Era apenas justo, disse.

Cícero tinha poder absoluto nas mãos. Ele hesitou, mas não por razões morais. Estava, como sempre, de olho em sua reputação. Sua esposa, Terência, atuou surpreendentemente como voto decisivo, interpretando o sacrifício que atemorizara alguns como sinal de que seu marido precisava exercer o poder que lhe fora dado.

Por ordem de Cícero, os conspiradores foram executados sem julgamento, e milhares de soldados de seus exércitos foram mortos. Em agradecimento, o Senado lhe concedeu o título de "Pai da Nação", mas as medidas extremas e as vidas afetadas por tamanho massacre pairaram sobre Cícero pelo resto da vida — e, de fato, por toda a história.

O que se manteve intacto ao longo dessa provação foi o senso de desígnio e glória de Cícero. Plutarco nos conta que, em poucos dias, Cícero começou uma campanha para louvar suas conquistas. "Não era mais possível comparecer a uma reunião pública ou do Senado", escreveu Plutarco, "nem a qualquer sessão de julgamento, sem ter que ouvir a mesma ladainha... Esse hábito desagradável se tornara intrínseco a ele." Nenhuma quantidade de considerações e elogios era suficiente.

Cícero usou também a escrita para enaltecer aquilo que considerava a própria genialidade. Ele tentou compelir Posidônio a abordar seu consulado em seus extensos cinquenta e dois volumes de história. Quando Posidônio recusou, Cícero escreveu a Pompeu, em 62 a.C., uma carta "do tamanho de um livro" sobre suas conquistas. Pompeu não fez mais do que dar de ombros. Não havia como parar Cícero, ele estava convencido de que salvara o país. A história, pensava, estava em dívida com ele.

O historiador H. J. Haskell captura bem essa contradição do caráter de Cícero. Ele era talentoso, brilhante, estava imerso nas filosofias mais sábias de todas as escolas e, ainda assim, "era sensível demais, vaidoso demais, dominado demais pelos próprios sentimentos e suscetível demais a opiniões para se tornar um grande líder. Por vezes, via os dois lados das questões públicas com tal nitidez que isso o impedia de tomar uma decisão, deixar as dúvidas de lado e seguir em frente. Em outros momentos, quando sua animosidade vinha à tona — e era um inimigo temível —, ele se lançava sem hesitar".

Cícero tinha ciência das advertências que os estoicos faziam a respeito das *paixões*, mas pouco fez para dominá-las. Assim, de novo e de novo, elas voltariam a causar exatamente o tipo de sofrimento para o qual os estoicos, *desde a época de Zenão*, haviam alertado.

Como as personalidades nas obras de Posidônio, Cícero conseguiria quase tudo que queria... e viria a se arrepender.

O consulado de Cícero e o breve momento de crise de liderança foram os pontos altos de sua vida. Dali para a frente, seria uma sucessão de quedas. O país seguiu em frente, e, conforme previsto pelo oráculo, o reconhecimento das massas não era duradouro. César, Pompeu e Crasso formariam seu Triunvirato em 60 a.C., criando uma linha de inimigos contra Cícero. O cônsul seguinte, em 58 a.C., foi abertamente contrário a Cícero, aprovando uma condenação contra ele por ter condenado cidadãos à morte sem julgamento. Cícero precisou fugir de Roma para o exílio, e suas propriedades foram destruídas.

Foi Sêneca quem observou a rapidez com que o tempo e o destino afligiriam em Cícero "tudo que um Catilina vitorioso teria feito". De fato, sua expulsão foi revogada um ano depois, mas, ainda assim, mudanças — ou dissoluções — estavam no ar.

Na maior parte do tempo, Cícero evitava a cidade. Ele se dedicava, tanto quanto possível, à escrita e à filosofia. E se debruçava nos livros da biblioteca de Fausto Sula, próxima a sua vila em Cumas, que já fora lar de Caio Blóssio, mestre estoico. Cícero trabalhou em um livro, *Sobre o orador* (56 a.C.), em que comparou o uso da retórica de Catão à de Rutílio Rufo, demonstrando como a decisão de Rufo em manter seu laconismo estoico diante de seus acusadores o levou ao fracasso no exato momento em que uma boa retórica o salvaria. Preocupado com seu futuro em Roma, ele escreveu dois trabalhos, *Da república* e *Das leis*, versando sobre os estoicos Diógenes da Babilônia e Panécio.

Mas, assim como para muitos historiadores, e até mesmo para os leitores hoje, faltava-lhe abordar o que deveria lhe parecer mais óbvio: a *vida* que essas personalidades viveram. Faltava a ele o fio que conectava os quatro estoicos. Caráter. Comprometimento. Propósito.

Em 51 a.C., Cícero recebeu o governo da Cilícia — um cargo bem afastado das disputas da política romana, o que ajudou a recuperar sua reputação. Na verdade, contudo, foi um breve intervalo do caos que o destino tinha em vista para ele e para Roma.

Cícero certa vez escreveu que as coisas começam pequenas. Ele também descobriria, naqueles poucos anos, que as coisas terminam repentina e surpreendentemente. No início de 49 a.C., César — que um dia fora amigo e colega de Cícero — atravessaria o rio Rubicão. A chama da ambição de César queimava mais lentamente do que a de Cícero, com menos autopromoção, mas de maneira muito mais agressiva e inflexível — e era apoiada pela riqueza produzida por um Exército inigualável e profundamente temido na Gália. Teve início uma guerra civil. Em setembro de 48 a.C., Pompeu — a quem Cícero havia elogiado em seu primeiro discurso político de relevância e a quem Posidônio, professor de Cícero, tentara instruir sobre a virtude — estaria morto.

Quem conseguiria parar César agora? Podemos imaginar que esse seria o momento crucial para um estudante de filosofia e mestre de oratória como Cícero — quando o destino vai ao encontro do homem cuja hora chegou. Mas Cícero, o ambicioso batalhador, não estava preparado para tal encontro. Tendo o privilégio de olharmos em retrospecto, podemos enxergar que ele se desgastou com as crises erradas. Ao acreditar que a conspiração de Catilina foi seu momento de destaque nos livros de história, ele forçou a mão cedo demais, com ímpeto demais. Ficou famoso por isso, mas foi uma vitória de Pirro.

A República estava, então, realmente por um fio. Nunca antes os talentos de Cícero — sua capacidade de persuasão, de mobilização das massas, de criar uma narrativa que levaria as pessoas às barricadas — foram tão necessários, mas ele já não era capaz de reunir uma plateia que o escutasse. Ele também estava impotente, sem muito poder. Esgotado, não pôde fazer nada.

Ou ele era um covarde? Ao lhe oferecerem o comando de tropas para a causa republicana, Cícero inexplicavelmente recusou.

Apenas Catão — o estoico que escreveu menos, mas *viveu* seus ideais — estava disposto a lutar. Mas não era o suficiente. Em 46 a.C., com a ascensão de César, Catão cometeu suicídio em Útica, um eterno mártir da causa republicana. Cícero escreveu uma elegia a ele, tentando capturar em palavras o poder desse estoico que ele tanto admirara quanto julgara, mas cuja dedicação aos princípios lhe faltava. Assim como o restante de Roma, ele estava pronto para sujeitar-se a César e "aceitar as rédeas", como Plutarco expressou.

A elegia de Cícero a Catão é um caso a ser analisado — embora apenas cinquenta palavras da homenagem tenham sobrevivido, sabemos que ele se censurou por medo de irritar César e seus aliados. Tanto Catão quanto Cícero se importavam com o que era o certo, mas Cícero se preocupava um pouco mais consigo mesmo. Catão acreditava na coragem. Cícero acreditava em não ser assassinado.

A escolha rendeu a Cícero alguns anos de vida, mas os estoicos perguntariam — como nós mesmos deveríamos fazer em todos os momentos de concessões em causa própria: "A que custo?"

A única vantagem da rendição de Cícero e de seu comprometimento volúvel à filosofia é que, ao continuar a viver, ele pôde seguir escrevendo e servindo como uma espécie de ponte entre o pensamento filosófico grego e o latino, em particular no campo da ética. E, tratando-se de ética, ele sabia que não havia melhor fonte em toda a literatura grega e latina do que os estoicos. No fim, não foram os louros de sua carreira no serviço público que lhe trouxeram a glória, nem a maneira como conduziu sua vida, mas o que Cícero deixou por escrito: a sabedoria dos estoicos que perdura até os tempos atuais.

Em 46 a.C., Cícero publicou *Paradoxos estoicos*, dedicado a Marco Bruto, que também tinha forte inclinação para o estoicismo. No que era mais um exercício retórico do que um tratado filosófico sério, ele explorou seis dos principais paradoxos estoicos:

- que a virtude é o único bem;
- que é o suficiente para a felicidade;
- que as virtudes e os vícios têm o mesmo peso;
- que todos os tolos são loucos;
- que apenas o sábio é verdadeiramente livre;
- que uma pessoa sábia é rica por si só.

Esses não eram paradoxos no sentido lógico, apenas iam de encontro ao senso comum. Na verdade, era do aspecto contraintuitivo dessas ideias que os estoicos faziam uso para atrair a atenção das pessoas: Como a virtude poderia ser o único bem se precisamos de saúde e dinheiro para sobreviver? Uma mentira é mesmo tão ruim quanto matar uma pessoa? Muitos filósofos eram visivelmente pobres; como podem então ser ricos? As possibilidades de debates contra exemplos, percepções, eram infinitas — e Cícero adorou embaralhar as sugestões traçadas por Zenão, Cleantes, Aríston e todos os demais.

Por ironia, aquilo que prejudicou Cícero na política — o tamanho de sua ambição, sua hesitação, sua vontade de agradar — serviu como uma luva em sua tarefa autodesignada de ser o primeiro a fazer um levantamento eloquente e detalhado da filosofia grega em latim. Embora se sentisse atraído pelo rigor e a precisão dos estoicos, assim como pelo seu pensamento ético bem desenvolvido, ele com frequência flertava com a escola platonista, a Academia, por seu método cético e sua insistência em argumentar todos os lados de qualquer questão.

Como acadêmico, seu oportunismo o ajudou a desenvolver sua ótima escrita. Também era grande seu talento para falar e contemplar ideias em que não acreditava de fato. Ele era um pouco como Carnéades: debatia todos os lados de um argumento. Esse hábito, irritante para todos ao redor, sem dúvida preservou os mais variados tipos de fontes discrepantes que até hoje podemos apreciar. Era uma escrita belíssima, com ideias que moldariam o mundo. São Jerônimo viria a se preocupar por amar mais os trabalhos de Cícero do que a própria Bíblia. Santo Agostinho se converteu à filosofia ao ler o diálogo filosófico *Hortensius*, uma obra de Cícero que foi perdida. Sêneca e outros estoicos leriam seu trabalho com grande interesse. Mas como pessoa, como líder, sua mentalidade de estar sempre em cima do muro era um vício vergonhoso.

A certa altura, veio a conta. Os anos derradeiros da vida de Cícero foram uma investida frenética na escrita e nas tentativas de escapar dos golpes do destino. De fato, com a exceção de um livro sobre retórica, *De Inventione*, composto quando ainda tinha cerca de vinte anos, seus principais livros foram todos escritos no intervalo de doze anos, entre 56 a.C. e 44 a.C., e a maior parte surgiu entre 46 a.C. e 44 a.C.

Caso Cícero tivesse se refugiado completamente nos livros, talvez o admirássemos. Plutarco observa que ele fez questão de ir a Roma prestar seus respeitos a César e até mesmo lhe fazer homenagens. Quando César reconstruiu a estátua demolida de seu rival, Pompeu, Cícero estava lá para bajulá-lo, talvez da maneira que um dia desejara ser bajulado. *Ao erguer essas estátuas de Pompeu*, adulou Cícero, *você garantiu por certo a sua.*

Catão, cujo corpo martirizado jazia fresco na sepultura — assim como o de Pompeu —, teria se sentido enojado com a cena.

Em 45 a.C., Túlia, a amada filha de Cícero, morreria. Nessa ocasião, ele poderia ter feito bom uso do estoicismo, conforme aconselharia ao amigo Bruto alguns anos depois, quando este passava por uma tragédia pessoal. Contudo, sem ter mais no que se amparar, nada para o confortar, apenas as ideias em seus livros e suas ambições fracassadas, Cícero se viu desalentado e arrasado. Sua carreira parecia ter chegado ao fim. Sua vida estava desmoronando.

Então Cícero continuou a escrever filosofia, mas não a vivê-la. Prosseguiu com a escrita sobre o estoicismo, mas se recusou a abraçar qualquer uma de suas lições. De certa maneira, essa seria uma enorme contribuição sua à filosofia. Por fracassar nas doutrinas que propagou — as de Zenão, Crisipo e mesmo as daqueles companheiros estoicos sobre quem escreveu, como Rutílio Rufo e Catão —, ele comprovava por que tais ideias importam. Foi como Diótimo, mostrando o que *não* fazer.

Cícero dedicou seu livro *Discussões tusculanas* ao amigo Bruto, e, em 45 a.C., Bruto, por sua vez, escreveria um livro inspirado no estoicismo, *Das virtudes*, que dedicaria a Cícero.

Ao contrário de Cícero, Bruto não se limitou a assistir a tudo calado. Como Catão, um verdadeiro filósofo, estava disposto a arriscar tudo para salvar o país que amava: assassinaria Júlio César, então ditador da República, mas que um dia fora uma pessoa estimada por Cícero e Bruto. Quando Bruto, Cássio e outros conspiradores urdiram a trama para matar César, deixaram, contudo, Cícero de fora. Consideravam-no nervoso demais, duvidoso demais, inclinado demais a dar para trás ou minar o plano, com ou sem intenção. Em resumo, em momentos cruciais, não era possível contar com ele. Cícero não era estoico o bastante.

Shakespeare apresenta-o deste jeito:

CÁSSIO
    E quanto a Cícero? Convém sondá-lo?
    Creio que ele nos apoiaria com entusiasmo...

BRUTO
    Ó! Não sugiras tal nome. Que não nos deixemos fracassar por sua causa,
        pois ele nunca tomará parte em nada
        que outros homens começaram.

Temiam que faltasse coragem ao amigo e que seu ego fosse um empecilho. A história corroboraria isso. Quase imediatamente após a morte de César, Cícero começou a tomar para si o crédito da façanha dos outros homens, afirmando que Bruto gritara seu nome ao fincar a adaga.

Como Cícero explica em seu discurso: "Bem, por que especificamente eu? Porque eu sabia? É bem possível que a razão de [Bruto] ter gritado meu nome tenha sido apenas esta: após um feito similar ao meu, ele escolheu a mim e não a outro para testemunhar que era agora meu rival na glória."

O passado é um prólogo, diria Shakespeare, e assim foi a vida de Cícero. Essa necessidade de fama, a tendência a mudar de acordo com as circunstâncias, o perseguiriam até o fim. No rescaldo de César, emergiram o jovem Otaviano e Marco Antônio. Cícero mais uma vez escolheria o lado errado e, ostensivamente, se recusaria a participar da guerra civil que ajudara a começar.

A última obra de Cícero, surpreendentemente, seria sobre o dever. Ele não fora um homem cuja carreira se baseava no dever. Fama. Elogios. Provar que os que duvidaram dele estavam errados. Essas foram as suas motivações. Mas, quando seu filho de 21 anos, Marco, acabara de completar seu primeiro treinamento filosófico em Atenas, talvez Cícero desejasse imbuir no rapaz um senso mais robusto de propósito moral do que seu próprio pai ambicioso tivera. A obra tem como premissa que Marco, como Hércules na encruzilhada, está sendo seduzido pelo vício e corre o risco de renunciar ao caminho da virtude. Em resposta, Cícero assumiu os esforços estoicos de Diógenes, Antípatro, Panécio (mais do que todos) e Posidônio não apenas para expor a teoria estoica sobre a ética, mas também com o propósito de oferecer ao teimoso filho os preceitos necessários para mantê-lo longe da estrada que conduz à ruína.

Na dedicatória da obra, ele escreve a Marco:

> Embora a filosofia ofereça muitos problemas, tanto importantes quanto úteis, que foram discutidos cuidadosa e extensamente por filósofos, os ensinamentos transmitidos a respeito de deveres morais parecem ter a aplicação prática mais ampla. Pois nenhuma fase da vida, seja pública ou privada, seja em âmbito profissional ou doméstico, seja com preocupações próprias ou alheias, está isenta de deveres morais; da execu-

ção de tais deveres depende tudo que é moralmente correto e da sua negligência, tudo que é moralmente errado na vida.

São palavras bem escritas, como quase tudo que Cícero produziu. Ao que parece, faltou ao autor absorvê-las.

Por fim, seria o amor de Cícero à retórica que selaria seu destino. Ele repreendera Rutílio Rufo por seu laconismo diante dos acusadores, afirmando que a retórica poderia tê-lo salvado. Mas, ao andar na prancha em 44 a.C. e 43 a.C., Cícero realiza catorze discursos contra Marco Antônio, um dos herdeiros do poder de César.

Caso Cícero tivesse apenas condenado, assim como Catão, o excesso e a brutalidade que enxergava, a situação seria outra. No entanto, suas *Filípicas*, como os discursos são hoje conhecidos, eram uma armação política para jogar Marco Antônio contra Otaviano, sobrinho de César, ambos com desígnios autoritários idênticos. Cícero estava acertando as contas, e não se baseando em princípios. Considerando a comparação afetada de seus discursos com os proferidos por Demóstenes mais de duzentos anos antes, ficava evidente que, outra vez, Cícero estava mais motivado pelo palco do que pela verdade.

Essa foi sua ruína. César, apesar de tirano, sempre exibira leniência e bom humor — e amor pela arte da retórica. Marco Antônio não tinha tal inclinação. O Segundo Triunvirato debateu o que fazer com Cícero durante muitos dias, e então, privado de um julgamento — como ele mesmo privara seus inimigos muitos anos antes —, foi proferida a sentença: morte.

Ele tentou fugir. Depois, hesitou e retornou. Contemplou um suicídio dramático como Catão e, estremecendo com a ideia de tomar uma atitude tão derradeira, seguiu em frente.

Cícero desde sempre apostou alto. Escrevera sobre deveres; admirara os grandes homens da história. Conquistara tanto na vida. Acumulara mansões e honrarias. Frequentara todas as escolas certas. Ingressara em todos os cargos certos. Fizera seu nome se tornar tão famoso que ninguém nunca mais pensara duas vezes em sua origem reles. Ele não fora apenas um *novo* homem. Por um tempo, ele fora *o* homem.

Mas fizera concessões demais para chegar lá. Ignorara os elementos austeros do estoicismo — a parte da autodisciplina e da moderação (como demonstrava seu aspecto rechonchudo), os deveres e as obrigações. Ignorara sua consciência, em desobediência ao oráculo, para alcançar o amor da multidão. Se tivesse seguido as orientações de Posidônio e Zenão, sua vida talvez não tivesse ido por um caminho diferente, mas ao menos estaria mais seguro. Ele teria sido mais forte.

Mas, na hora da verdade, não havia nada nele, nada em sua filosofia pessoal de acompanhar o fluxo, que pudesse ajudá-lo a se erguer no momento em que o destino cruel avançava. Ele não pôde contar com uma fortaleza interna, como uma miríade de estoicos contara ao enfrentar a morte, pois não a construiu quando teve a oportunidade.

Tudo que Cícero poderia fazer era esperar por misericórdia.

Ela não veio. Exausto, como um animal caçado, ele desistiu da luta e aguardou o golpe fatal. Os assassinos o alcançaram em uma estrada entre Nápoles e Roma.

Ele foi decapitado, e sua cabeça, mãos e língua, empaladas e exibidas no Fórum e na casa de Marco Antônio.

"Cícero está morto."

Foi assim que Shakespeare reproduziu a queda súbita desse grande homem. Foi abrupto, violento e derradeiro.

Um dos soldados de César, Caio Asínio Polião, escreveria um dos epitáfios mais contundentes para Cícero:

> Tivesse sido capaz de conduzir a prosperidade com mais autocontrole e a adversidade com mais firmeza... Ele convidava a animosidade com espírito mais enérgico do que a combatia.

De fato.

CATÃO, O JOVEM, O HOMEM DE FERRO DE ROMA

NASCIMENTO: 95 A.C.

MORTE: 46 A.C.

ORIGEM: ROMA

São poucas as gerações — separadas, talvez, por séculos — que contam com um homem com a constituição de ferro, mais resistente que até o mais forte de seus pares. Homens assim são os que chegam a nós transformados em mitos e lendas.

Meu Deus, pensamos, como fizeram isso? De onde veio essa força? Algum dia veremos de novo alguém parecido?

Marco Pórcio Catão foi um desses homens. Mesmo em sua época, era comum a expressão: "Nem todos nasceram para ser Catão."

Tal superioridade era algo que quase vinha no sangue. Ele nasceu em 95 a.C. em uma família que, apesar das antigas origens plebeias, à época de seu nascimento já estava firmemente enraizada na aristocracia romana. Seu bisavô, Catão, o velho, começou a carreira como tribuno militar e ascendeu na hierarquia como questor, edil e pretor até alcançar o consulado, em 195 a.C., acumulando, nesse período, uma fortuna com agricultura e tornando-se famoso ao lutar pelos costumes ancestrais (*mos maiorum*) frente às influências modernizantes do Império em ascensão. Ironicamente, entre as influências mais importantes para Catão estava a filosofia, contra a qual seu bisavô, zelando pelo conservadorismo, lutou com afinco. Foi ele, afinal, quem quis enxotar de Roma os filósofos atenienses na missão diplomática de Diógenes em 155 a.C.

Nada poderia ser mais apropriado do que seu bisneto, conhecido como Catão, o jovem, se tornar um renomado filósofo, embora seja necessário observar que Catão, o jovem, não foi um Carnéades ou um Crisipo. Nenhuma dialética sábia viria dele. Sua constituição se adequava a um tipo diferente de manto, até mesmo se comparado a gênios como Posidônio. Quase todos os estoicos, antes e depois, se tornaram famosos pelo que disseram e escreveram. Único entre eles, Catão alcançaria uma fama imponente não pelas palavras, mas pelas ações e por ser quem era. Foi nas páginas da vida que ele registrou suas crenças feito um monumento eterno e conquistou maior notoriedade do que a de todos os ancestrais ou de todas as influências filosóficas.

Não era algo que se poderia imaginar.

Da mesma forma que ocorrera com Cleantes antes dele e com Winston Churchill quase dois mil anos depois, o período inicial de estudos de Catão foi inexpressivo. Seu tutor, Sarpedão, considerava-o obediente e diligente, mas também o achava "débil no entendimento e lento". Havia momentos de brilhantismo — o que Catão era capaz de entender se fixava na mente como se estivesse entalhado em pedra. Ele era disruptivo, não no comportamento (é difícil imaginar que um garoto tão disciplinado alguma vez tenha causado problemas), mas por sua postura altiva e intensa. Demandava explicação para cada tarefa que lhe era designada, e por sorte seu mestre escolheu encorajar tal compromisso com a lógica em vez de exterminá-lo à base da força.

De qualquer maneira, a força física nunca teria funcionado com Catão. Uma história de sua infância conta sobre a visita de um poderoso soldado, que foi à sua casa tratar de uma questão sobre cidadania. Quando o soldado pediu a Catão que levasse o assunto ao tio, que desempenhava tanto o papel de guardião do sobrinho quanto de tribuno do povo, Catão ignorou o homem. O soldado, contrariado pela falta de respeito da criança, tentou assustá-lo. Catão, com apenas quatro anos, encarou-o de volta, impassível. Quando deu por si, o soldado o erguia pelo pé para fora da sacada. Catão permaneceu não apenas destemido, mas calado e impassível, e o soldado, percebendo que fora vencido, colocou o garoto de volta ao chão, dizendo que, se Roma fosse povoada por esse tipo de homem, ele nunca conseguiria convencer ninguém. Para Catão, essa foi uma primeira batalha de determinação política, e também uma prévia dos extremos que seus oponentes frustrados seriam forçados a percorrer se quisessem vencê-lo.

Estava evidente que, sob essa determinação, havia também um compromisso intenso, quase radical, com a justiça e a liberdade. Ele não se dobrava ao bullying, nem mesmo em brincadeiras de crianças, e enfrentaria garotos mais velhos para defender meninos mais novos. Certa vez, após visitar a casa de Sula, Catão perguntou a seu tutor por que tantas pessoas estavam prestando homenagens e oferecendo favores — seria Sula tão popular assim? Sarpedão explicou que Sula recebia essas homenagens não por ser amado, mas *temido*. "Então por que você não me deu uma espada", disse ele, "para que eu pudesse livrar meu país da escravidão?!"

Provavelmente foi essa intensidade — e uma personalidade que Plutarco definiu como "inexorável" — que motivou Sarpedão a apresentar o estoicismo a Catão, na esperança de ajudar o jovem a canalizar sua raiva e retidão de forma útil. Séculos mais tarde, inspirado por uma peça sobre Catão — na verdade, plagiando-a —, George Washington falaria a respeito do esforço necessário para enxergar as intrigas políticas e as dificuldades da vida "pela suave ótica da filosofia moderada". Washington, que nascera com temperamento enérgico semelhante, sabia da importância de comandar suas paixões sob uma constituição firme.

A maioria dos líderes obstinados têm temperamento forte. Os verdadeiramente grandiosos dão um jeito de dominá-lo com a mesma coragem e controle com que lidam com todos os obstáculos da vida.

Catão estudaria sob a tutela de Antípatro de Tiro, que lhe ensinou as bases do estoicismo. Mas, diferentemente dos muitos estoicos de seu tempo, o jovem Catão estudou não apenas filosofia, mas também oratória. Rutílio Rufo permanecera em silêncio durante a própria defesa — esse nunca seria o método adotado por Catão. Ainda assim, com sua circunspecção e franqueza, ele teria deixado seu bisavô orgulhoso.

"Começo a falar", explicou Catão em determinada ocasião, "apenas quando tenho certeza de que é melhor do que não dizer." Quando Catão escolhia quebrar o silêncio, era categórico. "Catão empregava o tipo de discurso público capaz de mobilizar as massas", relata Plutarco. Com o estudo de filosofia estoica e retórica, a raiva e a fúria que assustaram Sarpedão foram canalizadas para uma defesa feroz da justiça, que se destacaria como uma característica distintiva de sua personalidade política e pessoal.

"Acima de tudo, ele buscou um tipo de bem constituído por uma justiça rígida que não se dobra a clemência ou a favores", diz Plutarco. Armado com um caráter resoluto e destemido, princípios éticos do estoicismo e um domínio poderoso da oratória, Catão se tornaria uma figura política formidável — e rara, pois todos sabiam que jamais aceitaria subornos.

Mas antes de embarcar na política, Catão foi um soldado. Em 72 a.C., ele se voluntariou para servir na Terceira Guerra Servil, contra Espártaco. Teria sido inescrupuloso permitir que alguém lutasse em seu lugar. Para Catão, eram as *ações* praticadas, os sacrifícios que alguém se dispunha a fazer — especialmente no Exército, defendendo a pátria — que tornavam a pessoa um filósofo. Assim, tanto naquela guerra quanto nas batalhas de que participou, ele foi destemido e comprometido, como acreditava que todos os cidadãos deveriam ser.

Recém-saído dessa provação, em 68 a.C., com 27 anos, ele estava preparado para ocupar o cargo de tribuno militar — o mesmo posto que seu pai assumira antes. Na verdade, a Basílica Pórcia, o fórum público onde os tribunos atuavam, foi nomeada em homenagem ao seu construtor, o bisavô de Catão. Com enorme respeito por esse legado e sempre profundamente comprometido com o que considerava *adequado*, Catão foi o único candidato que de fato cumpriu com as restrições quanto à obtenção de voto e com as leis de campanha eleitoral. A corrupção pode ter sido endêmica em Roma, mas Catão nunca foi de aderir ao argumento de que "todo mundo está fazendo isso". Essa estratégia acabou lhe rendendo respeito — ou, ao menos, destaque. Nas palavras de Plutarco: "A crueza de seus sentimentos, aliada ao seu caráter, imprimia ao rigor uma cortesia sorridente que conquistava o coração dos homens."

Isso incluía as tropas que liderou nos três anos seguintes, quando o serviço militar o levou a percorrer o Império, expondo-o às províncias. Alguns pensavam que conhecer esses lugares exóticos poderia enternecê-lo ou abrandar seu autocontrole, mas estavam enganados. Em parte, esse era um dos motivos de ele ser tão estimado — porque se portava como um soldado comum.

A guerra, apesar de ter começado como uma grande aventura, em pouco tempo despedaçaria o coração de Catão. Em 67 a.C., uma carta levou a notícia de que seu querido irmão, Cepião, estava enfermo. Catão e Cepião sempre foram diferentes, pois Cepião preferia luxos e perfumes que Catão nunca permitiria a si mesmo. Mas às vezes, no caso de um irmão, você faz vista grossa. Catão fez mais do que isso — ele *idolatrava* Cepião e, tomando conhecimento de que o irmão estava à beira da morte, correu para seu lado, desbravando mares perigosos e revoltos que quase o mataram, em um pequeno barco, com o único capitão que conseguiu convencer a levá-lo.

A vida não é justa, e pouco se importa com nossos sentimentos e planos. Catão lera essas sábias palavras inúmeras vezes nos livros de filosofia que amava, mas, ao chegar à Trácia após sua jornada arriscada, descobriu que perdera, por questão de horas, o momento da morte do irmão. Foi um golpe devastador, e Catão sofreu o luto quase sem se conter. "Há ocasião", escreveram os biógrafos Jimmy Soni e Rob Goodman sobre o momento em que Catão estava no leito de morte do irmão, "em que a máscara vai cair, em que nossa determinação falhará, quando nossos apegos levarão a melhor sobre nós." Embora muito mais próximo à época de Catão, Plutarco acreditava que os que acharam incongruente o luto de Catão não perceberam "quanto afeto e doçura estavam misturados à rigidez e firmeza do homem". Ao que parece, os historiadores também parecem ter negligenciado como a perda dos pais e depois a do querido irmão — sem ter a oportunidade de se despedir — endureceram um homem já tão rígido.

Certamente esses fatos não suavizaram sua incorruptibilidade e o compromisso com seus ideais. Mesmo sofrendo, ele recusou com educação os presentes caros que amigos enviaram para o rito funerário e pagou de volta, do próprio bolso, os incensos e ornamentos enviados. A herança foi para a filha de Cepião, sem que um centavo fosse deduzido dos custos funerários. Catão cobriu todas as despesas.

Ao emergir do luto, Catão, então com trinta anos, estava preparado — determinado e sem ilusões — para ocupar o cargo de questor. Foi sua estreia no Senado e, mais importante, era uma plataforma mais ampla para seu obstinado empenho à erradicação da corrupção, além de uma retomada aos princípios de Roma. Em seu mandato como questor, ele fez uma auditoria completa do Tesouro, expulsando escriturários e copistas corruptos, tentando corrigir lucros adquiridos por meios ilícitos sob o regime criminoso de Sula, rastreando caloteiros. Era o primeiro a chegar ao trabalho a cada manhã e o último a sair, e parecia ter apreço especial em dizer não aos projetos queridinhos dos políticos, a distrações desnecessárias e aos luxos financiados pelo dinheiro público. Segundo Plutarco, sua dedicação era tão lendária que se tornou quase um acobertamento político para os colegas menos rigorosos. "É impossível", diriam políticos, dando de ombros, aos constituintes que faziam lobby por donativos. "Catão não permitirá."

Essa inflexibilidade criou inimigos? Sim. Era inevitável. Como Cícero, ele batia de frente com Catilina e outras figuras poderosas que lutavam por controle em um Estado cada vez mais cleptocrático. Biógrafos relatam que pessoas poderosas foram hostis a Catão por quase toda a vida, pois aquilo que ele representava parecia envergonhá-los.

Mesmo quando Cícero se aliou a Catão, havia uma diferença, pois nunca houve a percepção de que Catão se beneficiasse daquelas reformas ou que acumulasse discretamente fortuna pessoal por meio delas. Na verdade, apesar do status no serviço público e da riqueza de sua família, Catão muitas vezes parecia não ter dinheiro algum. Recusava as extravagantes togas tingidas de roxo chamativo, a moda do Senado, e vestia togas escuras simples, sem floreios. Nunca se perfumava. Caminhava descalço pelas ruas de Roma e não usava nada por baixo da toga. Enquanto seus amigos andavam a cavalo, ele preferia caminhar ao lado deles. Nunca saía de Roma quando o Senado estava em sessão. Não dava festas extravagantes e se recusava a se empanturrar em banquetes — e fazia questão de sempre servir as melhores porções aos outros. Ele emprestava sem juros aos amigos. Abria mão de guarda-costas armados ou séquitos e, no Exército, dormia nas trincheiras, junto às tropas.

Ele era um homem, diria Cícero, que agia como se vivesse na República de Platão e não "entre os dejetos de Rômulo".

A constituição de ferro de Catão pode ter sido parcialmente inata, mas é inquestionável que suas escolhas acrescentaram mais blindagem à armadura e o prepararam para as provações que viria a enfrentar. Plutarco afirma que Catão "estava se acostumando a sentir vergonha apenas do que fosse realmente vergonhoso e a ignorar opiniões negativas dos homens quanto a todo o resto".

É uma tendência natural se preocupar com o que as outras pessoas pensam de nós; não queremos parecer *muito* diferentes, de forma que adquirimos os gostos dos demais. Aceitamos o que a multidão faz para que a multidão nos aceite. Mas, dessa forma, enfraquecemos a nós mesmos. Fazemos concessões, muitas vezes sem perceber; permitimo-nos sermos comprados — sem nem ao menos o bônus de sermos pagos por isso.

De todos os estoicos, foi Catão quem mais colocou em prática as ideias de Aríston sobre ser *indiferente* a tudo, menos à virtude. Opinião pública? Manter as aparências? Sua "marca"? Catão poderia ter vivido em meio ao luxo, mas escolheu levar uma vida espartana. Ainda que houvesse uma parcela de altivez em sua postura, também sabemos que em suas caminhadas pelas ruas de Roma havia muitas saudações cordiais a todos que encontrava, além de ofertas de ajuda aos que precisavam. Reputação não importa. Fazer o certo, sim.

Pode ser difícil, e pode ser exaustivo, disse ele, mas o trabalho duro logo é esquecido. Os resultados da bondade praticada, contudo, "não desaparecerão enquanto você viver". Por outro lado, ainda que pegar um atalho ou fazer algo ruim possa trazer alguns segundos de alívio, "o prazer logo desaparecerá, mas o malfeito permanecerá para sempre".

Catão acreditava que seu trabalho, em uma tradição iniciada por Diógenes, era servir ao bem público. Não a si mesmo. Não ao que era conveniente. Não a sua família. Mas à nação. Era disso que tratava a filosofia *real*, mesmo que seu bisavô cético ou o deslumbrado Cícero não entendessem assim.

Quando Catão foi enviado a uma missão para supervisionar a anexação de Chipre — exatamente o tipo de oportunidade que os políticos romanos aproveitavam para encher os bolsos —, sua conduta foi irrepreensível. A venda escrupulosa dos tesouros cipriotas gerenciada por ele não teve nenhuma irregularidade e arrecadou sete mil talentos para os cofres romanos. A única coisa que ele não colocou à venda foi a estátua de Zenão, fundador da filosofia com a qual ele era tão comprometido. Houve uma perda: sua amizade com Munácio Rufo, pois o homem se ressentiu ao ter seus planos de enriquecimento ilícito impedidos por Catão.

Esses eram gestos impactantes — contrassinalização — em um Império obcecado por status e demonstrações de poder. No caso de Catão, eles eram sinceros. Ele não estava encenando. Ele estava *exercendo*. Seus estudos do estoicismo ensinaram-lhe a importância do exercício, de se esforçar para resistir à tentação e de se proteger das necessidades do conforto e das aparências. Seus antepassados firmaram um exemplo sólido, e ele tinha intenção de segui-lo — do início ao fim.

Nem todos os romanos poderiam ser Catão, mas Catão poderia representá-los. Em 63 a.C., esse homem austero foi nomeado tribuno da plebe, na época uma posição importante, à qual ele era elegível devido à antiga origem plebeia de sua família — dando-lhe a oportunidade de equilibrar os interesses dos desfavorecidos com os da elite. Cícero era cônsul, e embora os dois não tenham demorado a unir forças para exigir a pena de morte aos conspiradores de Catilina, nem sempre concordavam. O julgamento de Murena — um oficial na Terceira Guerra Mitridática e, posteriormente, cônsul — tornou-se um bom exemplo das diferenças entre Catão e Cícero: de um lado, o estoico inflexível; do outro, o platonista, mais adaptável e ardiloso. Cícero na defesa, Catão na acusação. Acima de tudo, Cícero estava defendendo um homem obviamente culpado, que conquistara cargos por meio de suborno.

Para Catão, era inconcebível defender os culpados, ainda que os estoicos antigos, como Diógenes, tenham apoiado isso.

Murena havia errado, não jogara limpo e deveria ser afastado da vida pública. Era o argumento estoico: o que é certo é certo. Nada mais importa.

O argumento de Cícero, que nos chega pela publicação da exposição oral *Pro Murena*, é mais complexo. Como tudo o mais relacionado a Cícero, estavam envolvidos interesses pessoais e ego. Mas, na maior parte, ele acreditava que a defesa de Murena era benéfica ao Estado. Com a ameaça violenta de Catilina a Roma, eles poderiam arcar também com o dissenso interno? Se Murena fosse condenado e expulso do cargo, o consulado não estaria em piores mãos? Cícero respeitava Catão enormemente, mas é impossível ler seus argumentos e não sentir que considerava ingênuo o idealismo imperturbável do homem. O estoicismo era ótimo, mas não se fosse tão rígido e inflexível a ponto de colocar em risco a sobrevivência do governo.

De fato, esta continua a ser uma crítica constante a Catão e ao estoicismo: Quando termina o comprometimento e começa a obstinação? O governo — e a vida — por acaso não requerem concessões? Não há momentos em que precisamos escolher o menor de dois males?

Catão parecia não ter tanta certeza. Ou melhor, ele *tinha certeza*, e essa visão em preto e branco prenunciou as batalhas e a destruição que estavam por vir.

Quando criança, Catão usara uma rebeldia silenciosa e irredutível para dar fim às solicitações do soldado que visitara sua casa. Como político, empregaria sua tenacidade de maneira parecida. Acreditando ser uma força essencial para impedir o colapso acelerado de Roma e o abandono do *mos maiorum*, tão querido por seus antepassados, ele se tornou pioneiro em um truque político que até hoje se mantém em uso: a obstrução. Usando sua voz e determinação como armas, Catão foi eficaz em manter firme os seus posicionamentos e falar, falar e falar. Sozinho, ele foi capaz de evitar a elaboração de contratos de coleta de impostos a indivíduos corruptos e de leis que violavam o espírito da tradição romana.

Ao mesmo tempo, seu conservadorismo inerente também significava uma resistência a mudanças necessárias. Não é exagero dizer que o posicionamento de Catão, com seu exército de um homem só, fomentou nos outros a sensação de que seriam necessárias atitudes unilaterais similares. Quando César se tornou cônsul, aprisionou Catão para não ouvir suas intermináveis divagações, a fim de que os negócios de Estado pudessem seguir em frente.

Se as diferenças entre Catão e Cícero se baseavam nos tipos de personalidade, entre comprometimento e concessão, as diferenças entre Catão e César eram mais ideológicas — entre o republicanismo e o cesarismo. Foi uma batalha de determinações e uma batalha de filosofias.

Os dois eram, cada um com seus excessos, homens incríveis. O historiador Salústio, ele mesmo um apoiador de César, destacou ambos:

> Mas em minha própria memória havia dois homens de enorme mérito, apesar das índoles opostas, Marco Catão e Caio Júlio César... Em ancestralidade, idade e eloquência, eles eram quase iguais; a grandiosidade de suas almas estava no mesmo patamar, assim como o renome, mas cada qual de uma forma distinta. César era considerado grandioso por causa de sua caridade e profunda generosidade e Catão, pela re-

tidão de sua vida. O primeiro tornou-se famoso por sua gentileza e compaixão; para o segundo, a austeridade lhe trouxera prestígio. César foi notório por doar, aliviar dificuldades, perdoar; Catão, por não se permitir presentes luxuosos. Em um havia refúgio para os desafortunados; no outro, a destruição dos perversos. Era louvada a natureza tranquila no primeiro; no segundo, a estabilidade. Finalmente, César tomara a decisão de trabalhar com afinco, ficar atento; dedicou-se aos problemas dos amigos em detrimento dos próprios; não recusou nada que valesse a pena doar; desejou ter um comando, um exército, uma nova guerra em que seus méritos pudessem brilhar. Catão, ao contrário, cultivou autocontrole, probidade, mas, acima de tudo, austeridade. Ele não disputou riquezas com os ricos nem traições com os traidores, mas disputou o mérito com os enérgicos, o autocontrole com os moderados, a integridade com os irrepreensíveis. Preferiu ser virtuoso, em vez de apenas parecer; assim, quanto menos buscava a notoriedade, mais ela o alcançava.

César era motivado pelo poder, pelo controle e pela mudança. Catão queria que as coisas voltassem a ser como eram na Idade de Ouro de Roma, antes da decadência, antes dos autocratas e da corrupção. Se não fosse possível, ao menos desejaria que as coisas se mantivessem como estavam — faria o máximo para impedir que tudo piorasse. E então a força implacável foi de encontro ao objeto irremovível, e a colisão foi, durante um período de muitos anos, explosiva.

De vez em quando a história pode parecer, especialmente em retrospecto, uma luta maniqueísta entre o bem e o mal. Mas, na verdade, há áreas nebulosas — e o bem, mesmo o de pessoas como Catão, não é isento de culpa. A inflexibilidade de Catão nem sempre foi benéfica ao bem maior. Por exemplo, depois de retornar a Roma de suas conquistas no exterior, Pompeu cogitou uma aliança com Catão, um homem que ele respeitava, mas de quem frequentemente discordava. Dizia-se que Pompeu propôs uma aliança de casamento com a sobrinha ou com a filha de Catão. As mulheres, relata-se, estavam empolgadas com a possibilidade de união das duas famílias. Catão descartou a proposta e o fez de forma bastante rude. "Vá e diga a Pompeu", instruiu ao mensageiro, "que Catão não é do tipo que se deixa controlar pela ala das mulheres."

Bravo.

Mas, ao rejeitar tal associação, Catão conduziu Pompeu a uma aliança alternativa com César, que prontamente casou sua filha, Júlia, com Pompeu. Unidos e imbatíveis, os dois homens logo colocariam abaixo séculos de precedentes constitucionais. "Talvez nada disso tivesse acontecido", relembra Plutarco, "se Catão não temesse tanto qualquer mínima transgressão de Pompeu, a ponto de permitir que ele cometesse a maior de todas ao agregar seu poder ao de outro homem."

Ao menos Catão era consistente em sua teimosia. Enquanto César governava Roma no Triunvirato com Pompeu e Crasso, Catão oferecia resistência a cada oportunidade. Durante a campanha deles para cocônsules em 55 a.C., Catão foi uma constante pedra no sapato por defender as antigas tradições do Senado contra as novas forças desencadeadas por César. Ele acusou César de ter cometido crimes de guerra na Gália. Fez uma limpa na corrupção eleitoral e criou comitês contra a corrupção. Insistiu em políticas antissuborno nas eleições, o que encorajou fraudadores a angariar votos contra ele. Conforme muito bem descrito por Sêneca:

> Em uma era em que a velha credulidade havia sido posta de lado e o conhecimento atingira o auge de seu desenvolvimento, [Catão] entrou em conflito com a ambição, um monstro de muitas formas, cuja ganância ilimitada por poder não seria saciada pela divisão do mundo inteiro entre três homens. Ele enfrentou sozinho os vícios de um Estado degenerado que estava naufragando devido ao próprio peso, e escorou a queda da República com o máximo de força que a mão de um único homem conseguiria fazer para detê-la.

No entanto, seria um erro pensar que Catão era incapaz de fazer concessões e alianças. Plutarco relata que ele não conseguia manter animosidades. Era "teimoso e inflexível... quando o assunto era a proteção do bem-estar público", mas, quando se tratava de divergências pessoais, era sempre calmo e amigável. Dentro dele havia "uma mistura homogênea... de rigor e gentileza, de precaução e coragem, de preocupação com os outros e destemor quanto a si mesmo, do afastamento cauteloso da abjeção e, no mesmo grau, a busca ferrenha por justiça".

Catão era gentil. Catão era severo. Ele foi, de certa forma, a personificação de uma expressão que um estoico da atualidade, o general James Mattis, adaptaria ao lema da 1ª Divisão da Marinha: *O melhor dos amigos, o pior dos inimigos*. Do mesmo jeito que Rutílio foi o protótipo da virtude política, Catão foi agressivo e não seria fácil vencê-lo. E ele também sofreria, mas em escala muito maior, uma sina de mártir. E, ao contrário de

Rutílio, esse destino repercutiria não apenas nele, mas na própria República.

Após perder a disputa para cônsul em 52 a.C. — sem dúvida devido a maquinações de seus inimigos políticos —, Catão decidiu fazer sua jogada. Acreditava que chegara o momento de o Senado convocar César a retornar da Gália. Certamente, era o melhor a ser feito, visto que César havia acumulado imenso poder e suas legiões endinheiradas ameaçavam o Estado com sua lealdade ferrenha ao seu mestre. Mas Cícero, mais pragmático, temia as consequências. Em 49 a.C., César de fato retornou... e a 13ª Legião o acompanhou, atravessando o Rubicão e trazendo consigo a guerra civil.

Assim como no fracasso da potencial aliança com Pompeu, é válido questionar: Precisava ser desse jeito? Um político menos intransigente conduziria melhor a crise? Ou não a forçaria até o ponto de ruptura? Possivelmente. Mas não era do feitio de Catão refletir se sua insistência em fazer *a coisa certa* precipitaria algo muito pior do que o *statu quo* vigente. Esses questionamentos eram para os Cíceros do mundo, para os teóricos e sofistas que seu bisavô tanto desprezara.

Para Catão, fazer concessões — entrar no jogo da política com os pilares legais de toda a nação em risco — seria rendição moral.

Ao proteger a República Romana, Catão pode ter acelerado a própria queda. Ou talvez estivesse traçando um limite que deveria ter sido traçado por outras pessoas muito tempo antes. De qualquer forma, ele estava preparado para cair atirando, assim como todos nós devemos estar — quando somos verdadeiros filósofos — em algum ponto de nossa vida.

Após um longo antagonismo, e por ter desprezado as súplicas de Pompeu anos antes, Catão de repente se encontrava no mesmo lado de Pompeu, e ambos empunhavam armas para proteger a pátria. Catão fora um valente soldado no começo da vida e agora retornava a esse papel.

Ele era um soldado altruísta também. Pompeu o colocou no comando da esquadra militar — uma frota gigantesca com mais de quinhentos navios. Mas, pensando na situação política do pós-guerra, Pompeu logo reconsiderou dar tanto poder a seu ex--inimigo. Poucos dias após a designação de Catão, Pompeu a revogou. Ainda assim, Catão não se abalou. Sem um pingo de rancor, conforme relata Plutarco, entregou de volta o comando. De fato, na véspera da grande batalha seguinte, foi Catão — recentemente demovido e traído — quem se adiantou e inspirou as tropas romanas a defender sua terra natal. Enquanto Catão falava de liberdade, virtude, morte e ardor, conta-nos Plutarco, "houve tal gritaria e tamanha agitação entre os soldados assim animados que todos os comandantes se encheram de esperança ao irem em direção ao perigo".

Um estoico faz o trabalho que precisa ser feito. Não se importa com o crédito.

Sêneca observou que todas as gerações produzem homens como Clódio, César e Pompeu, "mas nem todas originam homens como Catão". Poucos políticos arriscariam a vida por algo tão abstrato quanto princípios, poucos prosseguiriam mesmo quando a causa os traísse, poucos tiveram a combinação de genialidade militar, liderança e estratégia para levar seu povo tão próximo da vitória.

Mas Catão foi esse político. Pompeu hesitou e César ganhou a região da Grécia central na Farsala, em 48 a.C. Catão iria para a África do Norte com esperança de seguir lutando, liderando seu exército em uma exaustiva marcha de trinta dias pelo deserto escaldante até chegar a Útica, onde se prepararam para fazer a resistência final. Foi desesperador. Foi violento.

A vitória não foi dele.

Então, com a República perdida de vez, Catão ergueu-se e se dirigiu aos senadores e oficiais que tão nobremente resistiram com ele. Chegara o momento de irem até César e implorar clemência, disse. Pediu-lhes apenas uma última coisa. *Não rezem por mim, não peçam piedade por mim.* Tais súplicas pertenciam aos conquistados, e Catão não havia perdido. No que importava, conforme acreditava, em tudo que era honrado e justo, ele vencera César. Defendera seu país. Havia, mesmo com todas as falhas, mostrado seu verdadeiro caráter.

Assim como os inimigos de Roma haviam feito.

Em retrospecto, fica evidente que Catão já decidira como seria o fim. Só faltavam os preparativos. Ele tentou convencer o filho a fugir em um navio. Enviou muitos de seus amigos para lugares seguros. E então se sentou para jantar com todos que ficaram. Foi, segundo se conta, um banquete maravilhoso. Vinho foi servido. Dados foram jogados para disputar os melhores cortes da carne. Pratos foram passados. Discutiu-se filosofia, como sempre ocorria à mesa de Catão. Só os homens bons eram livres? Os homens maus, como César, eram escravizados?

Foi uma daquelas noites em que o tempo passa rápido, em que todos os presentes *estavam* presentes. Com o espectro da morte pairando, não foram poucos os que desejaram que o banquete continuasse para sempre. Catão, por sua vez, sabia que não poderia. Então, com a festa chegando ao fim, começou a discutir os preparativos finais para a viagem e, como não era do seu feitio, expressou preocupação com seus amigos que viajariam por mar. Abraçou o filho e os amigos e desejou a todos uma boa-noite.

Em seu aposento, Catão sentou-se com um diálogo de Sócrates e o leu com prazer. Então pediu por sua espada, que, como observou, havia sido removida de seu quarto, provavelmente por um amigo que tinha a esperança de evitar o inevitável.

Chegara o momento.

Seu filho, sabendo quais eram as intenções do pai, chorou, implorando para que continuasse a lutar, viver. Imploraram a Apolônides, o estoico, que convencesse Catão das razões filosóficas contra o suicídio, mas lhe faltaram as palavras, apenas as lágrimas vieram. Restituído de sua espada, Catão usou o dedo para conferir se a lâmina estava afiada. "Agora sou meu próprio mestre", disse, e depois sentou-se para ler seu livro mais uma vez, de capa a capa.

Acordou pela manhã logo cedo, após um cochilo. Sozinho e pronto, cravou a espada no próprio peito. Não foi um golpe mortal, mas o aço perfurara o homem de ferro de Roma. Mesmo assim, ele não pôde partir em silêncio para a escuridão tranquila. Contorcendo-se, Catão caiu, acordando seus amigos lamuriosos e tristes enquanto esbravejava contra o apagar das luzes. Um médico entrou de supetão e tentou costurar a ferida enquanto a consciência de Catão ia e vinha. Nos momentos finais, Catão voltou a si e, com a determinação ferrenha e quase sobre-humana que demonstrara pela primeira vez na infância, morreu aos 49 anos, abrindo a própria ferida para que a vida lhe escapasse mais depressa.

Ele perdeu sua batalha final — contra César, contra as mudanças de seu tempo, contra a própria mortalidade —, mas, conforme conclui Plutarco, não sem "propiciar ao Destino uma árdua batalha".

Por que o suicídio? Montaigne escreveria com admiração que, com a constância e o comprometimento de Catão aos princípios, "ele precisou morrer em vez de encarar um tirano". Napoleão — que, certa vez, expôs um busto de Catão em sua "galeria de heróis" e, no fim, precisou enfrentar a derrota, perdendo tudo pelo que se esforçara e chegando a considerar também o suicídio — escreveria sobre a morte de Catão de maneira menos elogiosa. Ele acreditava que Catão deveria ter seguido lutando, ou esperado, em vez de selar seu destino com as próprias mãos.

"A conduta de Catão foi aplaudida por seus contemporâneos", disse Napoleão, "e tem sido admirada pela história. Mas quem se beneficiou de sua morte? César. A quem ela agradou? César. E para quem foi uma tragédia? Para Roma e seus aliados... Não, ele se matou por angústia e desespero. Sua morte foi a fraqueza de uma grande alma, o erro de um estoico, uma mácula em sua vida."

Mas, novamente, na perspectiva de Napoleão, César foi o grande herói do mundo antigo. Ele não conseguia entender — não da mesma forma que os gênios do Iluminismo como Washington e Thomas Paine — que havia mais neste mundo do que apenas poder, conquistas e vitórias. As gerações que se seguiram foram inspiradas pela conduta de Catão em vida, que foi honesta e consistente até em seus momentos finais.

Não encontraremos muitas estátuas de Catão em Roma nem muitos livros sobre ele. Por alguma razão, as honrarias vão para os generais colonizadores e os tiranos. Seu bisavô certa vez disse que era melhor que as pessoas perguntassem por que *não havia* uma estátua em sua homenagem do que questionassem a razão de haver uma. No caso de Catão, o jovem, é até mais simples:

seu caráter foi o monumento; seu compromisso com a justiça, a liberdade, a coragem e a virtude são os pilares do templo que até hoje se mantém de pé.

Ele foi um monumento vivo em seu próprio tempo, o último cidadão de Roma e o homem de ferro de Roma, e, tanto agora quanto antes, nestas páginas e na memória, seu dedo aponta diretamente para nós.

PÓRCIA CATÃO,
A MULHER DE FERRO

NASCIMENTO: 70 A.C.

MORTE: 43 A.C. OU 42 A.C.

ORIGEM: ROMA

O pouco reconhecimento dado às mulheres da história do estoicismo é na verdade uma prova de sua autenticidade filosófica. Quem poderia ilustrar melhor as virtudes de resiliência e coragem, altruísmo e diligência, do que as gerações de esposas anônimas e mães e filhas da Grécia e de Roma, que sofreram, resistiram à tirania, viveram em tempos de guerra, criaram suas famílias e nasceram e morreram sem ter seu heroísmo silencioso reconhecido? Pense no que elas suportaram, nos insultos que toleraram e nos sacrifícios que estavam dispostas a fazer.

Mas, de certa forma, esse era o problema. Não pensamos sobre isso. Pensamos em Catão e no seu bisavô. Não pensamos em sua mãe ou em sua esposa.

O biógrafo Robert Caro, escrevendo sobre a ascensão do Império norte-americano milhares de anos após a queda do Império Romano, observou aquilo que essa tendência inconsciente deixa passar despercebido. "Escutamos muito a respeito de tiroteios em histórias do faroeste", disse ele sobre a história do Velho Oeste. "Mas não escutamos muito sobre ter que tirar água do poço com uma laceração no períneo após o parto."

Rutílio Rufo merece nosso respeito por sua atitude corajosa no combate à corrupção, mas e quanto à mulher anônima que deu à luz sem anestesia? E quanto a sua esposa ou suas filhas, que também perderam tudo e foram com ele para o exílio sem reclamar? Certamente elas mereciam ao menos uma menção de Plutarco ou Diógenes.

Permita-nos corrigir isso ao falar da vida da filha de Catão, Pórcia, cujos patriotismo e determinação ferrenha quase rivalizavam com os de seu pai. Quase dois séculos antes de Musônio Rufo começar a defender que a filosofia deveria ser ensinada a mulheres, Pórcia foi apresentada ao estoicismo na infância por seu pai e logo se dedicou aos estudos. Seu primeiro casamento foi com Marco Calpúrnio Bíbulo, um aliado de Catão. Bíbulo serviria honrada e bravamente com Catão na guerra civil romana, mas não sobreviveria.

A única boa notícia após a queda da República, que sua família tanto estimava, e o suicídio brutal do pai tão amado, foi o perdão que Júlio César concedeu ao irmão dela, Marco Catão. Segundo contam, enquanto a família tentava reunir os cacos de sua vida estilhaçada, ela permaneceu resoluta. De alguma forma, seu coração conseguiu reencontrar o afeto, e ela se casou com Bruto, o senador a quem Cícero dedicara alguns de seus escritos. Ao que parece, ela amava profundamente seu marido filosófico e cheio de princípios, que devia fazê-la se lembrar de seu pai, e juntos eles teriam um filho, ainda que o destino novamente trouxesse a tragédia à vida da jovem Pórcia.

Como uma esposa sábia, em 44 a.C. ela intuiu que Bruto planejava alguma coisa, embora não tivesse certeza do quê. Em vez de obrigá-lo a se explicar, Pórcia decidiu que *provaria* ao marido a sua lealdade e a si mesma a sua resistência — mesmo que fosse de se imaginar que a sua linhagem seria prova mais do que suficiente.

Plutarco relata que Pórcia pegou uma faca e a fincou na própria coxa para ver por quanto tempo aguentaria a dor. Ela sangrava profusamente e tremia, quase delirante da ferida, quando Bruto enfim chegou em casa. Pórcia o agarrou e disse:

> Bruto, eu sou a filha de Catão e fui trazida à tua casa não como mera concubina, para simplesmente dividir a cama e a mesa, mas para ser uma parceira nas alegrias e uma parceira nos problemas. És deveras um marido irrepreensível; mas como posso mostrar a ti qualquer ato de gratidão se não compartilho nem teus sofrimentos secretos nem a ansiedade que busca um confidente leal? Sei que a natureza feminina é considerada fraca demais para suportar o peso de um segredo; mas a boa instrução e o excelente companheirismo vão longe rumo ao fortalecimento do caráter, e é minha feliz sina ser tanto a filha de Catão quanto a esposa de Bruto. Antes disso, eu depositava menos confiança nessas vantagens, mas agora sei que prevaleço até mesmo sobre a dor.

Shakespeare também reproduz a cena de forma belíssima:

> Conte-me seus desígnios, não os revelarei;
> Já forneci grande prova de minha lealdade,
> Dando a mim uma ferida voluntária
> Aqui na perna: posso suportá-la com paciência
> Mas não os segredos de meu marido?

Por mais bizarro e quase inacreditável que esse relato nos pareça, a história romana é repleta de exemplos de conspirações descobertas sob tortura e interrogatórios. Não se pode descartar que Pórcia quisesse tirar a prova de quanta dor conseguiria suportar. Bruto ficou tão comovido que imediatamente informou à esposa o plano para assassinar César, dizendo torcer para poder provar-se digno da coragem dela.

Claro, Plutarco não se contentou em mostrar essa impressionante demonstração do poder das mulheres sem, posteriormente, contrabalançá-la com "evidências" da fragilidade da mente feminina. Há relatos de que, nos Idos de Março, Pórcia quase enlouqueceu à espera de notícias sobre o desenrolar dos acontecimentos. Seu marido fora bem-sucedido? Havia sido capturado? A falta de notícias era uma boa notícia? Ela teria que fugir?

"Pórcia", escreveu Plutarco, "angustiada com o que estava por vir e sem poder suportar o peso da ansiedade, a muito custo conseguiu se manter em casa, e a cada barulho ou grito, como mulheres à beira de um furor báquico, ela se adiantava e perguntava a todos os mensageiros que vinham do Fórum como estava Bruto, e continuava a enviar outros sem cessar." Ele escreve que ela desmaiou em certo ponto, e os rumores que chegaram a Bruto foi de que ela havia morrido, mas, com grande determinação, Bruto resistiu a ir para casa e executou o violento ato no qual ambos estavam tão empenhados.

Shakespeare, inspirado por Plutarco e por séculos de sexismo, parecia pensar que Pórcia era mentalmente forte, mas fisicamente frágil:

Tenho a mente de um homem, mas a força de uma mulher.
Quão difícil é para as mulheres guardar segredos!

Parece improvável que a mesma mulher que conseguia esconder uma ferida na perna, ainda sangrando, e suportara estoicamente tanta perda e incerteza na vida fosse incapaz de controlar a ansiedade por algumas horas. Afinal, Bruto depositava mais confiança na capacidade de sua esposa manter o segredo do que todos os conspiradores depositavam em Cícero, a quem mantiveram desinformado em decorrência de sua natureza nervosa. Mas os homens que escreveram a história gostariam que acreditássemos nisso.

De qualquer forma, a lição permanece: decidir tomar uma atitude ousada requer coragem, mas a execução também importa. Pórcia e seu marido precisariam acrescentar paciência e sabedoria à equação também, pois nada aflige mais os nervos do que os momentos, como diria Shakespeare, entre a decisão e a ação.

Os senadores, liderados por Bruto, atacaram César com uma selvageria que surpreendeu tanto a vítima quanto os agressores. Os golpes de Bruto atingiram a coxa e a virilha de César, outro senador esfaqueou seu rosto e outro, as costelas. Vários senadores se machucaram no furor, e o próprio Bruto foi atingido na mão. Onde estava essa violência quando Catão precisou dela? Quando César poderia ser impedido antes mesmo de começar.

E então, como em um ataque de fúria, os ânimos esfriaram e a missão estava cumprida. Bruto logo apaziguou os conspiradores. Ninguém mais deveria ser assassinado, nem mesmo o maior aliado de César, Marco Antônio. Foi um ato nobre, mas que acabou se revelando fatal.

Durante a conspiração de Catilina, a esposa de Cícero lhe implorou que executasse seus inimigos para destruir o câncer antes que se espalhasse. Segundo relatos, Bruto, abominando a violência, estava relutante quanto a derramar mais sangue. Pórcia poderia ter lembrado que missões não podem ser cumpridas pela metade — às vezes a misericórdia aos que não merecem é uma injustiça séria a todos os demais. Ou talvez ela tenha lembrado, e ele se recusou a lhe dar ouvidos.

Essa moderação acabaria sendo o fim deles e da causa.

Com César morto, a guerra civil — liderada por Marco Antônio — retornou a Roma. Para Pórcia, deve ter sido traumático vivenciar isso mais uma vez, sobretudo porque a última insurreição levara seu marido e seu pai, além de incontáveis amigos. Ao se despedir de Bruto, que precisou fugir para dar início ao que seria a batalha de sua vida, um amigo citou a célebre despedida de Heitor e sua esposa na Guerra de Troia. Bruto, em resposta, citou a *Odisseia* de um jeito que revelava não apenas o amor por sua esposa, mas também sua firme crença de que ela era uma igual tanto em determinação filosófica quanto em coragem. "Mas eu, certamente, não vejo motivos para dizer a Pórcia as palavras de Heitor: 'Maneje o fuso e o tear e dê ordens às criadas', pois, embora seu corpo não seja forte o suficiente para realizar atos heroicos como fazem os homens, ainda assim, em espírito, ela é destemida na defesa de seu país, assim como nós somos."

Nenhum de seus esforços heroicos pôde desviar o fluxo da história. Talvez, se o pai dela tivesse sobrevivido, sua maestria como estrategista viesse a ser decisiva. Ou se Cícero não tivesse vacilado outra vez, bajulando Otaviano, seu auxílio poderia ter salvado a República para uma próxima geração de Catãos. Mas não era para ser.

Quanto à ordem das mortes, há divergências. Algumas fontes afirmam que Pórcia morreu antes de Bruto e outras, que Bruto foi morto antes. Plutarco relata que, quando as cinzas de Bruto foram enviadas para a casa de sua mãe, Servília, Pórcia decidiu não mais viver, e seguiu o exemplo de seu pai. Seus criados a vigiavam de perto, tentando prevenir outro suicídio de um Catão. Mas essa não era uma família que aceitava ser impedida de fazer o que achasse necessário. Quando os criados viraram as costas, Pórcia correu para a lareira, pegou carvões em brasa e rapidamente os engoliu, morrendo, literalmente, com o fogo da liberdade que tanto amou, da maneira como seu pai a criara. Outras fontes dizem que ela morreu de alguma enfermidade antes de Bruto, durante a segunda Batalha de Filipos, e há ainda fontes que afirmam ter sido a doença e a solidão que a levaram ao suicídio.

Parece que Bruto estava ciente da perda de sua esposa, visto que há uma carta de Cícero, em 43 a.C., consolando-o. "Você de fato sofreu uma grande perda (pois perdeu aquela que não deixou os companheiros na terra)", escreveu ele, "e deve se permitir o luto de golpe tão cruel, para prevenir que todas as sensações do luto sejam mais terríveis do que o próprio luto: mas o faça com moderação, que tanto é útil para os outros quanto necessária para si mesmo."

A advertência de Cícero para que Bruto mantivesse a postura estoica após a morte de Pórcia é tocante, considerando quão arrasado ele ficou com a morte de sua filha Túlia, em 45 a.C. Isso levanta a eterna questão de como se deve reagir à perda de alguém que tanto amamos. Um filósofo pode ignorar essa dor, como se fosse uma ferida na coxa? A indiferença ao sofrimento é de fato possível? É perfeitamente compreensível que tal perda possa enfim quebrar a carapaça de um estoico, da forma que quase fizera com Catão na época da morte de seu irmão, ou quando Marco Aurélio chorou a perda de seu amado mestre?

Shakespeare, sempre um observador astuto da experiência humana, explora essa tensão ao criar em seu personagem Bruto uma representação de tudo que ele acreditava que um filósofo estoico deveria ser.

"Estou cansado de tantos lutos", diz Bruto a um controverso aliado, Cássio, que tenta recordá-lo da posição estoica de aceitar o que está fora de nosso controle. "Nenhum homem carrega melhor sua dor", comenta Bruto em tom apático. "Pórcia está morta."

Então é isso o estoicismo? Um homem que pode proferir tais palavras dolorosas sem nem se abalar? *Minha esposa está morta*, e então começar a discutir sobre a batalha seguinte? Talvez.

Mas Bruto não era uma Pórcia, que sempre fora pura ação, sem diálogo. Ele gostava de um drama; seu desejo era levar crédito pelas virtudes que fez questão de manter patentes.

Então, alguns minutos depois, quando um mensageiro chamado Messala surge com notícias, Bruto encontra a oportunidade de entrar nas páginas da história. Chega a mensagem de que Cícero está morto e cem senadores haviam sido executados. *Você teve notícias da sua esposa?*, pergunta o mensageiro. Bruto responde que não. *Você teve alguma notícia?*, pergunta o homem. Novamente, Bruto finge não saber. "Conte-me a verdade", exige Bruto. Assim solicitado, o mensageiro informa que Pórcia morrera.

Então, seja por sua reputação, seja para inspirar outros com seu exemplo estoico, temos esta cena:

BRUTO
    Ora, adeus, Pórcia. Vamos todos morrer, Messala.
    Sabendo que um dia ela teria que morrer,
    Tenho a calma de suportar isso agora.

MESSALA
Até homens tão grandiosos devem suportar grandes perdas.

CÁSSIO
Tenho, como vocês, tal habilidade,
Mas, ainda assim, minha natureza não aguentaria isso.

BRUTO
Bem, voltemos ao trabalho dos vivos. O que você acha
De marcharmos a Filipos agora?

Embora Pórcia tenha partido desse mundo quando a República dava os últimos suspiros, ela viveria para sempre como um símbolo poderoso de resistência para homens e mulheres. Ela viveu conforme os ensinamentos de seu pai e dos estoicos: devemos fazer o que é preciso. Não podemos hesitar. Não podemos temer.

Mais que isso, ela provou que coragem — e filosofia — não conhece gênero. Conhece apenas as pessoas que estão dispostas a fazer o que é necessário e as que não estão.

ATENODORO CANANITA, O CONSTRUTOR DE REIS

NASCIMENTO: 74 A.C.

MORTE: 7 D.C.

ORIGEM: TARSO

A República Romana sofreu junto com Catão e Cícero. O que surgiu em seguida foi o Império Romano, uma nova ordem política voltada para o poder cada vez mais concentrada em um único homem. Não César, mas *um* César — o título que cada sucessor carregaria pelos trezentos anos seguintes. O primeiro foi Otaviano, sobrinho de César. Ele começaria o processo de despotismo lentamente, recusando os títulos e poderes que lhe foram oferecidos, apenas para, com muita astúcia, usurpá-los quando percebeu ter chegado a hora.

Nascido no berço da Atenas democrática e, então, nutrido por séculos contra o panorama dos generais guerreiros de Alexandre, o grande, antes de enfim atingir a maioridade na grande República Romana, pode-se imaginar que o estoicismo estaria em perigo naquele admirável mundo novo.

Não é verdade.

Os estoicos eram resilientes por natureza, de modo que os conselheiros mais próximos do novo imperador eram estoicos.

Faz sentido. No cerne do estoicismo está a aceitação daquilo que não podemos mudar. Catão dera a vida para defender a República e fora derrotado. Bruto não apenas falhara em sua tentativa de devolver a liberdade a Roma, como arrastara o país para uma segunda guerra civil. Agora, um novo Estado fora criado, a paz retornara e os estoicos que sobreviveram acreditavam que tinham a obrigação de servir a esse Estado e garantir que permanecesse o mesmo — por isso começaram, da melhor maneira que puderam, a transformar o jovem Otaviano em Augusto César, o *imperador*.

O primeiro estoico a ocupar esse papel na vida de Otaviano foi Atenodoro Cananita, também proveniente de Tarso, nascido em Canana, no que hoje é o sudeste da Turquia, não muito distante do local de nascimento de Crisipo e Antípatro. Atenodoro foi discípulo de Posidônio em sua escola em Rodes e, mais tarde, viveu em Atenas, onde fez experiências oceanográficas, assim como seu mestre. Mais tarde, correspondeu-se com Cícero e forneceu a este boa parte da sua pesquisa sobre Panécio, que completaria sua obra-prima, *Sobre os deveres*.

Depois de terminar sua educação filosófica com Posidônio, Atenodoro viajou muito como palestrante, chegando a Petra e ao Egito, além de outras grandes cidades do Mediterrâneo, antes de assumir a posição de professor do jovem Otaviano em Apolônia, no litoral da atual Albânia. Foi ali que esse célebre professor, muito respeitado apesar de seus trinta anos incompletos, se tornou não apenas o tutor de Otaviano, mas um amigo íntimo. Quando Júlio César foi assassinado, em 44 a.C., Otaviano, então com dezenove anos, voltou a Roma como seu legítimo herdeiro. Atenodoro o acompanhou de perto, encarregado de desenvolver o tipo de mente necessária à liderança suprema.

Otaviano era inteligente, mas estava longe de ser um aluno ideal. Ele era profundamente supersticioso, uma característica repulsiva para a racionalidade estoica... e pouco apropriada para um rei. Podemos ter uma ideia do estilo de ensino de Atenodoro — e seu tranquilo comportamento estoico — por meio de uma história de fantasma que ele quase certamente contou ao seu César. Ao alugar uma grande mansão em Atenas que supostamente era mal-assombrada, Atenodoro não se intimidou com as histórias e se empenhou em colocar a casa em ordem. Quase de imediato, afirmou, foi visitado por um fantasma agrilhoado, que arrastava pesadas correntes. Para não ser perturbado enquanto escrevia, Atenodoro fez um gesto indicando ao fantasma que esperasse e retornou ao trabalho. Quando terminou, ele se levantou e seguiu o espectro até o pátio, onde este subitamente desapareceu. Pensando rápido, Atenodoro marcou o local onde o fantasma sumira e, então, voltou para arrumar sua mesa de trabalho e foi dormir. Pela manhã, pediu que trabalhadores fossem até o local e ordenou que cavassem. Sob a terra, encontraram uma ossada antiga com correntes, que Atenodoro voltou a enterrar com honras em um funeral público. O fantasma nunca mais foi visto, nem por ele nem por qualquer outro morador da casa.

Acreditar ou não em fantasmas ou no sobrenatural, como Otaviano provavelmente acreditava, era irrelevante. Os estoicos devem *sempre* manter a racionalidade. Mesmo as situações mais assustadoras podem ser resolvidas pelo uso da razão e da coragem. Mesmo que você acredite em coisas tolas como fantasmas ou superstições, não pode deixar sua vida ser governada por isso. *Você* deve estar no comando — não há desculpas.

A temperança e a sabedoria, assim como a diligência, eram essenciais para Atenodoro e desempenhavam papel fundamental em seus ensinamentos ao jovem imperador. "Você saberá que está livre de todos os desejos quando chegar a ponto de rezar ao divino pedindo apenas aquilo que pediria sem ressalvas", diria. "Viva entre os homens como se o divino estivesse observando e fale com o divino como se os homens estivessem ouvindo." Em seu livro *Sobre o zelo e a educação*, ele abordaria o *spoudes* — o esforço zeloso — necessário para sobreviver e prosperar na vida.

Sêneca, que seria conselheiro de imperadores, estudou o exemplo de Atenodoro e é a fonte de boa parte do que conhecemos sobre ele. Com Sêneca, sabemos que Atenodoro equilibrou seus ensinamentos sobre seriedade e trabalho árduo com foco na importância da tranquilidade, em especial para os líderes. Sim, devemos cuidar dos assuntos públicos, mas também é preciso deixar para trás a opressão do trabalho e o estresse da política e nos refugiar na esfera privada dos amigos. Atenodoro comentaria que Sócrates parava e brincava com crianças para descansar e se divertir. A mente precisa ser recarregada com lazer, acreditava. De outro modo, provavelmente não resistiria sob pressão ou se tornaria suscetível a vícios.

Sabemos que Atenodoro ofereceu conselhos semelhantes à irmã de Otaviano, Otávia, depois que ela perdeu o filho, dizendo-lhe que se ocupasse com questões práticas em vez de ceder completamente ao luto e ao estresse.

As dificuldades e corrupções de um mundo agitado tornavam o lazer uma parte fundamental da eutimia, o bem-estar da alma, uma preocupação primordial para Atenodoro e um bom conselho vindo de um estoico para um rei.

Sêneca teria apreciado a lição derradeira de Atenodoro para Augusto. Ao pedir dispensa de suas funções, a fim de poder voltar para casa, Atenodoro ofereceu um último conselho prático ao imperador — algo que ele gostaria que Augusto sempre seguisse. "Sempre que sentir que está ficando com raiva, César", instruiu, "não diga ou faça nada até repetir para si mesmo as vinte e quatro letras do alfabeto."

Um bom conselho para o homem comum. Essencial para um imperador. E, infelizmente, ignorado por líderes dos mais diversos — em detrimento daqueles que dependem e trabalham com eles.

Augusto sabia da verdade daquelas palavras, motivo pelo qual, ao ouvir o conselho, implorou para que o professor ficasse mais um ano. "Ainda preciso de sua presença aqui", disse ele. E Atenodoro, obrigado por sua filosofia a guiar o Estado e trabalhar para seus concidadãos, concordou com prazer.

Depois de ficar mais um ano em Roma com Augusto, Atenodoro voltou a Tarso por volta de 15 a.C., onde passou seus últimos anos limpando a confusão política deixada por governantes menos capazes. Agora, não mais o homem por trás do homem, e sim conduzindo a si mesmo, aplicou os princípios que passara tanto tempo ensinando.

Uma vida inteira de treinamento nos prepara para o momento de nosso ato final. No caso de Atenodoro, ele estava pronto e serviu bem ao seu país. O suficiente para que o povo de Tarso o amasse profundamente e, após sua morte, aos 82 anos, o homenageasse com um festival público anual.

ÁRIO DÍDIMO, O CONSTRUTOR DE REIS II

NASCIMENTO: 70 A.C.
MORTE: 10 D.C.
ORIGEM: ALEXANDRIA

Houve outro grande estoico na vida de Otaviano. Seu nome era Ário Dídimo, e, embora não saibamos muito sobre ele, conhecemos bem mais a respeito de suas crenças, e seus escritos trazem mais sobre os ensinamentos centrais dos estoicos.

Sabemos que Ário entrou na vida de Otaviano por volta de 44 a.C., levando consigo os filhos pequenos. De acordo com Suetônio, seus filhos logo se tornaram "companheiros de tenda" de Otaviano, mantendo o menino "bem versado em várias formas de aprendizado". E, realmente, foi por esse relacionamento próximo que Otaviano aprendeu a ler e a apreciar a língua grega.

Independentemente de como Ário passou a fazer parte do círculo pessoal de Otaviano, uma vez ali, ele se instalou firmemente. Tornou-se, em suas palavras, o "companheiro constante do imperador, e sabia não apenas o que todos os homens podiam saber, como também os segredos mais íntimos de seu coração".

Em 30 a.C., quando Otaviano, então com 33 anos, fez sua entrada triunfal em Alexandria, ele e Ário caminharam literalmente de mãos dadas. A longa guerra civil entre Otaviano e Marco

Antônio fora violenta e sangrenta, e o povo de Alexandria — arrastado para isso em decorrência do relacionamento obsessivo entre Marco Antônio e Cleópatra — temia pelo pior. Otaviano escolheu demonstrar publicamente sua afeição por Ário porque, além de ser um afeto sincero, ao se aliar àquele alexandrino nativo ele poderia tranquilizar a população, indicando que não tinha intenção de lhes fazer mal. Dizem que Otaviano fez um discurso em grego, quase certamente escrito com a ajuda de Ário, anunciando que pouparia a cidade por alguns motivos. O primeiro, disse ele, era Alexandria ser grande e bela. O segundo era ter sido fundada e batizada com o nome de um grande homem. "E, em terceiro lugar", disse Otaviano com um sorriso, gesticulando para Ário, "como um favor ao meu amigo."

Os alexandrinos viram de imediato o tamanho da influência de Ário sobre seu novo conquistador. Um filósofo chamado Filóstrato, que acreditava estar na lista de inimigos de Otaviano, começou a seguir Ário pela cidade, implorando para ser poupado. "Um sábio salvará um sábio", implorou, "se sábio ele for." De Plutarco, sabemos que Otaviano perdoou o homem — em grande parte para livrar seu mestre do aborrecimento.

Ser visto como um símbolo de paz é um tanto irônico, considerando o nome de Ário (Ário Dídimo se traduz, literalmente, como "Gêmeo Guerreiro"), e ainda mais em vista do conselho maquiavélico — embora pragmático — que ele daria a seu jovem pupilo. Enquanto Atenodoro parece ter se importado principalmente com a educação de Otaviano e seu caráter moral, Ário o instruiu diretamente sobre questões políticas. O assunto mais urgente em Alexandria, na opinião de Ário, era eliminar as ameaças potenciais ao trono. Plutarco diz que Ário aconselhou Otaviano a matar o filho de Júlio César e Cleópatra, o jovem Cesarião, afirmando que "não é bom ter muitos Césares". Otaviano esperaria até que Cleópatra enterrasse seu ex-aliado-rival Marco Antônio e em seguida se envenenasse, para seguir o conselho de Ário. Então, tomou a decisão assassina de acabar com Cesarião, para não se expor ao risco da existência de herdeiros rivais, ainda que isso significasse matar o filho de César, a quem ele afirmava amar. Logo depois, o templo Cesário que Cleópatra mandara construir em Alexandria em homenagem a Júlio César seria concluído — só que seria dedicado a Augusto, o assassino de seu filho, que em breve se tornaria o primeiro imperador de Roma.

Não foram medidas honestas, mas Ário, o conselheiro estoico, acreditava que era o que precisava ser feito. Com Catão, Cícero e Pórcia em mente, ele não poderia tolerar outra violenta guerra civil. Nem Roma.

Desde os primeiros líderes estoicos, o estoicismo estivera se movendo em direção à política e aos centros de poder, mas, devido à sua proximidade com Otaviano, Ário e Atenodoro subitamente passaram a exercer mais poder político do que qualquer estoico na história. Sob o reinado de Augusto, o Império acrescentou mais território do que em qualquer período anterior. Sua população aumentou para cerca de 45 milhões de habitantes. Augusto se tornara o comandante de tudo, enfrentando apenas os contratempos mais banais, e, por trás dele, como conselheiros, se encontravam dois filósofos estoicos. A certa altura, Ário recebeu a oferta de assumir o cargo de governador do Egito, mas recusou. Podemos supor que o motivo foi ele ter muito mais influência em seu papel informal com Augusto do que teria governando uma das maiores províncias do Império. Em vez disso, preferiu permanecer à vista do imperador e ajudar Alexandria a distância, não muito diferente, observa Plutarco, do modo como Panécio ajudou Rodes juntamente com seu amigo Cipião.

Augusto implorou que Atenodoro ficasse por mais um ano quando este tentou renunciar, mas é evidente que ele sentia uma dependência profunda por ambos os mestres. O historiador e estadista Temístio relata que Augusto afirmava valorizar Ário tanto quanto seu poderoso tenente-chefe, Marco Agripa. De acordo com Temístio, ele valorizava tanto Ário que não insultaria ou incomodaria o eminente filósofo arrastando-o "até a poeira do estádio" para assistir aos jogos de gladiadores.

Ário também era próximo da família de Augusto, e escreveu uma famosa consolação — uma carta a uma pessoa em luto — para Lívia, a imperatriz, na ocasião da perda de seu filho Druso. Para Lívia, o gesto foi mais comovente do que os pensamentos e orações de milhões de romanos. "Não, eu lhe imploro", escreveu ele, "não tenha o orgulho perverso de parecer a mais infeliz das mulheres: e reflita também que não há grande mérito em se comportar com coragem nos tempos de prosperidade, quando a vida transcorre tranquilamente como uma maré favorável. Nem o mar calmo e o vento bom são indicadores da habilidade do capitão: é necessário um mau tempo para provar a sua coragem. Como ele, então, não ceda, mas, antes, plante-se firmemente e suporte qualquer fardo que possa recair sobre você, por mais que tenha se assustado com o primeiro rugido da tempestade. Não há nada que mereça maior reprovação da Fortuna do que a resignação." Em vez disso, disse Ário, junte-se a nós para lembrarmos com carinho do jovem que perdemos e pense em seus filhos e netos que ainda estão vivos.

Os estoicos nunca disseram que a vida era justa, ou que perder alguém não era doloroso. Mas acreditavam que se desesperar, se deixar destruir pelo luto, não apenas era uma afronta à memória da pessoa amada, como também uma traição aos vivos que ainda precisavam de nós.

Essa não é uma mensagem fácil de transmitir a uma mãe que acaba de enterrar um filho, mas Ário conseguiu fazê-lo com sensibilidade e graça e com uma compaixão pela qual ela lhe seria grata pelo resto da vida.

Embora tenhamos apenas um ou dois exemplos da *Realpolitik* de Ário, temos muitas outras evidências de seus ensinamentos estoicos. Vários de seus escritos sobreviveram — manuscritos que expressam não apenas as suas crenças, mas que também são resumos de séculos de doutrina estoica. No coração desses escritos estão as discussões das quatro virtudes cardeais: sabedoria (*frônese*), temperança (*sofrósina*), justiça (*diceosine*) e coragem (*andreia*). Marco Aurélio, muito familiarizado com o legado de Ário — tanto política quanto filosoficamente —, colocaria essas quatro virtudes em um pedestal definitivo. Se algum dia encontrarmos algo melhor do que "justiça, sabedoria, temperança, coragem... se você encontrar algo melhor do que isso, aceite sem reservas", escreveu. De fato, elas devem ser realmente muito especiais.

Para Ário, não havia nada melhor do que essas quatro virtudes. Careciam de tudo o que era mau e continham tudo o que era bom. Todo o resto era indiferente — ou irrelevante.

Em seus escritos, Ário procurou sistematizar todas as virtudes comumente aceitas sob esse esquema quádruplo, bem como explicar sua relação com outras partes da doutrina estoica. Ao fazê-lo, criou uma espécie de roteiro para os aspirantes ao estoicismo, fosse um imperador tentando controlar seus impulsos ou um jovem ambicioso iniciando a vida profissional.

Suas definições eram diretas e resumiam essencialmente a virtude a tipos de conhecimento:

- Sabedoria é o conhecimento daquilo que deve ser feito, daquilo que não deve ser feito e daquilo que não deve ser feito nem evitado, ou as ações condizentes (*kathekonta*). Na sabedoria, encontraremos qualidades virtuosas como a justiça, a circunspecção, a astúcia, a sensatez, a objetividade e a engenhosidade.
- Temperança é o conhecimento daquilo que vale a pena escolher, daquilo que vale a pena evitar e daquilo que não se deve escolher nem evitar. Contidas nessa virtude, estão coisas como organização, decoro, modéstia e autodomínio.
- Justiça é o conhecimento que atribui a cada pessoa e situação aquilo que lhe é devido. Sob essa égide, os estoicos colocavam a piedade (dar aos deuses o que lhes era devido), a bondade, o companheirismo e o tratamento justo.
- Coragem é o conhecimento do que é terrível e do que não é. Isso inclui perseverança, intrepidez, generosidade, coragem e, uma das qualidades virtuosas prediletas de Ário — que ele aplicou constantemente na própria vida —, a filoponia, ou laboriosidade.

Em oposição a essas quatro virtudes, a estupidez, a falta de controle, a injustiça e a covardia devem-se, todas, à falta desse conhecimento. É uma ideia que se encaixa bem com outro conjunto de categorias pelas quais Ário tentou organizar o mundo, alegando tê-las herdado de Zenão. Existem apenas dois tipos de pessoa no mundo, escreveu, os sábios e os tolos, ou os que prestam e os imprestáveis. Os tolos imprestáveis carecem do conhecimento que os sábios utilizam na busca da virtude. É oito ou oitenta, sem muito espaço para o meio-termo. É tentador perguntar a Ário, por exemplo, em qual das quatro virtudes se enquadra uma pessoa — e se ela é sábia ou tola — que assassina jovens príncipes que um dia poderão se tornar seus rivais. Justiça? Sabedoria? Ou talvez haja uma categoria oculta intitulada *conveniência política*?

Zenão certamente nunca disse nada a esse respeito.

Contudo, o importante para Ário era que, embora tenhamos a habilidade natural de exibir tais virtudes, na verdade é a prática ativa de cultivá-las e refiná-las que torna sábia e boa uma pessoa. No fundo, ele sentia que viver uma vida virtuosa tinha a ver com alcançar "uma disposição da alma em harmonia consigo mesma em relação à vida inteira de alguém".

Será que ele próprio chegou lá? Infelizmente, não há como saber. Será que ele e Atenodoro deixaram Otaviano — um homem que assumiu o poder absoluto e todas as pressões corruptas que vêm com a posição — um pouco mais próximo da virtude? Certamente.

Augusto estava longe de ser perfeito, mas não era Nero. Diz-se que ele melhorou com o tempo, o que certamente não é a regra entre os líderes ou entre os seres humanos, em particular os que têm poderes absolutos. Ele parecia se esforçar com sinceridade para ser grandioso, para assumir o controle de si mesmo e viver de acordo com as quatro virtudes cardeais. Quando, perto do fim da vida, Augusto observou que herdara uma Roma de tijolos, mas deixara para o mundo um império de mármore, não estava errado. Até hoje existem edifícios que são testemunhos desse árduo trabalho e, por extensão, do filósofo que o incentivou a seguir esse caminho.

Ele poderia ter feito tudo isso sem os ensinamentos de seus professores e o estudo da filosofia? Alguém poderia? Não. Os estoicos acreditavam que precisamos de orientação e precisamos amar o processo de melhorar, ou regrediremos ao nível dos demais. Íntimo de Ário, Otaviano era o epítome da filoponia — e parecia gostar genuinamente de trabalhar pelo bem de todos.

Poucos homens e mulheres a quem foi imposta a realeza — ou que experimentaram o poder e o sucesso — podem dizer isso. Porque poucos, antes e agora, colocaram isso em prática.

"Nenhum dos imprestáveis é laborioso", escreveu Ário. "Pois a laboriosidade é a disposição de realizar sem hesitação e com trabalho árduo aquilo que é benéfico, e nenhum imprestável age sem hesitação no que diz respeito ao trabalho." Augusto trabalhou duro — ninguém poderia acusá-lo de usar o trono para descansar. Nem há qualquer evidência de que seus professores foram, como Sêneca seria denunciado mais tarde, corrompidos por sua proximidade e seu acesso ao poder.

O *mos maiorum* e as *libertas* da República de Catão teriam sido preferíveis a esta nova era de Augusto? Quase certamente. O poder imperial não é bom para ninguém, muito menos para quem o exerce. Contudo, por volta de 27 a.C., quando Otaviano se tornou Augusto, o retorno aos velhos costumes não estava mais sob o controle de Ário ou Atenodoro. Cabia-lhes apenas fazer o melhor com o que tinham nas mãos — e moldar o pupilo para que se tornasse o melhor homem possível.

Como Ário escreveria, e como Panécio agiria antes dele, cada um de nós tem seus dons natos (*aphormai*), recursos que podem nos levar à virtude. Nossas personalidades nos servem de maneiras diferentes para diferentes caminhos de desenvolvimento ético. Todos temos pontos de partida distintos, mas essas ferramentas inatas, aliadas a um grande esforço, nos levarão aonde queremos ir.

Devemos nos concentrar na tarefa que temos nas mãos e não perder um instante com as que não são nossas. Devemos ter coragem. Devemos ser justos. Devemos controlar nossas emoções. Devemos, acima de tudo, ser sábios.

Isso é o que Ário e Atenodoro tentaram viver e ensinar. Isso os tornou conselheiros confiáveis, no mais alto nível, e ajudou a moldar o que se tornaria a Pax Romana. Sua orientação — a proximidade do estoicismo com o trono — não apenas formou Augusto e depois Sêneca, mas também inspirou o próprio rei-filósofo, Marco Aurélio.

Eles também, no fim, apesar de todo o poder e toda a influência, ensinariam a Marco Aurélio e a nós uma lição sobre humildade e mortalidade. Como escreveu Marco Aurélio, resumindo o que, na época, já se tornara uma era passada:

> A corte de Augusto: sua esposa, a filha, os netos, os enteados, a irmã, Agripa, os parentes, os criados, os amigos, Ário, Mecena, os médicos, os sacerdotes sacrificiais... toda a corte, morta... alguém precisa ser o último. Lá também, a morte de toda a casa.

Atenodoro morreu. Ário morreu. Augusto morreu... e as engrenagens do tempo continuaram girando.

AGRIPINO, O DIFERENTE

NASCIMENTO: DESCONHECIDO
MORTE: APÓS 67 D.C.
ORIGEM: DESCONHECIDA

Pouco sabemos sobre Pacônio Agripino além do fato de que seu pai foi executado pelo imperador Tibério, o sucessor de Augusto, sob falsas acusações de traição. Não sabemos o que Agripino escreveu, ou sobre sua terra natal, nem mesmo quando ele nasceu e morreu.

Sabemos que viveu na época dos sucessores de Tibério, dois imperadores corruptos e violentos, Cláudio e Nero, mas onde estudou ou como entrou para o serviço público permanecem um mistério para nós.

No entanto, apesar de todas as incógnitas sobre Agripino, ele sobressai no registro histórico como uma espécie de aventureiro e figura distinta, que se destacou até entre os estoicos mais corajosos e mais conhecidos de seu tempo.

Não foi por acaso. Em um Império Romano que, na época de Cláudio e Nero, se entregara totalmente à avareza e à corrupção, qualquer um que vivesse verdadeiramente pelos princípios estoicos — como foi o caso de Agripino — se destacaria.

De acordo com Agripino, somos todos fios de uma vestimenta, o que significa que a maioria das pessoas é indiscernível uma da outra, um fio entre tantos outros. Em geral, as pessoas ficam satisfeitas em fazer parte da multidão, ser anônimas, lidar com o seu papel minúsculo e discreto no tecido. Quem pode culpá--las? Sob um tirano, a melhor estratégia costuma ser manter a discrição, misturar-se para não chamar a atenção do governante caprichoso e cruel que detém o poder de vida e morte.

Para Agripino, porém, embora tivesse perdido o pai naquelas circunstâncias trágicas, esse tipo de concessão era inconcebível. "Eu quero ser o vermelho", disse ele, "aquela porção pequena e brilhante que faz com que o resto pareça bonito e atraente... 'Ser como todos os outros?' Se eu fizer isso, como poderei continuar a ser o vermelho?"

Bastante tempo depois, uma música da banda Alice in Chains resumiria aquilo em que Agripino firmemente acreditava: "Se eu não puder ser meu, prefiro morrer."

Individualidade e autonomia são coisas que muitas pessoas defendem da boca para fora — na verdade, quase se tornou uma nova forma de conformismo. Falamos sobre sermos únicos, sobre deixarmos o nosso jeito brilhar, mas, no fundo, sabemos que não passa de conversa fiada. Sob pressão, quando realmente importa, queremos o mesmo que todos os outros. Fazemos o mesmo que todos os outros.

Mas não Agripino. Ele estava disposto a se destacar — ser o vermelho vivo — *ainda que isso significasse ser decapitado ou exilado.*

Esse não foi um desejo impulsionado pelo ego ou pela vontade de ser o centro das atenções, como infelizmente é comum entre esses raros homens e mulheres que rejeitam a convenção.

"É certo elogiar Agripino", diz Epicteto, "porque, embora fosse um homem de altíssimo valor, nunca elogiava a si mesmo, e costumava corar quando alguém o fazia." Ao se ater aos seus princípios, Agripino alcançou a fama, mas, se ele pudesse se posicionar em privacidade, sem chamar a atenção, ele o faria.

O que originou a sua reputação foi o seu competente serviço como governador de Creta e Cirene, surpreendendo a muitos com sua dedicação como administrador, enquanto outros usavam os mesmos cargos para encher o bolso. Tácito relata que Agripino herdou o "ódio do pai contra os imperadores" após a injustiça que ele viu cometida contra seu pai "inocente". De fato, foi uma injustiça — pois não apenas seu pai era, muito provavelmente, inocente, como a sentença de morte acabou executada depois que um imperador altamente melindroso foi provocado por um anão palaciano após hesitar na questão. É notável que essa absurda farsa jurídica não tenha diminuído o compromisso de Agripino em relação à lei, que aplicou de forma justa e séria quando lhe coube esse dever.

"Quando Agripino era governador", contava Epicteto com admiração, "costumava tentar persuadir as pessoas a quem condenava de que era correto que fossem condenadas. 'Pois', dizia, 'não é como um inimigo ou como um bandido que registro o meu voto contra eles, mas como curador e guardião; assim como também o médico encoraja o homem a quem está operando e o convence a se submeter à operação.'"

Esse compromisso era cada vez mais incomum em um Império no qual se recompensava a avareza, e os princípios eram coisa do passado. Não parece ter ocorrido a Agripino, entretanto, agir de outra maneira além do puro e sóbrio comprometimento.

Em um famoso diálogo preservado por Epicteto, Agripino foi abordado por um filósofo que estava em dúvida se deveria comparecer e se apresentar em um banquete oferecido por Nero, ocasião em que podemos imaginar Sêneca já com um discurso preparado. Agripino disse que ele deveria ir. Mas por quê?, perguntou o sujeito. *Porque você chegou a cogitar ir.* Quanto a mim, disse Agripino, isso é algo que eu jamais consideraria.

Para Agripino, não deveria haver hesitação quanto ao que é certo. Não se deveria nem mesmo considerar as opções. "Aquele que se propõe a tais pensamentos", disse Epicteto sobre Agripino, "e passa a calcular o valor das coisas externas, aproxima-se muito daqueles que se esquecem do próprio caráter." Caráter é Destino, como afirmou Heráclito, uma das influências favoritas dos estoicos. Isso era verdadeiro para Agripino, como havia muito tempo fora para Aríston e também para Catão. Ele acreditava que apenas o caráter era decisivo em questões difíceis, e o fazia de forma evidente e limpa. Nenhum cálculo e nenhuma consideração eram necessários. A coisa certa era óbvia.

Quando Agripino foi eventualmente acusado de conspiração contra Nero, viu-se indiciado, assim como acontecera a seu pai. "Espero que tudo termine bem", disse ele a um amigo no início do julgamento, e então, ao se dar conta do horário, lembrou-se de que estava na hora de seus exercícios diários. Enquanto o Senado decidia sobre o seu destino, enquanto sua vida estava em jogo, Agripino se exercitava e depois relaxava com um banho frio. Da mesma forma como Catão desfrutara um último jantar antes da morte, Agripino aproveitou uma boa sauna antes de receber a notícia: *Você foi condenado.*

Uma pessoa normal talvez caísse de joelhos ou amaldiçoasse a injustiça. Agripino não demonstrou ansiedade nem medo quanto a seu destino. Considerou apenas questões práticas. Exílio ou morte? Exílio, disseram-lhe os amigos. Eles confiscaram minha propriedade? Não, graças aos céus, responderam. "Muito bem", disse Agripino, "vamos almoçar em Arícia."

Arícia era a primeira parada na estrada que saía de Roma. Significado: vamos logo começar com esse show do exílio. Não adianta lamentar ou chorar a respeito. *Ei, mais alguém está com fome?*

Decerto muitas pessoas — entre elas seus colegas estoicos — responderam pior a circunstâncias mais favoráveis. Mas esse era Agripino... ele era diferente. "Não sou um obstáculo para mim mesmo", cita Epicteto. Ele não aumentava seus problemas ao lamentá-los. Não comprometia sua dignidade ou sua compostura por questões grandes ou pequenas, fosse uma festa irrelevante, fosse uma injustiça cruel. "Seu caráter era tal", disse Epicteto, "que, em face de qualquer adversidade, ele redigia uma elegia; na febre, caso tivesse febre; no descrédito, caso sofresse descrédito; no exílio, caso fosse exilado."

Ele via a vida tal qual era, o exílio tal qual era, a crueldade dos imperadores tal qual era, aceitava-os e seguia em frente.

E por que Agripino foi exilado? Que crime cometeu e com quais provas foi condenado? Tácito não explica, mas fornece uma pista quando afirma que, na mesma época, Nero também expulsara de Roma um poeta jovem, sem vícios e sem maldade, simplesmente porque era talentoso demais. O mesmo ocorreu com Agripino. Ele ousou ser diferente. Ele fora o vermelho vivo em um Império no qual Nero se considerava o único digno de se destacar.

Esta é a outra expressão que Agripino não percebeu ou pela qual se recusou a se deixar intimidar: sim, a beleza da vestimenta é feita pelos fios que se destacam, mas é igualmente verdade que o prego que sobressai é martelado.

Para um homem como Agripino — e para seu pai antes dele —, esse era um preço que valia a pena pagar. De fato, eles nem sequer *consideraram* a alternativa.

SÊNECA, O TRABALHADOR

NASCIMENTO: 4 A.C.
MORTE: 65 D.C.
ORIGEM: CÓRDOBA, ESPANHA

Lúcio Aneu Sêneca ficaria satisfeito em saber que ainda hoje falamos a seu respeito. Diferentemente de muitos de seus colegas estoicos, que escreveram sobre a inutilidade da fama póstuma, Sêneca ansiava por isso, trabalhava por isso, atuava por isso, até os momentos finais de sua vida e o suicídio teatral que rivalizaria com o de Catão.

Ao contrário de Jesus, que provavelmente nasceu no mesmo ano que Sêneca em uma província igualmente remota do Império Romano, havia pouca mansidão ou humildade em Sêneca. Em vez disso, havia ambição, talento e uma sede de poder que não apenas rivalizava, como chegava a superar a de Cícero.

Seus contemporâneos talvez achassem Cícero melhor escritor e orador, mas Sêneca é muito mais lido atualmente, e por um bom motivo. Ninguém escreveu de forma mais convincente e acessível sobre os conflitos de um ser humano no mundo — o desejo por tranquilidade, significado, felicidade e sabedoria. O número de leitores dos ensaios e das cartas que Sêneca escreveu em sua longa vida não apenas superou o de Cícero, como também, a longo prazo, provavelmente o de todos os outros estoicos combinados.

Da forma como ele sempre desejou.

Nascido por volta de 4 a.C. em Corduba, Espanha (atual Córdoba), filho de um rico e instruído escritor (conhecido na história como Sêneca, o velho), Sêneca, o jovem, estava destinado a grandes feitos desde o nascimento. Assim como estavam seus irmãos, Novato, que se tornou governador, e Mela, cujo filho, Lucano, deu continuidade à tradição de escrita da família.

Chegando ao mundo perto do fim do reinado de Augusto, Sêneca foi o primeiro grande estoico sem nenhuma experiência direta em Roma durante a República. Sêneca conhecia apenas o Império; ele viveria durante os reinados dos cinco primeiros imperadores. Ele nunca respirou a liberdade das *libertas* romanas que Catão e seus predecessores desfrutaram. Em vez disso, passou a vida inteira tentando manobrar dentro dos turbulentos regimes judiciais de um poder cada vez mais autocrático e imprevisível.

Mesmo assim, apesar de todas essas mudanças, a infância de Sêneca foi mais ou menos idêntica à dos filósofos que o precederam. Seu pai escolheu Átalo, o estoico, para ser seu mestre, em particular pela reputação de eloquência, desejando imbuir o filho não apenas de uma mente justa, como também torná-lo capaz de comunicar as ideias de maneira clara e convincente na vida romana. O jovem começou a estudar com gosto — segundo o próprio Sêneca, quando criança, ele "cercava" a sala de aula com prazer, e era o primeiro a entrar e o último a sair. Sabemos que Átalo não tolerava os "posseiros", o tipo de aluno que só ficava sentado pelos cantos escutando ou, na melhor das hipóteses, fazia anotações para memorizar e repetir o que ouviu durante as aulas. Em vez disso, a educação devia ser um processo prático, com debates e discussões, que envolvia tanto o professor quanto o aluno. "Mestre e aluno devem possuir o mesmo propósito", disse Átalo sobre os seus métodos: "De um lado, a ambição de promover e, do outro, a de progredir."

Por progresso, Átalo tinha em mente mais do que apenas boas notas e aparente eloquência. Sua instrução era tanto moral quanto acadêmica, e ele discorria longamente com seu promissor jovem discípulo sobre "pecado, erros e os males da vida". Ele era um defensor da virtude estoica da temperança, e incutiu em Sêneca hábitos de moderação no comer e no beber, algo que seguiria pelo resto da vida, levando-o a abandonar as ostras e os cogumelos, duas iguarias romanas. Ele zombava da pompa e do luxo como prazeres passageiros que não contribuíam para a felicidade duradoura. "Se deseja se equiparar a Júpiter, você não deve ansiar por nada", disse Átalo para Sêneca, "pois Júpiter não anseia por nada... Aprenda a se contentar com pouco e a se manifestar com coragem e grandeza de alma."

Mas a lição mais poderosa que Sêneca aprendeu com Átalo foi o desejo de se aperfeiçoar de maneira prática, no mundo real. O propósito de estudar filosofia, conforme aprendeu com seu amado mestre, era "tirar algo de bom todos os dias e voltar para casa um homem mais completo, ou a caminho de se tornar mais completo".

Como inúmeros jovens desde então, Sêneca experimentou diferentes escolas e ideias, encontrando valor no estoicismo e nos ensinamentos de um filósofo chamado Sexto. Ele leu e debateu os escritos de Epicuro, de uma escola supostamente rival.* Explorou os ensinamentos de Pitágoras e até se tornou vegetariano por algum tempo, de acordo com os ensinamentos pitagóricos. É um crédito para o pai de Sêneca, e um lembrete a todos os pais desde então, o fato de ele ter sido paciente e indulgente com esse período do filho, incentivando uma variedade de estudos. Pode demorar um pouco para que os jovens precoces encontrem o próprio caminho, e forçá-los a limitar a curiosidade é conveniente, mas muitas vezes pode sair caro.

O que Sêneca estava fazendo era desenvolver uma gama de interesses e experiências que mais tarde o capacitariam a criar as próprias práticas. Com Sexto, por exemplo, descobriu os benefícios de passar alguns minutos à noite antes de dormir escrevendo em um diário, e aliou isso ao tipo de reflexão moral investigativa que Átalo lhe ensinara. "Eu me valho desse privilégio", escreveria mais tarde sobre a sua prática de manter registros, "e todos os dias defendo a minha causa perante meu próprio eu. Quando a luz do dia se esvai e minha esposa, há muito consciente de meu hábito, fica em silêncio, examino todo o meu dia e reconstituo os meus atos e as minhas palavras. Não escondo nada de mim mesmo, não omito nada. Pois, por que eu deveria recuar diante de qualquer um de meus erros, quando posso comungar assim comigo mesmo?"

Essa característica de Sêneca, seu compromisso sincero com o autoaperfeiçoamento — firme, embora gentil ("Não faça isso de novo", dizia a si mesmo, "mas agora eu o perdoo") —, era

---

* É interessante que o escritor mais citado nas obras de Sêneca seja Epicuro. Sêneca afirmou que devemos ler como um espião no campo do inimigo, sempre procurando aprender com nossos oponentes intelectuais e filosóficos.

apreciada por seus professores e, evidentemente, encorajada. Mas eles também sabiam o motivo de terem sido contratados e que o pai, que não era fã da filosofia, fazia esse investimento a fim de treinar o filho para uma carreira política atuante e ambiciosa. Portanto, esse treinamento moral foi contrabalançado por uma rigorosa instrução da lei, da retórica e do pensamento crítico. Em Roma, um jovem advogado promissor podia comparecer ao tribunal já aos dezessete anos, e resta pouca dúvida de que Sêneca estava pronto no momento em que se tornou legalmente capaz.

No entanto, com apenas alguns anos naquela carreira promissora, ainda com vinte e poucos anos, a saúde de Sêneca quase pôs tudo a perder. Ele sempre enfrentara uma doença pulmonar, provavelmente tuberculose, mas algum tipo de surto em 20 d.C. forçou-o a fazer uma longa viagem ao Egito para se recuperar.

A vida toma nossos planos e os despedaça. Como Sêneca escreveria tempos depois, nunca devemos subestimar o hábito do destino de se comportar da maneira como ele deseja. Só porque damos duro, só porque somos promissores e nosso caminho para o sucesso está aberto, isso não significa que conseguiremos o que queremos.

Sêneca certamente não conseguiria. Passaria cerca de dez anos em Alexandria, convalescendo. Embora não pudesse controlar isso, podia decidir como gastar seu tempo. Então, passou aquela década escrevendo, lendo e se recuperando. Seu tio, Gaio Galério, exercia a função de prefeito do Egito, e podemos supor que foi assim que Sêneca viu em primeira mão como funcionava o poder. Também podemos imaginá-lo desejando e planejando um retorno.

Enquanto estava longe, as notícias que Sêneca recebeu prenunciariam a trajetória de sua vida. Átalo entrara em conflito com Tibério, o imperador, que confiscara sua propriedade e o banira de Roma. O amado mestre de Sêneca passaria o resto de seus anos no exílio, cavando valas para sobreviver. Sêneca aprendeu que ser filósofo na Roma imperial era viver perigosamente, aceitar que as Parcas eram caprichosas e a Fortuna poderia ser cruel.

Seu retorno a Roma, aos 35 anos, em 31 d.C., apenas reforçaria essa última lição: na viagem de volta para casa, seu tio morre em um naufrágio. Sêneca também chegou a tempo de presenciar a condenação de Sejano, que fora um dos comandantes e conselheiros militares de maior confiança de Tibério, pelo Senado, e seu linchamento pela multidão nas ruas. Era uma época de paranoia, violência e turbulência política. Nesse redemoinho, Sêneca assumiu seu primeiro cargo público, pois suas ligações familiares lhe garantiram a posição de questor.

Sêneca manteve-se discreto durante o reinado de Tibério, que durou até 37 d.C., e igualmente durante o de Calígula, consideravelmente mais curto, embora violento na mesma medida. Posteriormente, em seu livro *Sobre a tranquilidade da mente*, Sêneca contaria a história de um filósofo estoico a quem admirava, chamado Júlio Cano, condenado à morte ao se opor a Calígula. Enquanto esperava a execução, Cano aproveitou para jogar uma partida de xadrez com um amigo. Quando o guarda foi buscá-lo, ele brincou: "Você é testemunha de que eu tinha uma peça de vantagem."

Sêneca observou não apenas o brilhantismo filosófico da piada, mas também o tipo de fama conferida ao seu autor naquela época aterrorizante.

Era fácil para ele se enxergar no lugar de Cano, pois também andara na corda bamba, entre a vida e a morte, sob o reinado daquele soberano tão instável.

De acordo com Dião Cássio, Sêneca foi salvo da execução — por qual crime, não sabemos — apenas devido à sua saúde precária:

> Sêneca, que era superior em sabedoria a todos os romanos de sua época e de muitas outras também, quase foi destruído, embora não tivesse feito nada de errado nem aparentasse estar fazendo, apenas por defender bem um caso no Senado enquanto o imperador estava presente. Calígula ordenou que ele fosse condenado à morte, mas depois o perdoou por acreditar na afirmação de uma de suas companheiras, a de que Sêneca estava com tuberculose em estágio avançado e morreria em pouco tempo.

Foi sair da frigideira e entrar no fogo. Em menos de dois anos, Sêneca perderia o pai (em 39 d.C., aos 92 anos), se casaria (em 40 d.C.) e, em seguida, perderia o filho primogênito (em 40-41 d.C.). Então, vinte dias depois de enterrar o filho, seria banido de Roma por Cláudio, o sucessor de Calígula.

Por quê? Não sabemos ao certo. Seria uma perseguição velada aos filósofos? Em seu luto, Sêneca teria tido um caso com Júlia Lívila, irmã de Agripina? O registro é obscuro e, tal como os escândalos de nossa época, repleto de boatos, interesses e relatos conflitantes. De qualquer modo, Sêneca foi processado por adultério e, em 41 d.C., aos 45 anos, esse pai e filho enlutado foi exilado para a distante ilha de Córsega. Mais uma vez, sua carreira promissora era interrompida pelo destino.

Assim como sua década no Egito, este seria um longo período longe de Roma — oito anos — e, embora ele tenha começado produzindo bem (escreveu *Consolação a Políbio*, *Consolação a minha mãe Hélvia* e *Sobre a ira* em um curto espaço de tempo), o isolamento começaria a abatê-lo. Logo, o homem que pouco antes escrevia consolações para outras pessoas passou a precisar de algum consolo para si mesmo.

Ele estava com raiva, como qualquer pessoa estaria, mas, em vez de ceder ao sentimento, canalizou a energia em um livro sobre o tema, *De Ira* (ou *Sobre a ira*), que dedicou ao irmão. É um livro belo e comovente, sem dúvida dirigido tanto a si mesmo quanto ao leitor. "Não ande com os ignorantes", escreveu. "Fale somente a verdade, mas apenas àqueles que podem lidar com ela." "Vá embora e ria... Espere sofrer muito." Esse tipo de monólogo particular no estoicismo remonta a Cleantes, mas Sêneca o aplicava a uma das situações mais estressantes que se possa imaginar: ser privado do convívio de seus amigos e familiares, uma condenação injusta, o roubo de anos valiosos de sua vida.

Um dos temas mais comuns nas cartas e nos ensaios de Sêneca desse período é a morte. Convivendo com a tuberculose desde muito jovem — a certa altura chegando a contemplar o suicídio —, ele não conseguia deixar de pensar e escrever sobre o ato derradeiro da vida. "Preparemos nossa mente como se tivéssemos chegado ao fim da vida", lembrou a si mesmo. "Não adiemos nada. Façamos o balanço dos livros da vida todos os dias... Nunca falta tempo para aquele que diariamente dá os retoques finais em sua vida." Enquanto estava no exílio, ele consolava o sogro, um homem que acabara de perder o emprego como supervisor do suprimento de grãos de Roma: "Acredite, é melhor fazer o balanço de nossa vida do que do mercado de grãos."

O mais interessante é que ele questionou a ideia de que a morte era algo que estava à nossa frente em um futuro incerto. "Este é nosso grande erro", escreveu Sêneca, "pensar que a morte está mais adiante. A maior parte da morte já passou. Todo o tempo passado pertence à morte." Foi isso que ele percebeu, que estamos *morrendo a cada dia* e que nenhum dia, uma vez morto, pode ser revivido.

Deve ter sido uma percepção particularmente dolorosa para um homem que apenas via passar os anos de sua vida — pela segunda vez — devido a acontecimentos fora de seu controle. Podia não ser estoico se desesperar com isso, mas certamente era muito humano.

Em uma peça que Sêneca escreveu no fim da vida, sem dúvida por experiência própria, ele capturou quão caprichoso e aleatório pode ser o Destino:

> Se o amanhecer vê alguém orgulhoso,
> O fim do dia o vê abatido.
> Ninguém deve confiar demais no triunfo,
> Ninguém deve perder a esperança de melhora.
> Cloto mistura uma coisa à outra e impede
> A Fortuna de descansar, tecendo os destinos ao redor.
> Ninguém teve tanto favor divino
> Que o possa garantir amanhã.
> O Divino mantém nossa vida em movimento,
> Girando em um redemoinho.

O Destino o fizera nascer rico e dera-lhe grandes mestres. Também enfraquecera sua saúde e o obrigara a se exilar injustamente duas vezes, no momento em que sua carreira estava decolando. Durante toda a vida, a Fortuna se comportou exatamente como quis. Para ele, como para nós, trouxe sucesso e fracasso, dor e prazer... em geral de formas como ele não esperava.

Mal sabia Sêneca, em 50 d.C., que aquilo voltaria a acontecer. Suas provações estavam a ponto de melhorar, e sua vida, prestes a se tornar um turbilhão que a história ainda não desvendou inteiramente.

Agripina, bisneta de Augusto, tinha grandes ambições para seu filho de doze anos, Nero. Ao se casar com Cláudio, sucessor de Calígula, em 49 d.C., convenceu-o a adotar Nero, e uma de suas primeiras medidas como imperatriz foi persuadir Cláudio a convocar Sêneca de Corduba para servir como tutor de seu filho. Desejando que ele um dia se tornasse imperador, ela queria que Nero tivesse acesso ao cérebro político, retórico e filosófico de Sêneca.

De repente, aos 53 anos, Sêneca, havia muito uma figura subversiva, embora marginalizada, ascendeu ao centro da corte imperial romana. Uma vida inteira de esforço e ambição finalmente produzira o benfeitor definitivo, e toda a família de Sêneca estava pronta para tirar vantagem disso.

O que Sêneca ensinou ao jovem Nero? Ironicamente, assim como seu pai contratara Átalo para mentorear Sêneca em basicamente tudo, *exceto* filosofia, Agripina queria que Sêneca ensinasse estratégia política a Nero, não estoicismo. As lições de Sêneca envolveriam lei e oratória — como argumentar e como traçar estratégias. Quaisquer princípios estoicos em suas aulas teriam que ser disfarçados como legumes grelhados no bolinho de uma criança ou açúcar para camuflar o gosto amargo do remédio.

Como Ário e Atenodoro com Otaviano, Sêneca estava preparando o menino para uma das tarefas mais difíceis do mundo:

usar a púrpura imperial. Nos tempos da República, os romanos desconfiavam do poder absoluto. Agora, porém, o trabalho de Sêneca era ensinar alguém a alcançá-lo. Apenas algumas gerações antes, os estoicos haviam sido defensores fervorosos dos ideais republicanos (Catão era um dos heróis de Sêneca), mas, com a morte de Augusto, muitas dessas objeções se tornaram inúteis. Como escreveu Emily Wilson, tradutora e biógrafa de Sêneca: "Cícero achava que realmente poderia derrotar César e Marco Antônio. Sêneca, ao contrário, não tinha ilusões de que conseguiria algo por oposição direta a quaisquer dos imperadores sob os quais viveu. O melhor que podia esperar era moderar algumas das piores tendências de Nero e maximizar seu senso de autonomia."

Isso sem dúvida faz sentido, mas a questão permanece: Um Sêneca mais esperançoso poderia ter exercido mais impacto? Ou aceitar a própria impotência em mudar o *statu quo* se torna uma profecia que se cumpre?

Sêneca acreditava que um estoico tinha a obrigação de servir ao país — nesse caso, um Império que já passara por quatro imperadores — da melhor maneira possível, e certamente ele estava disposto a aceitar qualquer papel para escapar daquela maldita ilha na qual fora exilado.

Ele sabia a barganha faustiana que aquilo se revelaria? Havia indícios. Nero não parecia se importar com os estudos — ao menos, não como Otaviano — e parecia desejar mais ser músico e ator do que imperador. Ele era autoritário e cruel, mimado e se distraía facilmente. Essas não eram características auspiciosas. Mas a alternativa a Nero era retornar ao exílio na Córsega.

Em 54 d.C., quase cinco anos depois de Sêneca ter chegado à corte, Agripina tramou a morte do marido, Cláudio, assassinado pela ingestão de cogumelos venenosos. Nero tornou-se imperador aos dezesseis anos, e Sêneca foi convidado a escrever os discursos que Nero faria para convencer Roma de que não era insanidade total dar àquela criança diletante poderes quase divinos sobre milhões de pessoas.*

Como se o poder absoluto não fosse corruptor o suficiente, ficou óbvio que Nero testemunhara algumas primeiras lições sórdidas de sua mãe e de seu pai adotivo. Como professor e mentor, Sêneca tentou uma correção de curso. Uma das primeiras coisas que deu ao novo imperador foi uma obra que compôs intitulada *De Clementia* (ou *Sobre a clemência*), que traçava um caminho "para o bom rei" e ele esperava que Nero seguisse. Embora clemência e misericórdia hoje possam parecer conceitos óbvios, na época foi um conselho bastante revolucionário.

Robert A. Kaster, o estudioso dos clássicos, observa que não havia nenhuma palavra grega para clemência. Os filósofos falavam de comedimento e moderação, mas Sêneca falava de algo mais profundo e inédito: o que alguém faz com o *poder*. Particularmente, como os poderosos devem tratar alguém sem poder, porque isso revela quem *eles* são. Como explicou Sêneca: "Ninguém poderá pensar em algo mais adequado para um governante do que a clemência, não importa que tipo de governante ele seja e em quais termos foi colocado no comando de outros."

Era uma lição dirigida a Nero, assim como a todos os líderes que um dia leriam o ensaio. Um olhar rápido pela história con-

---

* Sêneca também fez questão de escrever uma peça satírica vulgar para Cláudio, intitulada *Apocolocyntosis*, ou a "Abobonização", seu insulto final ao homem que roubara tantos anos de sua vida exilando-o na Córsega.

firma que o mundo seria um lugar melhor se houvesse mais clemência. O problema é fazer com que os líderes entendam isso.

A dinâmica entre Sêneca e Nero é interessante porque é evidente que evoluiu — ou melhor, involuiu — com o tempo. Mas sua essência talvez seja mais bem capturada em uma estátua de ambos os personagens feita pelo escultor espanhol Eduardo Barrón, em 1904. Apesar de ter sido construída cerca de dezoito séculos após o episódio, retrata uma cena que apresenta os elementos atemporais do caráter de ambos os personagens. Sêneca, muito mais velho, está sentado com as pernas cruzadas, envolto em uma linda toga, embora sem adornos. Desenrolado sobre o seu colo e sobre um banco simples, está um texto que ele escreveu. Talvez seja um discurso. Talvez seja uma lei em debate no Senado. Talvez seja o próprio texto do *De Clementia*. Seus dedos indicam um ponto no texto. Sua linguagem corporal é receptiva. Ele está tentando incutir em seu jovem pupilo a seriedade das tarefas que tem pela frente.

Sentado diante de Sêneca, Nero é, em todos os sentidos, quase o oposto de seu conselheiro. Está encapuzado, acomodado em uma cadeira semelhante a um trono. Um cobertor elegante repousa nas suas costas. Ele usa joias. Sua expressão é tensa. Ambos os punhos estão cerrados, e um repousa sobre a têmpora como se não conseguisse se forçar a prestar atenção. Está olhando para o chão. Seus pés estão cruzados na altura dos tornozelos. Ele sabe que deveria estar escutando, mas não está. Preferia estar em qualquer outro lugar. Pensa: *Em breve não terei mais de suportar essas lições. Então, poderei fazer o que quiser.*

Sêneca enxerga bem essa linguagem corporal, e, ainda assim, prossegue. Como prosseguiria ainda por muitos anos. Por quê? Porque ele esperava que alguma coisa — *qualquer coisa* — fosse absorvida. Porque ele sabia que havia muito em jogo. Porque ele sabia que seu trabalho era *tentar* ensinar Nero a ser bom (ele, literalmente, morreria tentando). E porque também jamais recusaria a chance de estar tão perto do poder, de causar tanto impacto.

No fim, Sêneca fez pouco progresso com Nero, um homem que o tempo logo revelaria ser louco e falho. Aquela sempre fora uma missão sem esperança? Será que a mão firme de Sêneca foi uma influência positiva — influência sem a qual Roma teria ficado ainda pior? Não há como saber. O que sabemos é que Sêneca tentou. É a velha lição: você pode levar um cavalo até a água, mas não pode obrigá-lo a beber. Você controla o que faz e diz, não o que as pessoas escutarão.

Tudo o que um estoico pode fazer é estar presente e fazer seu trabalho. Sêneca acreditava que aquela era sua obrigação, e ele claramente também desejava fazê-lo. Como escreveria tempos depois, a diferença entre os estoicos e os epicuristas era que os estoicos achavam que a política era um dever. "As duas seitas, os epicuristas e os estoicos, divergem na maioria das coisas", escreveu Sêneca. "Epicuro diz: 'O homem sábio não se envolverá nas questões públicas, exceto em uma emergência.' Zenão diz: 'Ele se envolverá nas questões públicas, a menos que algo o impeça.'"

Nada o impedia — muito menos as próprias ambições —, de modo que Sêneca continuou tentando.

Fontes revelam que, durante os primeiros anos, Sêneca foi a mão firme. De acordo com contemporâneos, enquanto ele estava trabalhando com Burro, o líder militar também escolhido por Agripina, Roma foi, pela primeira vez em algum tempo, bem administrada. Em 55 d.C., o irmão de Sêneca, Gálio, foi nomeado cônsul. No ano seguinte, o próprio Sêneca ocupou a posição.

Contudo, como diz o poema que Sêneca escreveu sobre o Destino, aquilo não duraria. Na verdade, essa parece ser uma constante na vida de Sêneca — que a paz e a estabilidade são frágeis e trespassadas, de forma bastante volúvel, por acontecimentos fora de seu controle. Movido pela paranoia e pela veia cruel que herdara da mãe, Nero começou a eliminar os rivais, a começar por seu irmão Britânico, que foi morto com veneno, da mesma forma que Cláudio. Ele renegou a mãe e começou a tramar sua morte — falhando diversas vezes ao tentar ministrar-lhe uma dose fatal de veneno. Um relato conta sobre uma tentativa de Nero de assassinar a mãe em um elaborado acidente de barco. Finalmente, por volta de 59 d.C., ele conseguiu o que queria.

Aquele Nero inicial, contido-embora-esperando, capturado por Barrón em sua estátua, estava agora liberto. Nas palavras de Tácito, ele não mais adiou crimes havia muito premeditados. Com o poder amadurecido e corroendo sua alma, ele poderia fazer o que quisesse, não importava quanto fosse perverso. Foi uma virada certamente percebida por Sêneca. Enquanto Ário aconselhara Augusto a eliminar o outro herdeiro, "Césares demais", Sêneca precisou lembrar a Nero que era impossível até mesmo para o rei mais poderoso matar todos os sucessores. *Alguém* acabaria vindo em seguida. Mas Nero não lhe deu ouvidos e, por fim, matou todos os homens da linhagem Júlio-Claudiana.

Quando Nero não estava assassinando, ele também negligenciava a gestão do Império. Corria em carruagens em uma pista especial da qual gostava na periferia de Roma, forçando escravizados a observá-lo e aplaudi-lo. Ignorava o Estado para poder se apresentar no palco, cantando e dançando como um ator barato — fato que, segundo Suetônio, seus criados escondiam dele, não permitindo que ninguém "saísse do teatro mesmo pelos mais urgentes motivos".

Se Sêneca estava horrorizado, então por que não foi embora? Como podia participar de tamanho constrangimento?

Uma explicação é o medo. Durante toda a vida, ele vira imperadores assassinarem e banirem impunemente. Sentira a injustiça na pele mais de uma vez. A vingança imperial pairava sobre ele. Como relata Dião Cássio, "após a morte de Britânico, Sêneca e Burro não mais se dedicavam às questões públicas, e se deram por satisfeitos por poderem administrá-las com moderação e ainda preservar a vida". Talvez ele tivesse pensado, como as pessoas fazem hoje em dia a respeito de líderes imperfeitos, que poderia fazer o bem *através* de Nero. Sêneca sempre procurou o lado bom das pessoas, mesmo em alguém tão obviamente mau quanto Nero. "Sejamos gentis uns com os outros", escreveu certa vez. "Somos apenas pessoas más vivendo entre pessoas más. Só uma coisa pode nos trazer a paz: um pacto de clemência mútua." Apesar de seus defeitos, talvez ele tenha visto algo em Nero, alguma bondade, que se perdeu no registro da história.

Ou talvez seu medo muito verdadeiro e esses pontos cegos tenham sido agravados pelas tentadoras vantagens da posição de Sêneca. Segundo o ditado, é difícil fazer alguém enxergar quando seu salário depende de que a pessoa *não* enxergue.

Sêneca enriqueceu e continuou a enriquecer sob o regime de Nero. Em poucos anos acumulou, principalmente por presentes de seu líder, uma fortuna de cerca de trezentos milhões de sestércios. Ele foi, sem dúvida, o estoico mais rico do mundo, possivelmente o mais rico que já existiu. Uma fonte observa que Sêneca possuía cerca de *quinhentas* mesas idênticas de madeira cítrica com pernas de marfim, apenas por puro deleite. É uma imagem estranha, um filósofo estoico — descendente da escola frugal de Cleantes — dando festas no estilo de Gatsby financiadas pelos presentes de seu imperador assassino.

Embora a arte em geral apresente Sêneca com um corpo esguio e forte, sua verdadeira aparência sobrevive apenas sob a forma de uma estátua, datada do século III, que na verdade é um busto duplo de Sêneca e Sócrates. Sêneca amava Sócrates, maravilhando-se com o fato de que "havia trinta tiranos ao redor de Sócrates, e ainda assim eles não conseguiram quebrantar seu espírito". Ambos trajam a toga clássica dos filósofos. Curiosamente, a de Sócrates envolve os dois ombros, enquanto o ombro direito de Sêneca está descoberto — talvez uma referência ao seu discurso sobre a necessidade de um homem perceber quão pouco necessita para ser feliz, pois são "as coisas supérfluas que desgastam as nossas togas". Mas a imagem também revela Sêneca como um homem mais velho que, evidentemente, desfrutou sua cota de banquetes suntuosos e engordara a serviço de Nero.

Muito do que sabemos sobre a opulência e a fortuna de Sêneca chegou até nós por um homem chamado P. Suílio, um senador romano cuja irritação com Sêneca vinha da suspeita de que o filósofo estivesse por trás do renascimento da *Lex Cincia*, uma lei cuja cláusula exigia que os advogados defendessem casos sem compensação. Embora a motivação de Suílio fosse suspeita a ponto de mais tarde ser condenado por graves acusações criminais e ser banido de Roma, havia ao menos alguma verdade em seus ataques escritos à hipocrisia de Sêneca. Até mesmo a resposta de Sêneca — em seu ensaio *Sobre a vida feliz* — parece estabelecer um padrão em que ele obviamente falhou:

Parem, portanto, de proibir aos filósofos a posse de dinheiro; ninguém condenou a sabedoria à pobreza. O filósofo pode ter ampla riqueza, mas esta não terá sido arrancada de ninguém, nem manchada com o sangue de outra pessoa — riqueza adquirida sem dano a qualquer homem, sem negociação vil, e o gasto dela não será menos digno do que foi a sua aquisição; não fará nenhum homem reclamar, exceto o rancoroso.

Catão era rico. Cícero também. No entanto, nenhum deles enriqueceu servindo a alguém tão detestável quanto Nero. Ário e Atenodoro foram generosamente recompensados por seus serviços a Augusto... mas Augusto não matou a própria mãe. Catão emprestou a amigos boa parte de seu dinheiro, sem juros, e não parecia interessado em aumentar sua fortuna em benefício próprio. "Qual é o limite adequado para a riqueza?", perguntaria Sêneca mais tarde, retoricamente. "É, primeiro, ter o que é necessário e, segundo, ter o que é suficiente."

É evidente que ele tinha dificuldade com o conceito de *suficiente*. Ao longo de vários anos, emprestou algo como quarenta milhões de sestércios com altos juros para a colônia britânica de Roma. Foi uma jogada financeira agressiva e, quando a colônia entrou em colapso por causa da dívida, eclodiu uma rebelião brutal e violenta que acabou por ser reprimida pelas legiões romanas.

Sêneca disse que a riqueza de um filósofo não deveria ser manchada de sangue, mas é difícil não ver os respingos vermelhos na dele.

Por que Sêneca não conseguiu se conter? É estranho dizer que seu talento e seus brilhantismo eram os culpados, mas essa é a verdade — da mesma forma que para tantas pessoas ambiciosas que acabam acumulando fama e fortuna controversas. Ele foi preparado para a grandeza desde o nascimento, e tinha a expectativa de se tornar um homem importante de seu tempo. Aproveitou todas as oportunidades que a vida lhe deu e tentou tirar o melhor proveito delas, perseverou em dificuldades que teriam arrasado qualquer um que não fosse estoico, e também desfrutou bons momentos. Não reclamou, seguiu em frente, continuou servindo, continuou tentando fazer a diferença e fazer o que fora treinado para fazer. O que ele nunca fez foi parar e se questionar, nunca se perguntou para onde aquilo o estava levando; e se valia a pena.

Por volta de 62 d.C., ficou mais difícil negar as concessões que era forçado a fazer diariamente no mundo de Nero. Talvez tenha havido algum episódio desconhecido por nós que o arrancou de seu estupor. Talvez a consciência moral que ele aprendeu com Átalo tenha, enfim, vencido a batalha contra seu desejo de ser bem-sucedido.

Finalmente, *finalmente*, Sêneca tentou se retirar. Sabemos que ele não confrontou Nero. Isso teria sido demais. Não há evidências de uma renúncia baseada em princípios, como a feita pelo secretário de Defesa James Mattis ao então presidente Donald Trump, quando usou uma base estoica para discordar em relação à política do presidente na Síria. Em vez disso, Sêneca se encontrou com o imperador e tentou inutilmente convencer Nero de que ele não precisava mais de seus serviços, de que estava velho e com a saúde debilitada, pronto para se aposentar. "Não consigo mais suportar o peso de minha fortuna", disse ele a Nero. "Imploro por ajuda." Ele pediu a Nero que tomasse posse de todas as suas propriedades e riquezas. Queria ir embora sem amarras para desfrutar a aposentadoria.

Não seria tão fácil.

Ele sujara as mãos de sangue para obter aquele dinheiro, e haveria sangue para se livrar dele.

Poucos dias depois desse encontro, Nero assassinou outro inimigo.

Em 64 d.C., o Grande Incêndio atingiu Roma e, impulsionado por fortes ventos, destruiu mais de dois terços da cidade. Espalhou-se o boato de que havia sido Nero quem ateara o fogo, ou, ao menos, permitira que a capital ardesse por seis dias para poder reconstruí-la da forma que desejava. Sua reputação de homem frívolo e psicopata era terreno fértil para tais teorias da conspiração, e assim, pensando rápido, Nero encontrou um bode expiatório: os cristãos. Não sabemos quantas prisões e execuções ele ordenou, mas um deles foi um brilhante filósofo de Tarso — o mesmo território intelectual que gerara Crisipo, Antípatro e Atenodoro — que, durante o reinado de Cláudio, escapara da morte graças ao irmão de Sêneca. Saulo de Tarso, que hoje conhecemos como São Paulo, foi acrescentado à pilha de corpos de Nero.*

Enquanto o sangue fluía e o fogo queimava, Sêneca poderia sentir algo além de culpa? *Tyrannodidaskalos* — professor tirano. Era assim que o chamavam. E era verdade, não é mesmo? Não foi isso que ele fez? Ele não moldara o homem que Nero agora mostrava ser? No mínimo, era difícil argumentar que Sêneca não emprestara credibilidade e proteção ao regime de Nero. Talvez Sêneca tenha sentido desespero naqueles dias sombrios — aquilo que ele tentou conter por tanto tempo agora saía do controle.

---

* O irmão de Sêneca, Novato, aparece sob seu nome adotivo, Gálio, no Novo Testamento (Atos 18: 12-17).

"Passamos nossa vida servindo ao tipo de Estado ao qual nenhum homem decente deveria servir", disse um dos estoicos em *O sangue dos mártires*, o impactante romance de Naomi Mitchison publicado em 1939 sobre a perseguição aos cristãos na corte de Nero. "E agora temos idade suficiente para enxergar o que fizemos."

Séculos antes de Sêneca, na China, Confúcio fora professor e conselheiro de príncipes. Ele percorrera a mesma estrada que Sêneca, tentando ser um filósofo dentro do mundo pragmático do poder. Seu princípio de equilíbrio era o seguinte: "Quando o Estado tem o Caminho, aceite um salário; quando o Estado está fora do Caminho, aceitar um salário é vergonhoso." Sêneca demorou muito mais do que Confúcio para chegar a tal conclusão. É indesculpável — a vergonha era evidente na *primeira vez* em que o imperador tentara matar a própria mãe... ou ao menos deveria ter sido evidente para alguém treinado na virtude.

Mas não era assim que Sêneca via as coisas, ao menos não pelos quase quinze anos que passou na corte de Nero. Com o tempo, ele viria a repetir Confúcio ao escrever que quando "o Estado está podre além da salvação, se o mal tem domínio total sobre ele, o homem sábio não trabalhará em vão ou desperdiçará seus talentos em esforços inúteis".

Mas foi exatamente isso que ele fizera por muito tempo. Retirando-se o melhor que pôde, Sêneca voltou-se por completo para a escrita. Em um ensaio notável intitulado *Sobre o lazer*, publicado após sua aposentadoria, ele parece em conflito com as próprias experiências complicadas. "O dever de um homem é ser útil aos seus semelhantes", escreveu, "se possível, ser útil a muitos deles; falhando nisso, ser útil a alguns; falhando nisso, ser útil aos seus vizinhos; e, falhando com eles, ser útil a si mesmo: pois ao ajudar os outros, ele promove os interesses gerais da humanidade."

Apenas tardiamente ocorreu a um trabalhador como Sêneca que também se pode contribuir com seus concidadãos de maneira discreta — por exemplo, escrevendo ou simplesmente sendo uma boa pessoa em casa. "Estou trabalhando para as gerações futuras", explicou ele, "escrevendo algumas ideias que podem lhes ser úteis... Indico para outros homens o caminho certo, que encontrei tarde na vida... Eu clamo a eles: 'Evitem tudo o que agrada à multidão: evitem as dádivas do acaso!'" O próprio Sêneca notaria a ironia de que, ao se comunicar com as gerações futuras, estava "fazendo mais bem do que quando apareço como advogado no tribunal ou carimbo meu selo sobre um testamento ou presto assistência ao Senado".

A forma primária desse serviço veio no formato de cartas filosóficas, destinadas não apenas a seu amigo Lucílio, a quem eram endereçadas, mas também dirigidas a um público mais amplo. Se não conseguia impactar diretamente os acontecimentos em Roma, imaginou, poderia ao menos alcançar as pessoas pela escrita — isso também ajudaria a assegurar a reputação "imortal" que ainda almejava. Sendo bem-sucedido em ambos os casos, esta coleção, conhecida como *Cartas morais*, ainda vende muitos milhares de cópias por ano em incontáveis idiomas.

Assim como Cícero, Sêneca passaria três anos (62-65 d.C.) finalizando suas cartas e seus livros, um fato pelo qual o mundo literário lhe é eternamente grato. Podemos imaginá-lo feliz pela comparação com um colega tão ilustre, pensando até em como seria a encenação de sua aposentadoria. Também foi uma jogada inteligente — voltar-se para a escrita era uma maneira conveniente de ficar longe do temperamento cada vez mais volátil de Nero. "Meus dias têm esse único objetivo, assim como as minhas noites", escreveu ele, "esta é minha tarefa e meu estudo: pôr fim a velhos males... Antes de envelhecer, me preocupava em viver bem; na velhice, me preocupo em morrer bem." Infelizmente, muito do trabalho de Sêneca antes e depois desse período se perderia. Emily Wilson estima que mais da metade de seus escritos não sobreviveu, incluídos todos os seus discursos políticos e cartas pessoais, assim como obras sobre a Índia e o Egito.

Apesar de todo o perigo iminente, aquele foi, para ele, um período de alegria e criatividade. Sêneca escreveu sobre sentar-se em seus aposentos acima de um ginásio movimentado, desligando-se de todo o barulho e concentrando-se apenas em sua filosofia. Escreveu sobre o processo de, com o tempo, se tornar um amigo melhor para si mesmo — uma admissão, talvez, de que a sua ambição possa ter sido alimentada por um sentimento inicial de não ser suficiente, de não valer muito. Ele disse em uma carta que apenas aqueles que encontram tempo para a filosofia vivem de verdade. Bem, agora ele estava de fato fazendo isso, e estava bastante vivo. A cada dia, como escreveu em seu exílio na Córsega, "posso argumentar com Sócrates, duvidar de Carnéades, encontrar a paz em Epicuro, conquistar a natureza humana com os estoicos e superá-la com os cínicos".

Sêneca também falou da filosofia como uma forma de se olhar no espelho, de apagar as próprias falhas. Embora não tenhamos evidências de que ele questionou diretamente seu trabalho com Nero em seus escritos — servir fazia parte de seu código político, como nos dias de hoje seria para o general Mattis—, podemos dizer que ele lutou bastante contra o próprio desenrolar de sua vida. O mais próximo que Sêneca chegaria de se referir a uma figura como Nero seria em uma peça que escreveu chamada *Tiestes*, uma história sombria e perturbadora sobre dois irmãos lutando pelo reino de Micenas.* É impossível ler a obra hoje e não a ver como uma espécie de diálogo entre Sêneca e Nero, um alerta contra a tentação do poder e as coisas inomináveis que os seres humanos fazem uns contra os outros ao buscá-lo.

A linha mais reveladora da peça faz uma afirmação que Sêneca aprendeu a duras custas: "Os crimes muitas vezes voltam para o seu professor."

E foi o que aconteceu.

Ele escreve em *Tiestes*: "É um vasto reino ser capaz de viver sem um reino." Isso também ele experimentava na própria pele. Pela terceira vez na vida, Sêneca perdera quase tudo. Ele acreditava, como agora escreveria a Lucílio, que "o maior império é ser imperador de si mesmo".

Foi uma constatação bastante tardia.

Sêneca descobriria novamente que a filosofia não existia apenas no mundo etéreo ou apenas nas páginas de seus escritos. Tácito relata que a primeira tentativa de Nero de assassinar Sêneca — de novo pelo uso de veneno — foi frustrada pela dieta parca do filósofo. Era difícil matar alguém tão afastado de sua antiga vida de opulência, que comia principalmente frutas silvestres e bebia água de um riacho borbulhante. Mas mesmo essa prorrogação durou pouco.

---

* Na Idade Média, pensava-se que Sêneca, o dramaturgo, era uma figura inteiramente separada de Sêneca, o filósofo. James Romm maravilha-se com o alcance de Sêneca: "É como se Emerson tivesse tirado uma folga de escrever seus ensaios para compor a ópera *Fausto*." Isso está incompleto. É como se Emerson fundasse o transcendentalismo, escrevesse *Fausto* e atuasse como vice-presidente de Lincoln.

Em 65 d.C., conspiradores, entre eles um senador estoico chamado Trásea (ver TRÁSEA, O DESTEMIDO) e o filho de seu irmão, Lucano, começaram a tramar contra a vida de Nero. Sêneca não estava diretamente envolvido, não da forma como Catão ou Bruto estiveram, mas ao menos ele era mais corajoso do que Cícero. Segundo um boato, os conspiradores planejavam colocar Sêneca de volta no comando após a morte de Nero. Seu envolvimento é suficiente para redimi-lo? Será uma prova de que ele finalmente estava disposto a romper de maneira irreversível com o monstro que ajudara a criar? Quando a conspiração falhou, Sêneca arriscou a vida para tentar encobrir os participantes mais ativos.

Essa escolha selou seu destino. Nero, um covarde como Hitler em seus últimos dias, enviou capangas para exigir o suicídio de Sêneca. Não haveria clemência, apesar do ensaio que Sêneca escrevera para seu aluno tantos anos antes.

A vida de Sêneca fora um labirinto complexo de contradições, mas, com o fim próximo, ele conseguia reunir a coragem e a lucidez que havia muito lhe escapavam. Ele pediu algo para escrever seu testamento e seu pedido foi rejeitado. Então, virou-se para os amigos e disse que poderia deixar para eles a única coisa que importava: sua vida, seu exemplo. Foi de partir o coração, e todos caíram em lágrimas quando ele proferiu essas palavras.

Pareceria absurdo dizer que Sêneca ensaiara para esse momento, mas, de certa forma, ensaiou. Todos os seus escritos e filosofias, como disse Cícero, haviam conduzido à morte, e, agora, ela chegara. Ele aproveitou a oportunidade para praticar o que pregara por tanto tempo. "Onde estão as suas máximas filosóficas ou a reparação de tantos anos de estudo contra os males que virão?", repreendeu gentilmente seus amigos que lamentavam, bem como a própria história. "Quem não conheceu a crueldade de Nero? Depois do assassinato da própria mãe e de um irmão, nada resta a não ser acrescentar a destruição de um guardião e mestre."

Não muito antes, ele escrevera a Lucílio dizendo que, embora fosse verdade que um tirano ou um conquistador poderia nos condenar à morte quando bem entendesse, na verdade esse não era um grande poder. "Acredite em mim", disse ele, "você está sendo encaminhado para esse destino desde o dia em que nasceu." Sêneca acreditava que, se quisermos "ficar calmos enquanto esperamos a última hora", nunca devemos deixar o fato de nossa mortalidade escapar de nossa consciência. Fomos condenados à morte ao nascer. Para Sêneca, tudo que Nero fazia era adiantar a linha do tempo. Com isso em mente, ele então poderia abraçar a esposa, Paulina, e pedir a ela, calmamente, que não sofresse muito e que continuasse a viver sem ele.

Como tantas outras mulheres estoicas, ela não se contentava em fazer o que lhe era ordenado. Em vez disso, decidiu acompanhar o marido. Cortando as artérias em seus braços, o casal começou a perder sangue. Os guardas — aparentemente sob as ordens de Nero — correram para salvar Paulina, que viveria ainda vários anos.

Para Sêneca, a morte não veio tão facilmente quanto ele esperava. Sua dieta parca parecia ter diminuído seu fluxo sanguíneo. Por isso, ele bebeu de bom grado um veneno que guardara precisamente para aquela ocasião, mas não antes de derramar uma pequena libação aos deuses. Será que nesse momento teria se lembrado de algo que Átalo dissera havia muito tempo? Que "a maldade bebe a maior parte de seu próprio veneno"? Isso estava se mostrando verdadeiro para Sêneca e, em breve, também se revelaria verdadeiro para Nero.

O homem que tanto escrevera sobre a morte estava descobrindo, com ironia, que a morte não lhe vinha de bom grado.* Será que isso o deixou frustrado? Ou ele já estava pensando na história, sabendo que o destino prolongava a cena a respeito da qual tanto meditara? Quando o veneno não funcionou, Sêneca foi levado para um banho de vapor, em que o calor e o ar denso por fim o mataram. Existe todo um gênero de pinturas da morte de Sêneca, e até versões feitas por Peter Paul Rubens e Jacques-Louis David. Invariavelmente, parecem retratá-lo como talvez Sêneca desejasse ser visto, não mais gordo e rico, mas novamente magro e digno. Todos os outros na sala estão histéricos, mas Sêneca está calmo — o estoico ideal que não pôde ser em vida — enquanto deixa nosso mundo.

Pouco depois, seu corpo foi descartado sem alarde, sem ritos fúnebres, um pedido que ele fizera muito antes e, para Tácito, era a prova de que, como um bom estoico, "mesmo no auge de sua riqueza e poder ele pensava no fim de sua vida", bem como em seu legado eterno.

Mas tudo o que conquistara em vida se perdeu, exceto os livros que hoje temos. Um ano depois, Nero também mataria o irmão de Sêneca, pois os crimes não voltam apenas para os seus professores, mas também para as pessoas e coisas que eles amam.

---

* Em 2018, James Romm traduziria uma seleção de escritos de Sêneca intitulados *Como morrer*.

CORNUTO, O COMUM

NASCIMENTO: 20 D.C.

MORTE: 68 D.C.

ORIGEM: LÍBIA

Dizia-se em Roma que "nem todos nasceram para ser Catão". Isso significava que poucos tinham sua constância e coragem absolutas e sobre-humanas. Mas outra maneira de interpretar essa expressão pode ser: nem todos alcançarão uma fama expressiva. Nos tempos modernos, os filósofos se conectam ao conceito de "sorte moral" — como a época em que nascemos e as situações em que nos encontramos determinam nosso futuro heroísmo.

Lúcio Aneu Cornuto acabou sendo um estoico assim — não um Catão ou Agripino, mas um homem comum em tempos extraordinários que fez o melhor que pôde. Nascido por volta de 20 d.C., na Líbia, Cornuto era fenício, assim como o fundador estoico Zenão, mas o impacto que deixou foi muito mais próximo ao do segundo Zenão do que do primeiro. Ele acabou vindo para Roma sob os auspícios da família de Sêneca — daí o nome Aneu —, muito provavelmente por meio de seu irmão Mela, uma vez que Cornuto educou o filho dele, Lucano.

Com uma ampla compreensão de diversos tópicos, entre eles, ortografia, teologia, gramática, retórica, linguística, lógica, física e ética, Cornuto era uma figura imponente. Sua reputação era tal que, em 48 d.C., o imperador Cláudio seguiu seu conselho e acrescentou uma nova letra ao alfabeto romano (o digama, que parecia um *f* e soava como *w*). Não nascemos para ser Catão, todos os nossos feitos são efêmeros, mas introduzir uma nova letra no alfabeto é muito legal.

Deve ter sido estranho para a família de Sêneca ver um estoico como Cornuto prosperar em Roma sob o mesmo imperador que exilara para tão longe os seus amados filho e irmão. De qualquer maneira, Cornuto parecia se manter longe de confusão e focado nos livros. Seu amigo, o poeta Pérsio, escreveu com carinho sobre "passar longos dias... e aproveitar o início das noites" com Cornuto, trabalhando e relaxando juntos com "seriedade a uma mesa restrita". Eles estavam, afirmou, "em harmonia com um vínculo permanente e guiados por uma única estrela". É uma bela imagem que vale a pena ser lembrada sempre que você ouvir que os estoicos não tinham alegria, amizade ou diversão.

Em 62 d.C., Pérsio morreu tragicamente jovem, e Cornuto herdou dele uma enorme biblioteca, que incluía os setecentos volumes completos dos livros de Crisipo, assim como uma grande quantidade de dinheiro. Cornuto devolveu o dinheiro às irmãs de seu amigo, e disse a elas que os livros lhe eram mais do que suficientes.

Entretanto, na época em que Nero assumiu o poder, até o mais inocente e estudioso dos filósofos foi incapaz de não ofender o melindroso imperador. Júlio César tivera senso de humor. Augusto amava as artes. Roma estava longe de precisar sobreviver a um imperador como aquele. Ao editar alguns dos poemas do falecido Pérsio, Cornuto tomou o cuidado de alterar um verso que comparava as orelhas de Nero às de um asno. Foi uma concessão que Agripino jamais teria considerado. Cornuto acreditava não ter escolha.

O problema com a conciliação é que nunca funciona. Nero logo encontrou outra coisa com a qual se ofender. Dião Cássio relata que Nero, assim como seu padrasto, procurara o conselho de Cornuto, especificamente a respeito de uma história épica que planejava escrever sobre Roma. Como explicou grandiosamente, Nero planejava narrar a história de Roma em quatrocentos volumes. Cornuto advertiu-o de que era excessivo. Um dos capangas de Nero exigiu uma explicação — Crisipo não escrevera mais do que isso? O próprio Cornuto não possuía essa coleção? Como ele podia dizer uma coisa dessas? Não é uma comparação justa, respondeu Cornuto, pois os estoicos escreviam para "ajudar a conduzir a vida dos homens".

Talvez Cornuto soubesse como essa observação seria interpretada, ou talvez o tenha dito com a ignorância de um acadêmico em relação às sutilezas da arte da corte, mas o resultado foi o mesmo. Dizem que Nero precisou se conter para não mandar executar na mesma hora aquele filósofo atrevido.

Em vez disso, decidiu bani-lo.

Para onde e quando Cornuto foi enviado — para uma ilha não especificada por Dião Cássio, em algum momento entre 66 e 68 d.C. — e que fim ele levou ficou perdido no registro histórico. Sua resistência à tirania não foi tão heroica quanto a de Catão ou daqueles que conspiraram contra Nero, e sua capacidade de lidar com a política tensa de seu tempo certamente foi menos impressionante do que a de Sêneca, mas seu fim ajudou a dar uma pequena contribuição para a ascensão da oposição estoica.

A reação flagrantemente exagerada de Nero a um deslize tão insignificante ajudou a fortalecer os planos de Trásea e Lucano, ex-discípulo de Cornuto. Não temos como situar os fatos à risca, mas, se Sêneca ainda estava por perto quando Cornuto e Nero entraram em conflito, isso deve ter pesado muito para ele. Seu aluno estava banindo o professor de seu sobrinho, assim como Átalo fora banido em sua infância. Uma coisa era Nero eliminar os membros da própria família, mas agora ele estava atacando alguém próximo à família de Sêneca.

Para quem estava próximo, era evidente que a insanidade de Nero ficava cada vez mais difícil de ser ignorada.

Enquanto isso, Cornuto caiu na obscuridade, não muito diferente de Rutílio Rufo, longe de casa, mas, ao mesmo tempo, por sorte afastado da carnificina de um Estado que se despedaçava.

CAIO RUBÉLIO PLAUTO, O HOMEM QUE NÃO SERIA REI

NASCIMENTO: 33 D.C.
MORTE: 62 D.C.
ORIGEM: TIVOLI

Por gerações, os estoicos estiveram muito próximos do poder. Em Atenas, eles foram os melhores e mais brilhantes diplomatas e professores. Na República, foram generais e cônsules. Desde Ário e Atenodoro, vinham sendo os conselheiros dos jovens príncipes do Império.

Mas nenhum chegou a ser um soberano. Caio Rubélio Plauto, nascido em 33 d.C., foi o primeiro estoico com sangue real. Bisneto de Tibério por parte de sua mãe, Júlia, e tataraneto de Augusto devido à adoção de Tibério, ele estava na linhagem do trono que era rival à linhagem Júlio-Claudiana.

No entanto, apesar de sua riqueza e de seu sangue nobre, somos informados de que Plauto viveu uma vida austera e tranquila. Seu estudo de filosofia o tornara uma alma antiga, uma encarnação viva do arcaico *mos maiorum*, alguém que impunha o respeito entre todos que o conheciam. Ele não ansiava por poder; não abusou de sua riqueza. Caio Rubélio Plauto foi, dessa forma, um grande contraste não apenas em relação a seu bisavô Tibério, mas a quase todos os imperadores que os sucederiam.

Ele seria o primeiro imperador estoico? O rei filósofo de quem Platão falara tanto tempo atrás?

Era possível, mas não seria um caminho fácil. Da mesma forma que Catão parecia criar inimigos involuntariamente — sua virtude representando uma repreensão natural aos corruptos e aos tirânicos —, Plauto estava, por sua natureza, fadado a entrar em conflito com Nero. Ambos de nascimento nobre, eram opostos completos. Um, pelo incentivo da mãe, tinha grandes ambições. O outro desejava continuar com os estudos e viver de acordo com seu código interior. Um estava disposto a fazer qualquer coisa — não importando quão perversa — para alcançar seus objetivos. O outro não faria nada para trair os seus.

Não é nenhuma surpresa que Nero tenha começado a tramar contra seu terceiro primo, ou que sua paranoia visse nesse homem um rival. Deve ter sido óbvio para todos, até Plauto. Primeiro, Nero assassinou seu meio-irmão, Britânico, depois que a mãe, Agripina, ameaçou ficar do lado de Britânico caso Nero não tomasse jeito. Então, espalhou-se o boato de que Agripina talvez se casasse com Plauto para substituir Nero no trono. Verídico ou não, esse foi o pretexto usado por ele para expulsar a mãe de Roma, fixando em sua mente a ideia de que deveria matar a mulher que o gerara.

Embora os estoicos tivessem escrito sobre os perigos das superstições e da crença em tolos sinais sobrenaturais, Sêneca decerto falhou na tentativa de incutir essa lição em Nero. Entre agosto e dezembro de 60 d.C., um cometa incrivelmente brilhante se estendeu pelo céu acima de Roma, como nenhum outro jamais visto. Era um presságio, acreditava-se, de que ocorreria uma mudança na monarquia. Nero seria substituído. Na mesma época, Tácito nos conta que um tremendo raio atingiu a mesa de jantar na enorme mansão de Nero à beira do lago em Sublaquaeum. Devido à proximidade com o local de nascimento de Plauto, Nero e os convidados consideraram aquilo um agouro perigoso: Plauto substituiria Nero.

O estoico se tornaria rei.

Será mesmo?

Em resposta, Nero tentou algo pouco característico: simplesmente escreveu a Plauto dizendo que Roma seria mais pacífica caso ele partisse para as propriedades de seu avô Druso, na Ásia. Talvez essa pequena e incomum moderação — ao menos em um assunto mais grave do que mesquinho — tenha sido resultado da intervenção de Sêneca, um dos últimos resquícios de influência moral que ele foi capaz de exercer. Plauto decidiu que era uma oferta irrecusável.

Então, acompanhado da esposa, Antistia, e dos filhos, e levando consigo "alguns de seus amigos íntimos", seguiu para o exílio na Síria. Tácito sugere que o grande mestre estoico Musônio Rufo, que aconselhou Plauto, na Síria, "a ter coragem e esperar pela morte", acompanhou-o no exílio, onde Plauto tentou se ocupar com a filosofia. Cícero popularizou a história da "Espada de Dâmocles" — a ameaça de morte e insurreição —, que intimidava todos os reis. Foi assim para Plauto... sem o benefício da parte de realmente ser um rei.

Mas é para isso que o estoicismo nos treina: sermos capazes de nos concentrarmos mesmo nas situações mais perturbadoras, sermos capazes de nos desligarmos de tudo e de qualquer coisa — até mesmo da morte próxima— de modo a nos concentrarmos no que importa.

Com Sêneca fora de cena, Nero estava solto no mundo e, como nos dias de hoje, políticos ambiciosos e com interesses a curto prazo procuraram manejar aquele homem volátil para fins próprios. Uma dessas figuras, Tigelino, alimentou a paranoia de Nero para eliminar inimigos e manter Roma em estado de caos. Tácito o descreve sussurrando a Nero: "Plauto, com sua grande fortuna, nem mesmo demonstrou o desejo pela paz. Em vez disso, não contente em desfilar como se fosse um dos antigos romanos, assumiu a arrogância estoica e o manto de uma seita que inculcou sedição e apetite pela política."

Era tudo o que Nero precisava ouvir: a ordem para executar Plauto foi decretada.

Parte do que motivou Nero deve ter sido o conhecimento de que muitas pessoas teriam apoiado Plauto caso ele resolvesse de fato agir de acordo com as ambições que Nero projetava nele. De qualquer forma, este é nosso medo mais profundo: que as pessoas que odiamos sejam realmente melhores do que nós, e que as detestemos não porque são inferiores, mas porque têm algo que nos falta.

Havia uma ironia no ataque de Nero a Plauto que ele não teria compreendido, mas que Sêneca previra havia tempos. Como escreveu em Édipo: "Aquele que se entrega a medos vazios recebe medos reais." Plauto não tinha planos de tomar o trono, mas agora Antíscio Veto, o sogro de Plauto, escrevera para ele incitando-o a reunir seus homens e pegar em armas. Outros aconselharam o mesmo. Demorou algum tempo para os assassinos chegarem à Ásia, tempo suficiente para que se espalhassem rumores de que Plauto de fato se rebelara em defesa própria. A revolução parecia próxima.

Mas esse não era o estilo de Plauto. Embora tivesse dinheiro para financiar um exército inteiro, ele optou por não o fazer. Talvez preferisse ser vítima de um tirano a ser responsável por outra guerra violenta na qual inúmeras pessoas morreriam. Talvez tenha sido o conselho de Musônio a convencê-lo: "Escolha morrer bem enquanto é possível, pois em breve pode ser necessário que você morra, ainda que morrer bem não seja mais possível."

Imperturbável quanto aos apelos para começar uma guerra civil, Plauto preparou-se para o fim. O estoico não seria rei. Ele nem chegaria a completar trinta anos.

Como Agripino antes dele, Plauto se recusou a permitir que a ameaça de morte o dissuadisse de sua rotina diária. Foi em uma tarde tranquila em 62 d.C., enquanto se preparava para se exercitar, que os assassinos de Nero chegaram. Eles nem mesmo lhe ofereceram a dignidade do suicídio. Um centurião matou o jovem filósofo enquanto um eunuco da corte observava para confirmar que a ação fora executada. Juntos, trouxeram de volta a cabeça decepada como prova.

A depravação de Nero atingira níveis sádicos. Segurando a cabeça de Plauto diante de uma plateia, ele se referiu a si mesmo na terceira pessoa: "Nero, por que você temia um homem com um nariz desses?" Sem se dar por satisfeito com a humilhação, escreveu ao Senado para informá-los de que Plauto era uma figura instável que ameaçara Roma (lembre-se da tática da época de Rutílio Rufo: acuse o homem bom exatamente daquilo que você, homem mau, é culpado). Nero não teve coragem de assumir o próprio trabalho sujo, mas exigiu crédito por manter a paz.

Talvez não possamos culpar Sêneca — que nessa época tentava se aposentar da vida pública — por ter capacitado Nero, pois isso era evidentemente endêmico à época. O Senado acatou a difamação de Nero e fez melhor: tomou a decisão de expulsar Plauto de suas fileiras postumamente, apenas para agradar ao rei petulante. Algumas semanas depois, Nero se divorciou da esposa, deixando para ela a propriedade confiscada de Plauto no acordo de separação, e se preparou para se casar outra vez.

Embora Sêneca — inexplicavelmente — ainda parecesse não ter visto o suficiente e permanecesse a serviço de Nero por mais alguns anos, Trásea, um dos poucos estoicos restantes em Roma, encarnou Agripino e se recusou a comparecer ao casamento.

Nero inventou um inimigo em Plauto e ganhou um verdadeiro em Trásea. Agora ele teria alguma coisa — e alguém — a quem temer.

TRÁSEA, O DESTEMIDO

NASCIMENTO: 14 D.C.

MORTE: 66 D.C.

ORIGEM: PÁDUA

Trásea Peto era um homem em descompasso com seu tempo. Nascido em Pádua na época da morte de Augusto, pertencia a uma família rica e nobre. Como era comum nas histórias de muitos estoicos romanos, ele teve os melhores e mais respeitados tutores que lhe incutiram o talento para a retórica, para a lei e, acima de tudo, para uma vida baseada em princípios.

Enquanto outros estoicos descobriram maneiras de se ajustar à mudança dos tempos ou saíram na hora certa, Trásea era um senador à moda antiga. Fazia décadas desde que a coragem e o comprometimento de Catão tinham impactado Roma, mas era tão profundo o amor de Trásea pela história e a filosofia que as figuras do passado distante da República eram quase vivas e reais para ele. Assim como o oráculo dissera a Zenão que ele podia se comunicar com os mortos — por meio da filosofia —, Trásea também podia.

Sêneca escreveria tempos depois sobre como os filósofos precisavam "escolher um Catão [para si]" — uma pessoa que serviria como uma espécie de régua para que pudessem se medir e se apoiar. Plutarco relata que, desde muito jovem, Trásea escolhera

Catão como seu Catão, e chegou inclusive a escrever um livro sobre ele.

Trásea provavelmente também se inspirou no Círculo Cipiônico — cuja descrição teria lido nos escritos de Cícero —, uma vez que sabemos que a casa de Trásea se tornou um ponto de encontro de poetas, filósofos e políticos com ideias semelhantes. Assim como as mesas de Catão e Cipião, sua mesa de jantar era palco de longas discussões sobre virtude e dever e, infelizmente, o preocupante estado de coisas de sua amada pátria. Em qualquer noite, muitos dos estoicos que encontraremos mais adiante neste livro poderiam ser vistos na casa de Trásea — desde Sêneca a Helvídio Prisco —, da mesma forma como estariam presentes os fantasmas dos estoicos que os precederam.

A família de sua esposa também trazia seu relevante legado para a mesa: como Pórcia, sua esposa descendia de uma imponente linhagem estoica. Em 42 d.C., sua sogra cometera suicídio por ordem do imperador Cláudio. As últimas palavras dela para o marido — que foi forçado a seguir o exemplo — foram: "Está vendo? Nem dói."

Com toda essa agitação em torno de Trásea — as primeiras influências, os amigos filósofos, o profundo compromisso com o bem público —, era improvável que ele algum dia baixasse a cabeça por medo de represálias, não importava quem fosse o imperador. Mas Nero? Tudo na vida de Trásea tornava impossível que ele o tolerasse como seu soberano. Ele simplesmente não era capaz de aceitar aquilo em que Roma se transformara — e seria bastante destemido em sua rejeição ao *statu quo*.

À medida que a carreira senatorial de Trásea evoluía, e assim como Rutílio Rufo e Catão, ele usou seu poder para levar adiante casos de extorsão. Em 57 d.C., Trásea deu todo o apoio a um caso apresentado por enviados cilicianos que foram a Roma acusar de extorsão seu ex-governador, Cossutiano Capito. Nas palavras de Tácito, Capito "era um homem com um histórico de muita maldade" e, de fato, alguém que abertamente abraçara a própria corrupção. No julgamento, ele não se deu ao trabalho de se defender e foi condenado e destituído do cargo de senador.

Em um ambiente político são, isso teria sido o fim da carreira de Capito, mas a Roma sob o jugo de Nero não era sã. Em apenas alguns anos, a posição de Capito foi restaurada e, de algum modo, ele começou a promover processos civis *contra* outras pessoas, entre elas, um contra um poeta que criticara Nero. O Senado condenou o poeta à morte, mas foi impedido pela intervenção de Trásea, que, assim como Sêneca em sua famosa obra *De Clementia*, defendeu a misericórdia e a moderação. Nero concordou, mas é de se supor que não tenha ficado muito feliz, já que não costumava deixar impunes nem mesmo as críticas mais insignificantes.

No entanto, por mais irritante que Trásea fosse para Nero, o imperador não podia deixar de, a contragosto, respeitar a tenacidade de seu oponente. Quando, certa vez, criticaram Trásea por julgar de forma injusta um caso contra Nero — provavelmente esperando elogios do rei —, a resposta do imperador foi a repreensão pela bajulação. "Eu gostaria que Trásea fosse tão bom amigo quanto é juiz", disse Nero.

Foi inevitável que Catão e César, com suas enormes personalidades e histórias, acabassem se chocando. O mesmo ocorreu entre Trásea e Nero, um senador e um César; um contido e com princípios, o outro sem amarras e consumido pelo ego. Um exigindo meios-termos, o outro recusando-se a sequer considerar a ideia.

Em 59 d.C., quando Nero assassinou a mãe, Trásea ficou chocado. Embora Sêneca parecesse disposto a fazer vista grossa, os outros senadores colegas de Trásea fizeram ainda pior: não apenas aceitaram a explicação absurda de Nero — enviada em uma carta ao Senado, na qual ele afirmava que fora obrigado a executá-la porque ela era uma traidora que planejara matá-lo —, como também decidiram conceder-lhe honras pelo matricídio. Trásea ficou tão enojado que abandonou a sessão e se recusou a votar.

Em nossos tempos, os senadores às vezes se abstêm de votar como uma forma de proteção política — se não votarem, não serão contabilizados como contra ou a favor. A abstenção de Trásea foi algo diferente. Não foi covardia, e, sim, coragem. Ele se recusava a dignificar o mal e a corrupção descarada. Catão lutara contra César e Pompeu com obstrucionismo, mas isso foi quando Roma ainda era, ao menos nominalmente, uma República. Tudo o que Trásea podia fazer agora era tentar exercer alguma autoridade moral, dizer às pessoas: "Isso não é normal." E foi o que fez, recusando-se a consentir, recusando-se a dar seu aval, por menos que isso pudesse representar.

Ele também não tinha medo de quem pudesse vir a se ofender com isso... ou com qualquer posição que tomasse.

Ele se recusou a votar quanto às honras divinas que Nero pretendia dar à sua nova esposa, Popeia — aquela que alguns contemporâneos alegam ter sido o motivo de Nero assassinar a mãe, que não aprovava o casamento. No julgamento de Cláudio Timarco — um nobre ladrão "cuja imensa riqueza fortaleceu a opressão dos fracos", como afirmou Tácito —, Trásea foi agressivo ao exigir o exílio. Seu discurso foi "saudado com grande unanimidade", dizem, apenas para ser vetado pelo imperador, que parecia constitucionalmente incapaz de qualquer ato que servisse ao bem comum. Por três longos anos, ele se opôs abertamente a Nero, que por sua vez começou a se opor mais abertamente a ele. Em 63 d.C., Nero se recusou a aceitar a entrada de Trásea em sua casa quando este acompanhou seus colegas senadores ao palácio para parabenizá-lo pelo nascimento de sua filha.

Um estoico deve aprender a deixar de lado as causas perdidas. Sêneca percebeu isso tarde demais, bem depois de ser cúmplice na capacitação de Nero. Trásea não tinha esse sangue nas mãos. Quando o Senado permitiu que Nero rejeitasse Trásea — um de seus colegas —, ele percebeu que o Estado não tinha mais salvação. Passaria os três anos seguintes em semiaposentadoria, trabalhando em seus escritos sobre Catão e estudando a sua filosofia, dando pouca importância à sentença de morte que ele imaginava estar próxima.

Tácito relata que Nero estava simplesmente procurando o pretexto certo. Capito, o homem que Trásea expulsara do Senado anos antes, ajudou a fornecê-lo. Trásea teria se recusado a dar condolências no funeral de Popeia, em 65 d.C., ofendendo profundamente Nero e Capito (irônico, considerando que era muito possível Nero estar envolvido na morte da esposa). De qualquer modo, com "um coração ávido pela mais pura maldade", Tácito diz que as acusações de Capito visavam realizar o desejo de Nero "de matar a Virtude", eliminando um dos poucos homens em Roma que não se intimidavam com sua tirania. "O país, em sua ânsia por discórdia, agora fala de você, Nero, e de Trásea, como já falava de Júlio César e Marco Catão", sussurrou Capito com intenções desleais.

Foi uma coisa maliciosa, cruel de se dizer, mas também o maior elogio que Trásea poderia ter imaginado. Assim é a vida:

às vezes, devido à natureza de seus medos e desígnios, nossos inimigos nos fazem a maior honraria.

Trásea se recusou a dar a Nero o prazer de prejudicá-lo em segredo e escreveu-lhe diretamente: diga quais são as suas acusações e deixe-me fazer minha defesa. Nero abriu a carta esperando fidelidade, presumindo que Trásea baixaria a cabeça e imploraria por misericórdia. Em vez disso, encontrou "a independência desafiadora do homem inocente". Para Trásea, não havia outra maneira de agir.

Para o estoico, para nós, não há mais nada que valha a pena ser.

Então, como aconteceu com César e Catão, teve início um conflito fatal. Nero cruzou o seu Rubicão pedindo pela cabeça de Trásea, e o Senado, agora decadente pela ação de cinco imperadores no último século, estava mais do que disposto a apoiar o lado da tirania. Apenas Aruleno Rústico, um colega filósofo estoico, discordou e se ofereceu para vetar o decreto do Senado e salvar a vida de Trásea, que pediu para ele não intervir. "Você está no início da carreira", disse ele ao jovem. "Pense bem no caminho político que trilhará em tempos assim."* Trásea não precisava da proteção de ninguém. Ele decidira, assim como Catão, suportar qualquer coisa que o destino trouxesse à sua porta.

Como aconteceu no julgamento-espetáculo de Rutílio Rufo tantos anos antes, o réu deliberadamente escolheu não se defender.

O Senado votou pela pena de morte e pelo exílio de seu genro, Helvídio Prisco.

---

* Aruleno Rústico viveu para ver mais seis imperadores, até que, em 93 d.C., Domiciano o condenou à morte devido à autoria de um livro em que elogiava a coragem e o exemplo de Trásea. Seu neto, Júnio Rústico, assistiria às palestras de Epicteto e se tornaria o professor de filosofia de Marco Aurélio.

Quando chegaram os primeiros rumores do veredito, Trásea estava sentado com amigos em seu jardim — poetas, filósofos e magistrados —, como costumavam fazer. Epicteto relata que, mergulhado em uma conversa sobre a imortalidade da alma com Demétrio, o cínico, Trásea recebeu a notícia com sardônica resignação: "Prefiro ser morto hoje do que banido amanhã."

Nero ofereceu a Trásea a mesma cortesia que oferecera a Sêneca: ele poderia escolher como morrer. Para Trásea, foi mais um momento de diálogo com os grandes homens falecidos que eram tão reais para ele. Sócrates. Cícero. Catão. Até o recém-falecido Sêneca. "Nero pode me matar", disse Trásea, repetindo as últimas palavras de Sócrates, "mas não pode me fazer mal."

Enquanto se preparava para morrer, a primeira coisa que fez foi exortar seus entes queridos a ir embora, despedindo-se e pedindo-lhes que se cuidassem. Em seguida, conversou com a esposa, que queria seguir os passos da mãe e morrer ao lado do marido. Mais uma vez demonstrando ser mais empático do que Sêneca, Trásea implorou à esposa para seguir adiante pelo bem da filha deles, que ficaria sem o marido com o exílio de Helvídio.

Quando os encarregados chegaram com a sentença de morte, Trásea retirou-se para seu quarto com Demétrio, o cínico, e Helvídio Prisco. Talvez tenham falado de filosofia por alguns minutos, ou talvez Trásea tenha aconselhado Helvídio a continuar a luta a distância. Finalmente, fizeram o que precisava ser feito. Trásea pediu a seus companheiros que lhe abrissem as veias dos pulsos.

Enquanto estava deitado, sangrando, ele — em homenagem ao famoso suicídio de Sêneca, ocorrido apenas um ano antes — ofereceu uma prece de libação a Júpiter, o Libertador, e disse ao jovem que proferira sua sentença de morte: "Você nasceu em um tempo em que é bom fortalecer o espírito com exemplos de coragem." Então, virou-se para Demétrio e proferiu suas últimas palavras, que, assim como Trásea e o restante de nós, foram escritas na água e desapareceram no abismo da história.

Nero eliminara mais um inimigo, outra ameaça potencial aos seus excessos. Contudo, como Sêneca advertira, os crimes voltam para aqueles que os cometem, e ninguém pode assassinar ou matar o suficiente a ponto de se tornar invencível.

Como acontece com todos os déspotas e criminosos, o apoio a Nero diminuiu aos poucos, e então sumiu de vez. A conspiração contra ele, na qual Sêneca fora envolvido, mostrava que o povo começava a se virar contra seu rei insano. Os conspiradores, enfrentando a morte certa, começaram a demonstrar a verdade que Nero havia muito procurava evitar: "Quando você merecia o nosso amor, ninguém no Exército lhe era mais leal do que eu fui", disse-lhe Sábrio Flavo, "mas passei a odiá-lo depois que se tornou o assassino de sua mãe e de sua esposa, um auriga, um ator e um incendiário." Outro soldado, quando lhe questionaram por que ele havia tentado matar o imperador, explicou: "Era a única maneira de ajudá-lo."

Até mesmo a disposição de Rústico em apoiar Trásea era um sinal de dissensão dentro de um Senado que até então fora unânime em seu apoio aos excessos de Nero. Mesmo assim, eram apenas lampejos. Os últimos anos da vida de Nero foram marcados por mais assassinatos e shows de indulgência. Organizando concursos de canto para que pudesse vencer, Nero percorreu o Império recebendo elogios de cidadãos cada vez mais exaustos.

Por fim, foi o Exército quem primeiro se virou contra ele. De repente, Nero havia perdido a base sobre a qual repousava sua intimidação. Agora ele nem mesmo podia fugir de Roma com a proteção dos capangas que um dia lhe foram leais.

Foi um guarda pretoriano anônimo quem deu a dica final para Nero: "Morrer é tão horrível assim?", perguntou. Nero acordou certa manhã para descobrir que a maioria de seus guarda-costas havia abandonado o posto. James Romm descreve o que o esperava caso fosse capturado: "Nero seria mantido imóvel com o pescoço na forquilha de uma árvore e apedrejado até a morte. Seu cadáver desfigurado seria arremessado da Rocha Tarpeia, a morte reservada aos piores criminosos de Roma."

Nero, que por tanto tempo ignorara as lições de Sêneca sobre a morte, que levou Trásea ao suicídio e executou Plauto, entre tantos outros, agora experimentava empunhar dois punhais contra a própria carne. Ele hesitou e voltou a embainhá-los, decidido a esperar mais um pouco. Pediu aos que restavam de seus companheiros que se certificassem de que ele não fosse decapitado após a morte — uma imensa hipocrisia de um homem que erguera a cabeça de Plauto pelos cabelos e zombara do nariz do morto.

Então, ele se preparou, agarrou um dos punhais e se apunhalou no pescoço.

Em 65 d.C., ao olhar para a sepultura cavada às pressas que os capangas de Nero haviam preparado, um dos conspiradores disse: "Nem mesmo isso é digno." A malévola incompetência de Nero estendeu-se ao próprio suicídio: ele escolheu a maneira mais dolorosa de fazê-lo... e fracassou. Finalmente, Epafrodito, um ex-escravizado e ajudante de Nero, deu um passo à frente e torceu o punhal, perfurando a artéria o suficiente para iniciar o fim do reinado de Nero. Enquanto o sangue enchia sua garganta, ele proferiu uma de suas típicas bobagens: "*Isso*", balbuciou, "é lealdade."

Nesse momento, os soldados chegaram, na esperança de proferir o mesmo tipo de sentença de morte pública com a qual Nero condenara tantos outros. Enquanto um centurião tentava estancar o sangramento, Nero riu e disse: "Tarde demais."

E morreu.

Muitos filósofos estoicos o precederam de maneira terrível — Rubélio Plauto, Bareia Sorano, Sêneca e, é claro, Trásea —, quase sem nenhum motivo a não ser a satisfação efêmera de Nero. No entanto, ninguém que soube da morte de Nero ou o viu com vida pensaria que ele saiu ganhando.

Trásea disse que Nero tinha o poder de matar, mas não de ferir, o que era verdade, com uma exceção. Nero prejudicara a si mesmo inúmeras vezes e preenchera seus trinta anos com uma espécie de morte em vida que permanece até hoje como um exemplo do pior tipo de liderança.

Catão. Trásea. Esses dois nomes são exemplos de coragem, sabedoria, moderação e justiça.

Nero? Pejorativo para excesso, incompetência, delírio e maldade. Prova viva do verso de William Blake que diz que o veneno mais potente já conhecido está na coroa de louros de um César.

HELVÍDIO PRISCO, O SENADOR

NASCIMENTO: 25 D.C.
MORTE: 75 D.C.
ORIGEM: CLUVIAE

A história da criança de origem humilde que chega a integrar o grande corpo de governo de seu país não é novidade. O político que vem do nada, alcança grande poder e o usa para voltar e ajudar as pessoas da sua terra natal é a história de Abraham Lincoln e Henry Clay. É a história de Margaret Thatcher e Angela Merkel. Também é a história de Helvídio Prisco.

Helvídio era filho de um soldado aquartelado nas terras da tribo Caraceni, na cidade de Cluviae, na região de Samnium, no sul da Itália. Helvídio Prisco ascenderia dessa humilde origem plebeia para se tornar uma figura importante na vida romana, com uma carreira que abarcaria o reinado de cinco imperadores.

Pelas datas de seu primeiro cargo político, é quase certo que ele nasceu em 25 d.C. ou antes, e deve ter sido, desde cedo, um aluno dedicado e zeloso. Tácito relata que desde os primeiros dias ele "dedicou seus extraordinários talentos aos estudos superiores, não como a maioria dos jovens faz, para disfarçar uma vida de lazer com um nome pretensioso, mas para poder entrar na vida pública mais fortalecido contra os golpes do destino". Por meio de Tácito, também aprendemos que seus primeiros professores eram estoicos, contavam "apenas as coisas 'boas' que são moralmente corretas e apenas as coisas 'más' que são vis e consideravam o poder, o nascimento em berço de ouro e tudo o mais que está além do controle da vontade nem bom nem mau".

Como o irmão de Sêneca, Gálio, e como Cipião várias gerações antes, Helvídio foi adotado por uma família rica e poderosa, provavelmente a de Helvídio Prisco, que serviu como delegado sob o governador sírio Quadrato. Não sabemos ao certo como o jovem Helvídio — que adotou o nome de sua nova família — conheceu esses aliados. Talvez seu pai adotivo tivesse servido no Exército com membros da sua família biológica, talvez o brilhante recém-chegado tenha impressionado o casal sem herdeiros como alguém que prometia se destacar nos estudos.

Em todo caso, ele não era mais o filho plebeu de um zé-ninguém, mas uma pessoa em ascensão. A Fortuna faz isso, escreveu Sêneca, nos torna vis, assim como nos deixa orgulhosos. Parte nosso coração, assim como nos concede golpes de sorte.

O que importa é o que fazemos com isso, e Helvídio, treinado como estoico, não desperdiçaria as ferramentas que a vida material lhe proporcionara.

Depois de alcançar o primeiro degrau da magistratura ao receber o posto de questor em Acaia, o jovem Helvídio se distinguiu tanto em caráter e sucesso que se casou com Fania, filha de Trásea. Era o mesmo que se casar com alguém da família de Catão, como Bruto fizera, com a diferença de que o velho ainda estava lá para ensinar e inspirar. De acordo com Tácito, Prisco aprendeu com Trásea tudo sobre o "espírito da liberdade" e de que forma, "como cidadão, senador, marido, filho e amigo", mostrar-se "igual a todos os deveres da vida, desprezando riquezas, determinado a fazer o correto, indiferente ao medo". Prisco e sua nova esposa mudaram-se para uma bela casa em Roma, uma transição surpreendente de sua juventude nos campos da fronteira romana.

Em 56 d.C., Helvídio conquistou o cargo de tribuno da plebe, onde se destacou por defender os pobres contra um jovem tesoureiro opressor, Olbutrônio Sabino, que abusou de sua autoridade para liquidar seus ativos. Prisco montou um caso tão convincente contra Sabino que Nero interveio para declarar que os futuros funcionários do Tesouro teriam que seguir normas mais rígidas.

Foi uma reforma relutante, que Nero não deve ter gostado de fazer.

As especificidades da carreira política de Helvídio, assim como a de vários outros estoicos, são um mistério para nós até o seu desvio de curso e o conflito ostensivo com o regime dominante. Em 66 d.C., Trásea foi acusado de conspirar contra Nero. As alegadas afinidades de Helvídio por Bruto e Cássio desde os tempos de Júlio César — talvez entreouvidas em um comentário solto, ou em algo que ele tivesse escrito — foram usadas como evidência contra seu amado sogro.

Pouco depois, Helvídio foi chamado para auxiliar Trásea a cometer suicídio. Assim que o sangue de Trásea se esvaiu de seu corpo, Helvídio e a esposa em luto foram enviados com os dois filhos para o exílio na distante Macedônia.

Após dois anos e com a morte de Nero, Helvídio foi chamado de volta a Roma pelo imperador Galba. Ao contrário de Rutílio Rufo, que escolheu ficar onde estava, livre da insanidade de Roma, Helvídio tinha esperança suficiente para retornar. Talvez Nero tivesse sido apenas um pesadelo — uma tirania passageira — e o novo imperador fosse melhor.

Certamente, as primeiras atitudes de Helvídio revelam uma fé ingênua na estabilidade da Roma daquela época. Quase de imediato, ele apresentou acusações de impeachment contra Éprio Marcelo, o homem que perseguira Trásea e o perseguira. Essa fé nas instituições de seu país logo ficou abalada — quantos outros senadores eram tão culpados quanto Marcelo, quão boa vontade tinha o novo imperador para com o filho de um traidor executado —, e Helvídio acabou desistindo das acusações. Em poucos meses, Galba estava morto, e assim começou o chamado "Ano dos Quatro Imperadores", no qual o trono parecia uma dança das cadeiras.

Oto, o imperador seguinte, serviria por míseros três meses — apenas o tempo suficiente para Helvídio receber permissão para enterrar Galba. Após a morte de Oto, Helvídio recebeu o cargo de pretor, no qual não demorou a entrar em conflito com o novo imperador, Vitélio, que durou só oito meses. No que deve ter parecido uma série interminável de batalhas de exaustivas forças de vontades que não chegavam a lugar algum, Helvídio se viu encurralado em 70 d.C., em oposição ao novo imperador, Vespasiano, em relação a ser uma atribuição do Senado ou do imperador o controle dos gastos do Império.

Embora esses conflitos pela supremacia legislativa fossem verdadeiros, certamente o desdém estoico de Helvídio — que alguns podem chamar de desaforo — pelos soberanos, sem dúvida, aumentou a tensão. Sabemos que Helvídio aprendera com Trásea que não se deve respeitar nada que não conquistou o respeito, e ele passou a chamar o novo imperador por seu nome pessoal, não pelo imperial. De fato, no auge da fama de Vespasiano, após seu retorno triunfal da Síria, Helvídio foi o único senador que escolheu se dirigir a ele como se Vespasiano fosse um plebeu. Em todos os seus éditos como pretor, Helvídio se recusou a reconhecer Vespasiano por seus títulos reais.

Foi imprudência ou uma sincera recusa de se curvar diante de alguém que ele não acreditava ser seu superior? Ou foi simples exaustão com a sucessão interminável de líderes duvidosos que o Senado era forçado a tolerar?

Sabemos que esse desrespeito se tornou mais pronunciado com o tempo. Suetônio relata que Helvídio começou a falar abertamente contra Vespasiano. Epicteto nos fornece um diálogo que o retrata como alguém completamente destemido:

> Quando Vespasiano mandou chamar Helvídio Prisco e ordenou que ele não fosse ao Senado, Helvídio respondeu: "Está em seu poder não permitir que eu seja um membro do Senado, mas, enquanto eu for, devo entrar." "Bem, então entre", disse o imperador, "mas não diga nada." "Não peça minha opinião e ficarei em silêncio." "Mas precisarei pedir a sua opinião." "Então direi o que acho certo." "Mas se você fizer isso, eu o condenarei à morte." "Mas quando foi que eu lhe disse que sou imortal? Você fará a sua parte e eu farei a minha: a sua parte é matar; a minha é morrer, mas não com medo: sua parte é me exilar; a minha é partir sem tristeza."

Faça a sua parte, que eu farei a minha, diz o estoico. Você seja mau, eu serei bom. E venha o que vier.

Helvídio devia saber que tal abordagem não duraria neste mundo, ou, ao menos, em Roma. Ele perdurou tempo suficiente para supervisionar a construção do novo edifício do Capitólio e a inauguração do novo templo de Júpiter Capitolino. Em Tácito, Helvídio Prisco surge como uma espécie de figura solitária, embora esperançosa, tentando retroceder ou avançar para tempos mais pacíficos, em que o bem comum era servido pelo Estado e uma República operante eclipsaria os excessos imperiais e a violenta sucessão dos Flavianos.

Não era para ser.

Cansado de ser feito de bobo e de ser boicotado, Vespasiano decidiu banir Helvídio mais uma vez. O fato de Vespasiano ter mantido o exilado por perto, para poder ficar de olho nele, tem relação com o poder que Helvídio ainda exerce. Na verdade, era mais como uma cela no corredor da morte.

Não muito tempo depois, Vespasiano ordenou a execução de Helvídio.

Mais tarde, a esposa de Helvídio encomendaria uma celebração da vida de seu marido, mas, como acontece com os melhores estoicos, não seriam as palavras que definiriam o seu legado, e sim as ações. Epicteto foi inspirado por ele. Marco Aurélio o considerava um exemplo. E então, 1.927 anos depois, outro homem que também cresceu na pobreza e foi adotado, mas que se encantou pelo corpo legislativo de seu país — o senador Robert Byrd,* então com 85 anos —, tomaria a palavra no plenário do Senado para protestar contra os excessos de seu presidente em nome da "segurança":

> Helvídio Prisco disse o que pensava; o imperador Vespasiano
> o matou. Nesta época que vivemos, é instrutivo ler sobre a co-

---

* É preciso notar que Byrd poderia ter se inspirado nas virtudes estoicas da justiça e da imparcialidade mais cedo na vida, pois no início dos anos 1940 ele ingressou na Ku Klux Klan. É provável, porém, que tenha caído em si depois, já que se desculpou repetidas vezes por esse pecado e apoiou ativamente os esforços da NAACP.

ragem. Há membros do Senado e da Câmara dos Estados Unidos que aparentemente ficam apavorados caso o presidente do país lhes diga, os incite, a votar de determinada maneira que possa vir a ser contra as suas crenças. Portanto, nestes tempos de poucos homens com muita coragem — relativamente poucos —, vamos dar uma olhada na história romana e nos lembrar de Helvídio Prisco.

Quando questionado sobre o motivo que o levara a fazer esse discurso, Byrd involuntariamente forneceu a lição perfeita da vida de Helvídio Prisco e daqueles bravos estoicos que morreram contrariando os reinados de Nero e seus sucessores:

Com todo o respeito, acho que essa pergunta está mal formulada. A meu ver, o assunto está nos autos há mil anos. Eu defendi a Constituição. Eu defendi a instituição. Se eu não for ouvido hoje, algum futuro membro um dia vai vasculhar esses volumes.

MUSÔNIO RUFO, O INABALÁVEL

NASCIMENTO: 20-30 D.C.
MORTE: 101 D.C.
ORIGEM: VOLSÍNIOS, ETRÚRIA

Catão pode ter sido o homem de ferro de Roma, mas, no fim das contas, foi desafiado por apenas um imperador. Trásea era totalmente destemido, mas seu amigo Caio Musônio Rufo também não tinha medo e suportou uma vida tão desafiadora que fez com que a provação de Trásea sob Nero parecesse brincadeira.

Nascido na classe equestre, em Volsínios, na Etrúria, durante o reinado de Tibério, Musônio Rufo logo conquistou reputação como filósofo e professor. Mesmo naquela época, e após um longo histórico de estoicos brilhantes, Musônio era considerado superior aos demais. Entre seus contemporâneos, ele era o "Sócrates romano", um homem de sabedoria, coragem, autocontrole e um profundo compromisso com o que era certo. Sua fama transcendeu seu tempo, e Musônio é mencionado por todos com admiração, desde cristãos como Justino Mártir e Clemente de Alexandria a Marco Aurélio.

Contudo, ao contrário de Sêneca e Cícero, que apreciavam seus postos no topo da pirâmide da sociedade romana, Musônio era uma figura muito mais humilde. Ele não nascera para o posto de senador ou para grandes riquezas. Não se casara com uma mulher de família influente. Não buscara fama ou poder. Nem, ao que parece, achava que essas coisas eram particularmente importantes.

Ele acreditava que elogios e aplausos eram perda de tempo — tanto para o público quanto para o filósofo. "Quando um filósofo", disse ele, "está exortando, persuadindo, repreendendo ou discutindo algum aspecto da filosofia e o público começa a declamar palavras banais e comuns de louvor em seu entusiasmo e desenfreamento, se chegam a gritar, a gesticular, se estiverem emocionados e excitados, influenciados pelo encanto de suas palavras, pelo ritmo de suas frases e por certas repetições retóricas, então você pode estar certo de que tanto o orador quanto o público estão perdendo tempo, e não estão ouvindo um filósofo falando, mas, sim, um flautista tocando."

Para Musônio, o emblema de um filósofo bem-sucedido não eram os aplausos dos apoiadores. Era o silêncio. Porque significava que o público estava realmente refletindo — significava que estava absorvendo as ideias complexas que o palestrante transmitia.

E, então, podemos imaginar esse Sócrates romano atraindo grandes multidões — não por causa de sua performance, mas pela reputação de seus ensinamentos — que se sentavam em silêncio respeitoso, mesmo enquanto ele desafiava as suas suposições mais arraigadas.

Sua crença mais provocativa na Roma do primeiro século? Que as mulheres mereciam uma educação igual à dos homens. Duas das vinte e uma palestras sobreviventes de Musônio (*As mulheres também deveriam estudar filosofia* e *Devem as filhas receber a mesma educação que os filhos?*) são fortemente favoráveis a tratar bem as mulheres e tratam da capacidade delas como filósofas.

Não era uma opinião convencional, porém, mais uma vez, a coisa certa raramente é.

Não devemos nos surpreender que Musônio tenha defendido isso, ou que teve a coragem de apresentar tal argumento em uma época em que a maioria acreditava que as mulheres não passavam de uma propriedade. Um preceito central do treinamento estoico é o pensamento independente, e aqui Musônio ilustrava uma capacidade de ver o que era justo, além do contexto de sua época. "Não são apenas os homens que possuem entusiasmo e uma inclinação natural para a virtude", escreveu ele, "mas também as mulheres. Tanto quanto os homens, as mulheres também valorizam ações nobres e corretas, e rejeitam o oposto de tais ações. Sendo assim, por que é apropriado que os homens busquem e examinem como viver bem, isto é, pratiquem a filosofia, mas não as mulheres?"*

Até mesmo a opinião de Musônio sobre o casamento era moderna, exigindo o "companheirismo perfeito e o amor mútuo entre marido e mulher, tanto na saúde quanto na doença e sob quaisquer circunstâncias". Um bom casamento, acreditava, era aquele em que um casal se esforçava para superar um ao outro em devoção. Ele falou do tipo de "linda união" que Bruto e Pórcia tiveram, na qual duas almas se unem nas adversidades da vida e inspiram uma à outra pela virtude maior. Como foi o casamento de Musônio? Não sabemos — mas seria absurdo pensar que um homem que escreveu de maneira tão comovente sobre os benefícios desse tipo de casamento não falasse por experiência própria, e, mais difícil ainda, que Musônio pudesse ter

---

* Desde muito cedo os estoicos foram a favor da igualdade entre os sexos. Três séculos antes, Cleantes escrevera um livro intitulado *Sobre a virtude do homem e da mulher ser a mesma*.

suportado as adversidades que logo enfrentaria sem uma companheira de coragem e virtude.

No cerne dos ensinamentos de Musônio estava a crença na importância do trabalho árduo e da resistência. Ele era um homem feito da mesma fibra de Cleantes, que séculos antes sustentara os estudos filosóficos com trabalho manual. Em uma palestra intitulada *Quais os meios de subsistência adequados para o filósofo*, Musônio discursaria muito sobre esse tipo de trabalho árduo, acreditando que pouquíssimas tarefas estavam abaixo de nossa dignidade, caso fossem bem-feitas e com a ética de trabalho correta.

As dificuldades, acreditava, simplesmente faziam parte da vida. "Para suportar com mais facilidade e alegria essas dificuldades que esperamos sofrer em nome da virtude e da bondade", disse ele, "é útil lembrar quais adversidades as pessoas suportarão para fins indignos. Assim, por exemplo, considere o que os amantes impetuosos sofrem por causa de desejos malignos, quanto esforço outros despendem para obter lucro, quanto sofrimento aqueles que buscam a fama suportam, e tenha em mente que todas essas pessoas se submetem voluntariamente a todo tipo de labuta e sofrimento."

Então, se vamos sofrer, não devemos sofrer de uma maneira que nos leve a algum lugar para onde valha a pena ir?

Sofra e persevere *em direção* à virtude — esse é o cerne dos ensinamentos de Musônio. Segundo ele: "E, no entanto, como alguém poderia negar quanto seria melhor, em vez de se esforçar para seduzir a esposa do outro, esforçar-se para disciplinar seus desejos; em vez de suportar dificuldades por causa do dinheiro, treinar-se para querer pouco; em vez de se dar ao trabalho de conseguir notoriedade, fazer questão de não ter sede de notoriedade;

em vez de tentar encontrar uma maneira de ferir uma pessoa invejada, perguntar-se como não invejar ninguém; e em vez de se escravizar, como os bajuladores fazem, para conquistar falsos amigos, sofrer de modo a possuir amigos verdadeiros?"

É apropriado que Musônio escreva e fale tanto sobre esse assunto, pois ele — como muitos outros estoicos — viria a descobrir que a vida proporciona desafios e dificuldades.

O primeiro problema de Musônio veio de sua associação com a Oposição Estoica, que incluía Caio Rubélio Plauto, a quem os delírios paranoicos de Nero tornaram um alvo. Foi Musônio quem acompanhou Plauto ao exílio para a Síria em 60 d.C. Aquele foi o primeiro encontro de Musônio com os caprichos do destino, mas de forma alguma seria o último.

Musônio aconselharia seu querido amigo "a ter coragem e esperar pela morte", e provavelmente estava presente quando Plauto caiu vítima da espada furiosa de Nero. Musônio foi autorizado a retornar a Roma, brevemente, mas, em 65 d.C., quando as consequências da Conspiração de Pisão atingiram Sêneca, Musônio foi banido por Nero para a desolada ilha de Giaros.

Foi lá que Musônio se viu, a mais de mil quilômetros de casa, perguntando-se se precisaria seguir o próprio conselho e esperar pela morte corajosamente.

Por que ele não se matou, como sugerira a Plauto? Ele lembrara a Plauto que não havia motivo para optarmos por um maior infortúnio se podemos nos contentar com o que está à nossa frente. Podemos nos treinar para nos satisfazermos com as dificuldades que o destino decidiu colocar em nosso caminho. Além disso, Musônio acreditava que ainda tinha uma vida pela frente. "Aquele que, por viver, é útil a muitos", disse ele, "não tem o direito de escolher morrer, a menos que morrendo possa ser útil para muitos mais."

Portanto, ele viveu e estudou — como se deve fazer — enquanto estava sob o seu controle continuar se saindo tão bem e para o bem maior.

Giaros é uma ilha muito seca e agreste que não é habitada nos dias atuais. Mas Musônio aproveitou todas as oportunidades para viver de acordo com os seus ensinamentos e ser útil para as pessoas ao redor.* Segundo uma fonte, ele descobriu uma nascente subterrânea na ilha, conquistando a gratidão eterna dos outros residentes, a maioria dos quais também eram exilados políticos. É evidente que ele acreditava que o exílio não era um mal ou uma adversidade, mas apenas uma espécie de teste — uma chance de se aproximar da virtude, caso assim escolhesse. E foi o que fez, dedicando-se novamente ao ensino e à escrita, servindo como conselheiro de filósofos e dignitários que vinham do outro lado do Mediterrâneo para visitá-lo.

Uma prova da fama crescente de Musônio e do exemplo inspirador que ele deu naqueles tempos sombrios é encontrada nas cartas fictícias de um homem chamado Apolônio de Tiana. Em uma delas, Apolônio disse que sonhava tirar Musônio de Giaros em um ousado resgate. Musônio respondeu dizendo que não seria preciso, pois um homem de verdade se compromete a provar a sua inocência e, portanto, tem o controle da própria libertação. Apolônio respondeu dizendo temer que Musônio morresse como Sócrates. Musônio respondeu, afirmando não ter a intenção de ir

---

* A Grécia moderna manteve agitadores políticos de esquerda em Giaros entre 1948 e 1974. As pessoas não mudaram muito, mesmo com o passar do tempo.

tão mansamente. "Sócrates morreu porque não estava preparado para se defender", teria dito, "mas eu estarei."

Outra carta captura o espírito de luta de Musônio. Conta-se que Demétrio, o cínico — que estivera com Trásea em seus últimos momentos —, encontrou Musônio acorrentado a outros condenados, cavando um dos canais de Nero com uma picareta. "Dói-te, Demétrio", perguntou Musônio, "se eu cavar o istmo pelo bem da Grécia? O que você sentiria se me visse tocando lira como Nero?" A data desse suposto encontro torna difícil confiarmos em sua veracidade, já que o canal foi construído durante o período de seu exílio em Giaros, mas essas histórias nos dão uma ideia da reputação do caráter de Musônio.

Quer estivesse saciando ilhéus sedentos, quer estivesse cavando um canal em benefício da Grécia, as dificuldades do exílio não foram suficientes para abater a determinação de um verdadeiro filósofo. Mas o que dizer de todos os confortos de que foi privado? Musônio preferia pensar naquilo a que ainda tinha acesso: o sol, a água, o ar. Quando sentia falta das amenidades de Roma, dos amigos ou da liberdade de viajar, lembrava a si mesmo e a seus companheiros exilados que "quando estávamos em casa não desfrutávamos toda a terra nem tínhamos contato com todos os homens". Então, ele voltou a passar seu tempo em Giaros fazendo o que fazia de melhor: buscando oportunidades de praticar o bem.

Para um estoico, essa chance é sempre uma possibilidade. Mesmo nas circunstâncias mais desfavoráveis. Por pior que seja o exílio — ou qualquer adversidade —, ele pode torná-lo melhor, caso assim o deseje.

"O exílio fez Diógenes deixar de ser uma pessoa comum e o transformou em um filósofo", disse ele tempos depois, mencionando não o estoico, mas o famoso cínico de antes da época de Zenão. "Em vez de ficar sentado em Sinope, ele passou seu tempo na Grécia, e em sua prática da virtude superou outros filósofos. O exílio fortaleceu outros que não eram saudáveis devido à vida mansa e luxuosa: forçou-os a adotar um estilo de vida mais viril. Sabemos que alguns foram curados de doenças crônicas no exílio... Dizem que outros que se entregavam a uma vida ociosa foram curados da gota, embora já sofressem com a doença. Forçando-os a viver com mais austeridade, o exílio restaurou-lhes a saúde. Assim, ao melhorar as pessoas, o exílio as ajuda mais do que as prejudica no que diz respeito ao corpo e à alma."

Musônio nunca teria sido vaidoso a ponto de afirmar que havia melhorado com o próprio exílio, mas a verdade é que melhorou.

De onde vinha essa incrível força e habilidade? Musônio Rufo acreditava que éramos como médicos, e o tratamento era a razão. O poder de pensar com lucidez, de chegar à verdade de um assunto, era o que alimentava sua alma dura e inabalável como uma muralha. Musônio não estava interessado em atalhos, dizia, ou em sais aromáticos que "animam... mas não curam a doença".

E ele era um solene defensor de um estilo de vida necessário ao exílio. Quando estava em Roma, mesmo no auge de seu poder, Musônio buscava frio, calor, sede, fome e camas duras. Ele se familiarizara com as sensações desconfortáveis que tais condições provocavam e aprendeu a ser paciente, até mesmo feliz, ao vivenciá-las. Pelo treinamento, disse ele, "o corpo se fortalece e se torna capaz de suportar as adversidades, resistente e pronto para qualquer tarefa". O exílio veio, e ele estava preparado de corpo e alma. E, quando os bons tempos retornaram, ele também estava preparado para isso.

Quando Galba sucedeu Nero, em 68 d.C., Musônio foi autorizado a retornar a Roma e voltar a lecionar. Sua importância aumentaria ao longo da década seguinte e, finalmente, Epicteto, um ex-escravizado que sofrera nas mãos de um dos secretários de Nero, entraria para as fileiras de seus alunos. Poderia um professor que experimentara menos adversidades, que era menos determinado e autossuficiente, alcançar um aluno como aquele, que tivera uma vida tão difícil?

Quando o aluno está pronto, o professor aparece... e, às vezes, o aluno perfeito é exatamente aquilo que um professor precisa para trazer à tona o seu melhor.

Musônio tinha o hábito de rejeitar alunos para testar a determinação deles. Podemos imaginá-lo tentando essa tática com Epicteto, que, após três décadas ouvindo o que poderia e o que não poderia fazer, teria se mostrado à altura do desafio. Epicteto se recorda do que Musônio lhe dissera: "Dada a sua composição, uma pedra voltará ao solo caso você a jogue para o alto. Da mesma forma, quanto mais alguém afasta a pessoa inteligente da vida para a qual nasceu, mais ela se inclina naquela direção."

Assim como Epicteto, ele cultivou uma aversão distinta pelos ricos e pela corrupção de seu dinheiro, e apreciava provocá-los. Uma testemunha relata que Musônio certa vez deu mil sestércios a um charlatão que se fazia passar por filósofo. Quando alguém interveio para dizer que aquele homem era mentiroso e indigno de tal presente, Musônio fez pouco caso. "Dinheiro", respondeu, "é exatamente o que ele merece."

Pode-se pensar que, após dois dolorosos exílios, Musônio passaria algum tempo recolhido. Decerto Sêneca ou Cícero teriam agido assim. Roma estava em um estado de vicissitude e medo — mais três imperadores sucederiam Galba no espaço de poucos meses —, mas Musônio não fez esforço algum para esconder suas opiniões sobre o que considerava a maneira correta de viver e agir.

Na verdade, toda a sua abordagem consistia em ser indiferente a quem estava no comando.

No fim do reinado de Vitélio, com a ameaça crescente dos exércitos de Vespasiano marchando sobre Roma, Musônio concordou em servir como emissário para evitar o conflito. Seu parceiro na missão, Aruleno Rústico — a quem Trásea, pouco antes de morrer, aconselhara a refletir sobre que tipo de político desejava ser — foi gravemente ferido em uma briga. Tácito relata que Musônio se meteu na briga e quase foi pisoteado até a morte pelas tropas a quem tentava alertar sobre o engajamento em conflitos civis.

Os apelos de Musônio foram desconsiderados — na verdade, foram até alvo de escárnio — e logo o sangue corria pelas ruas. Vitélio foi dilacerado por uma multidão enfurecida não muito longe de onde seu predecessor, Galba, morrera. Agora, Vespasiano era o imperador e mais uma vez Roma estava sob o comando de um tirano.

Vespasiano usaria contra Musônio o fato de que ele servira a Vitélio? Musônio seria novamente exilado? Ou seria, por fim, morto por sua associação com a ameaça estoica? Nenhuma dessas considerações o impediu de tentar. Nada disso o faria romper seu compromisso com o que era certo.

Assim como para Catão, esse comprometimento com a justiça não mudava com a maré. Pouco depois de escapar com vida do conflito civil entre Vitélio e Vespasiano, Musônio se envolveu em um conflito civil próprio, nesse caso contra um companheiro estoico. Por volta de 70 d.C., ele processou Públio Egnátio Céler, que fora informante de Nero a respeito de outros estoicos e contribuíra para a execução de um deles, chamado Bareia Sorano. Foi um caso épico, pois opôs Musônio não apenas a um traidor dos estoicos, mas também a Demétrio, o cínico, que decidiu representar Céler.

Foi uma vitória duramente conquistada pela justiça em uma época em que tal coisa se tornara rara. Um fragmento remanescente de Musônio captura por que ele teria insistido neste caso: "Se alguém realiza algo de bom com trabalho árduo, a dificuldade passa, mas o bem permanece", disse ele. "Se alguém faz algo desonroso com prazer, o prazer passa, mas a desonra permanece."

Precisamos fazer o que é certo, por mais difícil que seja, afirmou Musônio. Um estoico deve evitar fazer coisas erradas, mesmo que a recompensa seja grande.

Musônio devia saber que a justiça contra Céler teria um preço. Independentemente do veredito, ir atrás do informante de um imperador — ainda que fosse um imperador desprezado como Nero — era uma jogada arriscada. Cerca de um ano depois, talvez desejando se livrar de vez dos estoicos, Vespasiano decretaria o banimento geral de todos os filósofos. Embora inicialmente Musônio tivesse sido isentado, não demoraria para que fosse exilado pelo próprio Vespasiano por um período de três anos.

O bem que Musônio fizera permaneceu, embora ele tivesse sido afastado.

Pelo quê? Não sabemos, mas isso é adequado, já que, de qualquer maneira, Musônio teria desconsiderado os motivos. Ele estava com raiva? Tinha todos os motivos para estar. Pela terceira vez, era expulso de casa, voltando à vida de refugiado, e por quê? Porque um déspota assim o decretara?

Apesar disso, Musônio encontrou um jeito de aplicar a filosofia. Outro fragmento que sobreviveu nos dá uma noção de seu pensamento: "Qual acusação podemos fazer contra os tiranos quando nós mesmos somos muito piores do que eles? Temos os mesmos impulsos, embora não tenhamos a mesma oportunidade de satisfazê-los."

Ou talvez ele tenha se lembrado de seu exílio anterior e dos benefícios resultantes. "Não se aborreça com as circunstâncias difíceis", disse certa vez, "mas reflita sobre quantas coisas já aconteceram com você na vida de maneiras que você não desejava e, no entanto, deram certo."

Mais uma vez na Síria, longe de casa, Musônio exerceu a magistratura e lecionou. De novo, ele fez o que um estoico sempre procura fazer: tirar o melhor proveito de uma situação ruim.

Ele pode não ter sido capaz de atingir ou ajudar os soberanos insanos que controlavam Roma, mas, no exterior, encontrou alunos nobres dispostos a aprender. Em uma palestra, *Os reis também devem estudar filosofia*, Musônio se refere casualmente a um rei sírio a quem aconselhou.* Da mesma forma que lecionara tanto a escravizados libertos quanto ao neto de Herodes, o grande, Musônio continuou a ensinar, não importando quão poderosos ou destituídos fossem seus alunos. Como ele aprendera em suas lutas, não há posição tão superior ou tão inferior que não seja melhorada pelas quatro virtudes: justiça, temperança, sabedoria e coragem.

"A ruína do governante e do cidadão", disse Musônio, "é a devassidão." Assim, ele discorreu longamente para esse rei sobre

---

* Dadas as datas de seu exílio, este provavelmente foi Aristóbulo de Cálcis, marido de Salomé.

o poder do autocontrole, o perigo dos excessos e a necessidade de justiça. E tudo isso ele experimentou em primeira mão. Na verdade, foram exatamente essas deficiências na sucessão de imperadores incompetentes que o levaram até a Síria, de modo que suas lições devem ter sido convincentes e profundamente pessoais. Sem dúvida, o rei o ouviu com o silêncio extasiado que Musônio havia muito definira como o sinal de que a mente de um aluno estava em plena atividade. "É possível que alguém seja um bom rei sem ser um bom homem?", perguntou Musônio. "Não, não é possível. Mas um bom homem não teria o direito de ser chamado de filósofo? Certamente, visto que a filosofia é a busca do bem ideal."

Quando Musônio encerrou a palestra, o jovem rei ficou fascinado e, ao contrário daqueles imperadores romanos que foram tão cruéis com Musônio, mostrou-se grato. Como agradecimento, ofereceu-lhe qualquer coisa — riqueza, poder, prazer — que estivesse em seu poder. "O único favor que lhe peço", respondeu Musônio, "é que permaneça fiel a esses ensinamentos, uma vez que os considerou louváveis, pois apenas dessa maneira, e de nenhuma outra, você poderá me agradar e se beneficiar."

Em 78 d.C., Musônio enfim foi chamado de volta do exílio pelo filho de Vespasiano, Tito. Em um ano, Tito se tornara imperador e, três anos depois, estava morto. Seu sucessor, Domiciano, foi outro líder que poderia ter aprendido as lições de Musônio ao rei sírio. Em vez disso, Domiciano escolheu ser violento, implacável e paranoico. Musônio perseverou — agora tendo Epicteto como aluno e treinando-o para se tornar um professor estoico igualmente formidável.

Mais uma vez, um imperador perseguiu os estoicos à sua volta. Então, em 93 d.C., Domiciano decretou uma sentença de morte para Aruleno Rústico por seu apoio a Trásea muitos anos antes. Ele assassinou o filho de Helvídio Prisco. Em seguida, matou Epafrodito, o ex-escravizado que havia sido dono de Epicteto e ajudara Nero a se matar vinte e cinco anos antes. Domiciano chegou a banir de Roma todos os filósofos, entre os quais Epicteto.

Se Musônio ainda estava vivo a essa altura, esse teria sido seu *quarto* exílio. Mas não sabemos se ele sobreviveu até essa provação derradeira do destino ou se morreu pouco antes. Considerando os tiranos homicidas sob os quais viveu, é incrível que tenha tido uma vida tão longeva — superando os setenta ou oitenta anos. Incontáveis pessoas e situações conspiraram para derrubá-lo, mas todas falharam. Ele foi muitas vezes privado de seu país, mas ninguém tiraria sua "capacidade de suportar o exílio", conforme ele mesmo diria.

Ninguém pode tirar a nossa capacidade de permanecer destemidos. Por isso, Musônio manteve suas convicções até dar seu último suspiro, onde quer que tenha sido — em Roma ou em qualquer outro lugar para onde tenha sido enviado.

"A filosofia nada mais é do que usar a razão para buscar aquilo que é certo e adequado e pôr isso em prática com ações." Rufo já dissera isso, mas o mais importante é que ele vivera assim. Como exilado. Como professor. Como marido e pai e, finalmente, como um homem à beira da morte. Por mais que tenha vivido, a longevidade por si só nunca foi o objetivo de Musônio. "Já que o Destino levou todos à morte", explica um de seus fragmentos, "é abençoado aquele que morre não tarde, mas bem."

Sem dúvida, não importa quando o fim chegou para Musônio: ele estava pronto e preparado para morrer bem. O homem que testemunhou o fim de tantos outros estoicos, que em alguns casos os aconselhou a ir quando chegasse a hora e, em outros, a suportar porque ainda tinham trabalho a fazer, saberia quando finalmente chegasse a sua hora. Ele tentara viver dessa maneira, dizendo: "Não podemos viver bem hoje, a menos que pensemos que este será nosso último dia."

Então, a hora chegou e Musônio se foi deste mundo — uma inspiração para todos nós — com a mesma dignidade e elegância com que enfrentou todas as adversidades na vida.

EPICTETO, O LIBERTO

NASCIMENTO: 55 D.C.

MORTE: 135 D.C.

ORIGEM: HIERÁPOLIS

Há os estoicos que discorreram sobre o significado de ser livre e, depois, há Epicteto.

Por quase meio milênio, de Zenão a Trásea, esses filósofos escreveram sobre a liberdade. Resistiram a governos tirânicos e enfrentaram a perspectiva do exílio. No entanto, não há como deixar de notar o privilégio que permeia boa parte de seus escritos.

A maioria desses homens era rica. Era famosa. Era poderosa. Catão foi assim. Zenão também. Posidônio e Panécio nunca precisaram trabalhar um dia sequer na vida.

Por isso, quando falavam sobre liberdade, era de maneira abstrata. Não estavam de fato acorrentados. Embora Sêneca falasse, com surpreendente compreensão, sobre proprietários de escravizados que acabavam se tornando conscientes da responsabilidade e da administração de seus escravizados, e outros estoicos se parabenizassem pelo tratamento humano que dedicavam a suas mercadorias humanas, Epicteto era um escravizado.

A liberdade não era uma metáfora para aquele filósofo estoico. Era a sua batalha diária.

Nascido em 55 d.C. em Hierápolis, Epicteto já chegou ao mundo na escravidão. Seu nome em grego quer dizer, literalmente, "adquirido". De algum modo, e apesar disso, sua tenacidade, sua perspectiva e sua absoluta autossuficiência tornariam Epicteto — não apenas durante a vida, não apenas para os imperadores que influenciou, mas na história e para sempre — o símbolo máximo da capacidade do ser humano de encontrar a verdadeira liberdade nas circunstâncias mais difíceis.

E as circunstâncias foram sombrias. Epicteto nasceu filho de uma escravizada no que hoje é a moderna Turquia, em uma região que, como parte do Império Romano, estava sujeita a suas leis brutais. Uma dessas leis, *Lex Aelia Sentia*, impossibilitava que escravizados fossem libertados antes de seu trigésimo aniversário. É uma ironia perturbadora o fato de Augusto, que aprovara a lei e fora aconselhado não por um, mas por *dois* filósofos estoicos, tenha roubado três décadas da vida de Epicteto. Quando menino, Epicteto foi comprado por um homem chamado Epafrodito — ele próprio um ex-escravizado —, que se tornou secretário de Nero e serviu ao lado de Sêneca. Dois imperadores sob os conselhos de três filósofos estoicos e, aparentemente, sem jamais questionar se era certo possuir um ser humano.*

Não foi exatamente um momento memorável de coragem, justiça, temperança ou sabedoria...

Epicteto teve pouco tempo para refletir sobre a justiça de seu destino. Ele estava muito ocupado *sendo* escravizado. O que

---

* O pigmento que a família de Zenão negociava era fabricado por escravizados em condições extenuantes. Sêneca possuía escravizados, assim como Marco Aurélio. Contudo, para ser justo, o próprio Epicteto, ao menos em seus escritos, discutia abertamente a escravidão e nunca questionou sua justiça ou moralidade.

ele podia e não podia fazer era controlado a todo momento. Os frutos do trabalho lhes eram roubados e o corpo era abusado — Roma não era conhecida por tratar os escravizados com gentileza. Ele era uma ferramenta a ser usada e depois descartada, um cavalo cavalgado à exaustão e então abatido.

O fato de ele ter sobrevivido até a idade adulta é surpreendente.

Mesmo para os padrões romanos, Epicteto teve um mestre cruel. Mais tarde, escritores cristãos retrataram seu mestre como violento e depravado, alguém que, em certa ocasião, teria torcido a perna de Epicteto com toda a força. Por castigo? Por prazer doentio? Tentando fazer uma criança desobediente seguir suas ordens? Não sabemos. Nossa única informação é que Epicteto o advertiu calmamente de que estava indo longe demais. Quando a perna estalou, Epicteto não emitiu som algum e não chorou. Apenas olhou para seu mestre e disse: "Eu não avisei?"

Por que isso nos faz estremecer? Empatia ou dor? Pelo horror diante da falta de sentido? Ou pelo absoluto autodomínio?

Com Epicteto, é tudo isso e muito mais.

Epicteto mancou por toda a vida. Não sabemos ao certo se por conta desse incidente doloroso ou de outro, mas, sem dúvida, ele foi prejudicado pela escravidão, ainda que, mesmo assim, tenha permanecido inabalável. "Coxear é um impedimento para a perna", diria mais tarde, "mas não para a vontade."

Os estoicos acreditavam que somos nós quem decidimos como vamos reagir ao que nos acontece. Epicteto *escolheu* encarar sua deficiência apenas como um impedimento físico e, na verdade, foi essa ideia de *escolha*, como veremos, que definiu o cerne de suas crenças filosóficas.

Para Epicteto, nenhum ser humano tinha o domínio integral do que acontecia em sua vida. Em vez disso, afirmou, era como se estivéssemos em uma peça, e, se for "desejo do dramaturgo que você interprete um pobre, um aleijado, um governador ou um cidadão, faça questão de agir naturalmente. Pois este é o seu negócio: interpretar bem o personagem que lhe foi atribuído; escolhê-lo é tarefa de outrem".

E foi o que ele fez.

Por volta de 60 d.C., na corte de Nero, Epicteto teria testemunhado toda a opulência, insanidade e contradição da Roma daquele período. Mais tarde, ele diria ter testemunhado um homem implorar por ajuda a Epafrodito por estar reduzido ao seu último milhão e meio de sestércios (cerca de três milhões de dólares atuais).

Terá sido com sarcasmo ou sincera perplexidade que o rico dono de Epicteto respondeu: "Meu caro, como você se manteve calado, como pôde suportar isso?"

Também deve ter sido revelador para Epicteto ver Epafrodito — um homem que tinha tanto poder sobre ele — se desdobrar para se manter nas graças de Nero, chegando a bajular até mesmo o sapateiro do rei na esperança de receber favores. Ele viu candidatos ao cargo de cônsul trabalharem até o último fio de cabelo para conseguir a posição. Viu os presentes que eram esperados, os espetáculos que precisavam ser produzidos, a cadeia de cargos que precisava ser mantida para que alguém pudesse subir na hierarquia. *Isso é liberdade?*, deve ter pensado. "Por causa desses poderosos e dignos cargos e honras, vocês beijam as mãos dos escravizados de outro homem", escreveu, "e são, portanto, escravizados de homens que também não são livres."

Os ricos em Roma não eram diferentes dos ricos de hoje: apesar de toda a riqueza, a ambição transforma o homem mais poderoso em suplicante na esperança de faturar mais.

"A liberdade é o prêmio pelo qual trabalhamos: não ser escravizado de nada — não da compulsão, não dos acontecimentos fortuitos", escreveu Sêneca. O que Epicteto teria pensado ao ver Sêneca em pessoa — cujas obras estariam presentes na casa de um homem culto como Epafrodito — trabalhando para um chefe tão desequilibrado? Como escritor, Sêneca pode muito bem ter sido a pessoa que introduziu Epicteto no estoicismo, mas, com seu exemplo, por certo o influenciou ainda mais: a liberdade é mais do que um status legal. É um estado de espírito, uma forma de viver.

Incapaz de se afastar do serviço de Nero, e por fim forçado a se submeter ao suicídio, Sêneca não foi vítima da mesma escravidão de Epicteto, mas, ainda assim, não era livre.

O que sabemos é que Epicteto ficou horrorizado com o que presenciou nos palácios e gabinetes imperiais de Roma e decidiu viver de maneira diferente. "É melhor morrer de fome com um estado de espírito calmo e confiante", dizia, "do que viver ansioso em meio à abundância." Ver alguém como Agripino — que Epicteto provavelmente também conheceu — teria oferecido um contraste poderoso, lembrando-o de que quem vivia de acordo com as próprias regras poderia ser livre, apesar da tirania dominante. "Pois nenhum homem que é livre em sua vontade é escravizado", diria Epicteto depois, soando muito mais como Agripino na prática do que como Sêneca no papel.

Em algum momento, Epicteto entrou formalmente na filosofia, embora não tenhamos certeza de quando. Por volta de 78 d.C., porém, quando Musônio Rufo voltou de seu terceiro exílio, Epicteto estava lá para ser seu discípulo. Será que ele escapuliu para assistir às palestras? Será que o mestre de Epicteto o deixou comparecer movido por um sentimento de culpa?

Não sabemos, mas é evidente que Epicteto encontrou uma maneira. E não seria detido, nem mesmo por Musônio, que era um professor difícil. Musônio afirmava que o silêncio era um sinal de alunos atentos, mas Epicteto, que deveria estar na casa dos vinte anos quando o conheceu, contaria mais tarde que Rufo também acreditava que, se um aluno o elogiasse, isso significaria que o estudante não entendera em absoluto o desafio que as suas palestras tinham lhe oferecido.

Esse também não era um desafio qualquer. Como fazem os melhores professores, Musônio transmitia a cada um de seus alunos que ele os compreendia em sua essência. Para ele, um bom professor deveria "procurar adentrar o intelecto de seu ouvinte", e isso foi o que evidentemente aconteceu com Epicteto.

Epicteto descreveria um estilo de ensino tão direto e pessoal que parecia que outro aluno sussurrara todas as suas falhas ao ouvido do professor. Certa vez, depois de cometer um erro, Epicteto tentou dar uma desculpa: "Não é como se eu tivesse ateado fogo ao Capitólio", disse ele. Musônio balançou a cabeça e o chamou de idiota. "Nesse caso", afirmou, "o que você não percebeu *era* o Capitólio." Este era um professor que exigia o máximo de seus alunos. Cometer um erro, fazer uso de uma lógica fraca, deixar de detectar a própria inconsistência, era falhar totalmente na filosofia. E depois tentar minimizar o erro? Para Musônio, isso era tão ruim quanto incendiar Roma e dançar sobre as cinzas.

Foi com esse tipo de ensinamento que Epicteto veio a entender a filosofia não como um passatempo, mas como algo mortalmente sério. "A sala de aula do filósofo é um hospital", diria mais tarde a seus alunos. "Você não deve sair dela experimentando prazer, e sim dor, porque não estava bem quando ali entrou."

Embora Musônio Rufo não fosse um escravizado, ele e Epicteto tiveram longas conversas sobre a condição humana. Claramente, ambos haviam experimentado o pior que os homens podiam fazer uns com os outros — Musônio com seus repetidos exílios e Epicteto vivendo na escravidão. No entanto, em vez de ficarem amargurados, em vez de perderem o senso de diligência sobre as respectivas vidas, os dois foram impulsionados por acontecimentos dolorosos para perceber que o único poder que de fato tinham era sobre a sua mente e o seu caráter. "Se uma pessoa entregasse seu corpo a algum passante, você ficaria furioso", disse Epicteto, mas é com tanta facilidade que entregamos nossa mente a outras pessoas, deixando-as entrar em nossa cabeça ou nos fazendo sentir de determinada maneira.

Qual dessas formas de escravidão é a mais vergonhosa? Qual dessas podemos parar agora?

Em algum ponto, na casa dos trinta anos, Epicteto foi libertado pela lei, bem como pelo espírito. Agora, a vida lhe apresentava novas escolhas, as mesmas que cada um de nós tem ao entrar no mundo como adultos: O que fazer para viver? Como desfrutar a liberdade? O que fazer com sua vida?

Epicteto optou por se dedicar totalmente à filosofia. Ao contrário de outros estoicos, que haviam sido senadores e generais, conselheiros e abastados herdeiros — atividades influenciadas por sua filosofia —, Epicteto foi um dos primeiros a escolher o que hoje poderíamos chamar de rota acadêmica.

Seria uma jornada mais próxima da vida de Cleantes e Zenão do que da vida de Atenodoro e Catão.

Quase de imediato, Epicteto conquistou um grande número de seguidores. Sua escola e sua posição foram suficientes para que, em 93 d.C., quando Domiciano baniu os filósofos de Roma, ele fosse exilado. De certa forma, era apropriado que escolhesse a Grécia — uma cidade chamada Nicópolis —, porque a ideia de voltar a *ensinar* filosofia era um retorno ao estoicismo grego que Zenão e Cleantes ajudaram a fundar. A vida de Epicteto não foi fácil, e ele não podia esperar estabilidade, mas, ao escolher ensinar, estava se afastando explicitamente do estoicismo da corte imperial.

Ele não seria cúmplice dos planos de algum imperador ensandecido. Não sofreria em vão para controlar seus piores impulsos. Não seria uma engrenagem na enorme hegemonia imperial. Em vez disso, buscaria a verdade onde ela pudesse ser encontrada.

Isso não significava que ele estava fugindo das responsabilidades ou da realidade do mundo — ele apenas não tinha interesse em maquinações políticas ou em adquirir riqueza. Buscava a sabedoria: como obtê-la, como aplicá-la, como transmiti-la a outros. "Se nós, filósofos", disse, "nos dedicarmos ao nosso trabalho com o mesmo zelo que os antigos romanos aplicaram aos assuntos que os motivavam, talvez também possamos realizar algo."

A percepção mais impactante de Epicteto como professor deriva diretamente de suas experiências como escravizado. Embora todos os humanos em algum ponto sejam apresentados às leis do Universo, quase desde o momento em que nasceu Epicteto era lembrado diariamente de quão pouco controle tinha, até mesmo sobre ele próprio. Quando começou a estudar e a compreender o estoicismo, ele incorporou essa lição naquilo que descreveu como nossa "principal tarefa na vida". Segundo ele, essa tarefa era simplesmente "identificar e separar as questões para que eu pudesse dizer sem dúvida para mim mesmo quais são as coisas externas que não estão sob o meu controle e quais têm a ver com as escolhas que eu de fato controlo". Ou, em sua linguagem, o que *depende* de nós e o que *não depende* de nós (*ta eph'hemin, ta ouk eph'hemin*).

Depois de organizar nossa compreensão do mundo nessa rígida categorização, o que resta — o que era tão essencial para a sobrevivência de Epicteto como escravizado — é nos concentrarmos no que *depende de nós*. Nossas atitudes. Nossas emoções. Nossas vontades. Nossos desejos. Nossas opiniões sobre o que aconteceu conosco. Epicteto acreditava que, por mais impotentes que os humanos fossem em relação às condições externas, eles sempre detinham a capacidade de *escolher* como reagiriam. "Você pode amarrar minha perna", diria ele — e de fato sua perna fora amarrada e quebrada —, "mas nem o próprio Zeus tem o poder de retirar minha liberdade de escolha."

"Cada situação tem duas alças", ensinou Epicteto. Uma delas é macia e a outra, dura. Não importando a nossa condição, não importando quão desfavorável seja a situação, detemos a capacidade de escolher qual das duas seguraremos. Vamos optar por enxergar que o nosso irmão é um babaca egoísta? Ou nos lembraremos de que compartilhamos a mesma mãe, que ele não é assim de propósito, que o amamos, que também temos nossos impulsos ruins?*

---

* Tempos depois, Thomas Jefferson incorporaria a regra de Epicteto ao "Cânon de Conduta" que escreveu para o filho, dizendo: "Segure as coisas sempre por sua alça mais macia."

Essa decisão — qual alça vamos escolher, dia após dia, com qualquer pessoa com quem lidamos — determina a vida que levaremos. E que tipo de pessoa seremos.

Embora não deva nos surpreender que em tempos tão difíceis e cruéis como a Roma no primeiro século depois de Cristo os alunos se aglomerassem para ouvir os ensinamentos de um homem que triunfou sobre tantas adversidades, é interessante notar quão rico e poderoso se tornou o público de Epicteto, embora ensinasse a mais de oitocentos quilômetros de Roma. De todos os cantos do Império, os pais enviavam os filhos para serem educados sobre a vida por um homem que, no afã da corte, teriam desprezado como um mero escravizado.

Até os poderosos vieram se sentar a seus pés. Em algum momento, um jovem Adriano, o futuro imperador, passou por Nicópolis e conheceu Epicteto. Não sabemos a quantas palestras assistiu ou que tipo de perguntas fez, mas o registro histórico nos mostra que ele admirava aquele estoico, e, quando se tornou todo-poderoso, tacitamente o endossou (a *Historia Augusta* relata que Adriano era conhecido por destituir filósofos inaptos). Em breve as palestras de Epicteto chegariam a um jovem Marco Aurélio, neto adotivo de Adriano e futuro rei.

O foco de Epicteto na ausência de poder não foi apenas uma percepção das estruturas de força de sua época. Ele estava refletindo sobre o que nos torna fundamentalmente humanos. Há muito fora de nosso controle. Ainda assim, muito permanece ao nosso alcance, desde que nos recusemos a abrir mão disso.

De acordo com Epicteto, se uma pessoa quer ser feliz, quer se sentir tratada com justiça, quer ser rica, não precisa que a vida seja fácil, que as pessoas sejam boas e o dinheiro abundante. Ela precisa olhar para o mundo do jeito certo. "Não são as coisas que nos incomodam", dizia ele, "e, sim, o nosso julgamento a respeito delas." *Nossas opiniões determinam a realidade que experimentamos.* Epicteto não acreditava que era possível ficar ofendido ou frustrado, não sem o consentimento de alguém. "Lembre-se, não basta ser agredido ou insultado para ser ferido, você deve acreditar que está sendo ferido", disse ele. "Se alguém consegue provocá-lo, perceba que a sua mente é cúmplice dessa provocação. Por isso, é essencial que não respondamos impulsivamente às sensações; pare um pouco antes de reagir e será mais fácil manter o controle."

É uma mensagem que todos deveriam aprender desde a infância... ou antes de se tornarem reis.

E o que dizer das situações que estão fora de nosso controle? Como lidar com isso?

Do jeito como Epicteto lidou na condição de escravizado — com resiliência e serenidade. Foi Aulo Gélio quem perpetuou um dos ditos mais famosos de Epicteto:

> [Epicteto] costumava dizer que havia duas falhas que eram de longe as piores e mais perversas de todas, a falta de resistência e a falta de autocontrole, quando não podemos suportar os erros que devemos suportar, ou não conseguimos nos abster de ações ou prazeres dos quais devemos nos abster. "Portanto", disse ele, "se alguém levar a sério essas duas palavras e usá-las para a própria orientação e conduta, quase não terá pecado e terá uma vida muito pacífica. Essas duas palavras são ἀνέχου [persistir] e ἀπέχου [resistir]."

Persista e resista.

Esses são os ingredientes da liberdade, independentemente da sua condição.

Para cada aluno rico que Epicteto ensinou, ele teria outro tão pobre e desfavorecido quanto ele mesmo. Ele teria visto homens — e, se deu ouvidos a Musônio, como esperamos que tenha dado, também lecionou para mulheres — que sofreram nas mãos do destino. Sua mensagem para eles era a mesma que para os imperadores e futuros senadores: descubra como tirar o máximo proveito do que o destino lhe concedeu, desempenhe o papel que lhe foi atribuído com a maestria de um ator.

A capacidade de aceitar a vida em seus termos, a necessidade de não precisar que as coisas sejam diferentes, isso representava o poder para Epicteto. "Lembre-se", disse ele, "não é apenas o desejo por riqueza e status que nos rebaixa e subjuga, mas também o desejo por paz, lazer, viagens e aprendizado. Não importa qual seja esse elemento externo, o valor que atribuímos a ele nos subjuga ao outro... Onde nosso coração se posiciona, ali está o nosso impedimento."

Assim, para Epicteto, a ambição não deve ser focada nas coisas externas, mas nas internas. O maior e mais impressionante triunfo de um estoico, disse ele, não é sobre outras pessoas ou forças inimigas, mas sobre si mesmo — sobre nossas limitações, nossos gênios, nossos egos, nossos desejos mesquinhos. São impulsos comuns a todos nós; o que nos diferencia é conseguirmos nos colocar acima deles. O que nos torna impressionantes é o que somos capazes de fazer com esse material imperfeito com o qual nascemos.

Como é raro, embora glorioso, o homem ou a mulher que alcança isso. Como é melhor a vida daqueles que tentam se colocar acima das massas que reclamam e lamentam, descem ao nível de seus instintos mais básicos. "De agora em diante", disse Epicteto, "decida viver como um adulto que está progredindo e faça daquilo que achar melhor uma lei que jamais ignorará. E sempre que encontrar algo que seja difícil ou agradável, prezado ou desprezado, lembre-se de que a competição é agora, de que você está nos Jogos Olímpicos, de que você não pode esperar mais, e que o seu progresso será arruinado ou mantido em um único dia e em uma única prova."

Foi a experiência de ter sido privado de tanto que instituiu o desapego de Epicteto pelas posses mundanas. Era como se ele dissesse a si mesmo: "Nunca mais alguém tirará algo de mim."

Sabemos que certa noite um ladrão invadiu a casa de Epicteto e roubou uma lâmpada de ferro que ele mantinha acesa em um santuário no vestíbulo. Embora tenha sentido um lampejo de decepção e raiva, ele sabia que um estoico não deveria se render às emoções fortes. Fazendo uma pausa, refletindo, ele encontrou uma maneira diferente de enxergar a experiência de ser roubado. "Amanhã, meu amigo", disse a si mesmo, "você encontrará uma lâmpada de barro, pois um homem só pode perder aquilo que tem."

Você só pode perder o que tem. Você não controla seus bens, portanto, não lhes atribua mais valor do que merecem. E, sempre que esquecemos essa lição, a vida encontra uma forma dolorosa de chamar nossa atenção para isso.

Um incidente um tanto revelador sobre a fama desse professor frugal foi o fato de, após sua morte, um admirador — que evidentemente não se importava em ter algo que lhe pudesse ser tirado — ter comprado a lâmpada de barro de Epicteto por três mil dracmas.

No entanto, mesmo com essa rejeição ao materialismo, Epicteto era cauteloso em relação a não deixar que sua autodisciplina se tornasse um vício, um tipo de competição com outras pessoas. "Quando você acostumar seu corpo a um regime frugal", disse ele, "não se vanglorie, e se você bebe apenas água, não divulgue esse fato aos quatro ventos. Se você quiser fazer um treinamento de resistência, faça por si mesmo e não para o mundo ver." O progresso é maravilhoso. O autoaperfeiçoamento é um esforço digno. Mas deve ser feito *em causa própria* — não para angariar elogios ou reconhecimento.

Epicteto nunca teve filhos, mas sabemos que adotou um jovem órfão e o educou até a idade adulta. É espantoso, então, imaginá-lo praticando e se preparando para a perda até mesmo da alegria que ser pai lhe trazia. Como aprendemos com Marco Aurélio, que perderia oito filhos durante a vida:

> Ao dar um beijo de boa-noite em seu filho, diz Epicteto, sussurre para si mesmo: "Ele pode estar morto pela manhã." Dizem que é melhor não provocar o Destino. Por falar sobre um evento natural? O Destino se sente tentado quando falamos na colheita de grãos?

Não deve ter sido fácil para Epicteto pensar assim a respeito de um menino que amava, mas ele sabia por experiência própria que a vida era cruel. Queria lembrar que seu precioso filho não era *propriedade* sua, assim como não o eram seus amigos, seus alunos ou a sua saúde. O destino dessas coisas permanecia, em sua maior parte, fora de seu controle. O que, para um estoico, significa apenas uma coisa: cuide deles enquanto os tem, mas aceite que eles nos pertencem apenas em confiança, que podem partir a qualquer momento. Porque eles podem partir. E nós também podemos.

Era para isso que Epicteto praticava a filosofia. Um homem que viu a vida em termos reais e difíceis não tinha espaço nem tempo para dialética ou sofismas. Ele queria estratégias para melhorar, para lidar com o que provavelmente aconteceria a uma pessoa no decorrer de um dia ou em um Império governado, com frequência, por tiranos.

Se essa praticidade o colocava em conflito com outros estoicos, que assim fosse. "Qual é a obra da virtude?", perguntou. "Uma vida que flui bem. Quem, então, está progredindo? A pessoa que leu as muitas obras de Crisipo? Será que a virtude não é nada além disso? Ser um profundo conhecedor de Crisipo?"

A ação era o que importava. Não a leitura. Não a memorização. Nem mesmo a publicação de textos impressionantes. Apenas trabalhar *para ser* uma pessoa melhor, um pensador melhor, um cidadão melhor. "Não posso chamar uma pessoa de trabalhador árduo só porque me dizem que ela lê e escreve", disse Epicteto, "mesmo que trabalhe a noite inteira. Até que eu saiba para o que uma pessoa está trabalhando, não posso a considerar laboriosa... Caso a finalidade para a qual ela trabalha seja o seu próprio princípio regente, seguindo-o e permanecendo em constante harmonia com a Natureza, então, sim, eu a consideraria."

Como pensador e professor, Epicteto pregava a humildade. "É impossível alguém começar a aprender o que acha que já sabe", disse ele. No zen, há uma parábola de um mestre e de um aluno que se sentam para tomar chá. O mestre enche a taça até transbordar. Essa taça é como a sua mente, diz ele. Se estiver cheia, não poderá aceitar mais nada. "É o conceito de saber algo útil que devemos deixar de lado antes de atingirmos a filosofia", diria Epicteto, "caso contrário, nunca chegaremos nem perto de qualquer progresso, mesmo se examinarmos todas as cartilhas e todos os tratados de Crisipo, entre eles os de Antípatro e Arquedemos."

Portanto, todas as manhãs, Epicteto travava um monólogo, verificando seu progresso, avaliando se havia se preparado adequadamente para o que poderia vir. Era quando ele escrevia em seu diário ou recitava filosofia para si mesmo. "Todos os dias e todas as noites, mantenha pensamentos como esses à mão", aconselhou, "escreva-os, leia-os em voz alta, converse a respeito com você mesmo e com os outros."

Enquanto outros romanos se levantavam cedo para prestar homenagem a algum patrono ou para promover a própria carreira, Epicteto queria se olhar no espelho, responsabilizar-se, concentrar-se naquilo em que estava falhando. "O que me falta para alcançar a tranquilidade? E para alcançar a calma?", perguntaria. "Onde foi que eu errei em questões que levam à serenidade? O que foi que eu fiz de hostil, antissocial ou insensível? O que deveria ter sido feito em relação a essas questões?"

Epicteto morreria por volta de 135 d.C. Embora tenha nascido no anonimato e na escravidão e falecido por causas e circunstâncias desconhecidas, nunca houve dúvida quanto à sobrevivência de seu legado.

Durante a vida, e a exemplo de Sócrates e Catão, Epicteto não se deu ao trabalho de publicar uma única palavra. No entanto, seus ensinamentos foram amplamente difundidos, mesmo em sua época. Marco Aurélio receberia uma cópia das palestras de Epicteto das mãos de seu mestre Júnio Rústico. Adriano estudara Epicteto e, agora, seu protegido beberia profundamente dessa mesma fonte de sabedoria.

Se Epicteto se recusou a escrever, como tantos de seus ensinamentos sobreviveram? Porque um aluno, Arriano — um biógrafo que obteria um consulado no reinado de Adriano —, publicaria oito volumes de anotações das palestras de Epicteto. Mas foi a opção de título feita por Arriano para um resumo desses volumes que melhor capta aquilo para que o estoicismo e os ensinamentos de Epicteto foram feitos. Ele os chamou de *Encheiridion*, que significa, literalmente, "ter à mão" ou "manual".

A. A. Long, um tradutor de Epicteto, explica a escolha da palavra:

> Em seu uso original, *encheiridion* refere-se a uma faca ou punhal. Arriano pode ter tido a intenção de sugerir essa conotação da função defensiva ou protetora da obra. O que se encaixa em sua advertência no início e no fim do texto para que o leitor mantenha a mensagem de Epicteto "à mão" (*procheiron*). Em uma óbvia imitação, em 1501 Erasmo publicou uma obra em latim intitulada *Encheiridion militis Christiani* [Manual do soldado cristão].

Shakespeare faz Casca dizer em *Júlio César* que todo escravizado tem a fonte de sua liberdade nas próprias mãos, e é com essa arma que Bruto se libertaria do reinado de César em 44 a.C. Cerca de quatro gerações depois, Epicteto seria de fato um escravizado e estaria sob uma tirania muito mais grave. Ele não precisaria recorrer ao assassinato. Ele não precisaria de uma arma de verdade.

Em vez disso, criaria outro tipo de liberdade, mais profunda — que Arriano graciosamente replicou —, que também poderia ser empunhada com uma das mãos.

E foi assim que Toussaint Louverture seria em parte inspirado pelo comprometimento feroz de Epicteto com a liberdade

— literal e figurada — quando se rebelou e conduziu seus companheiros escravizados haitianos à liberdade contra a França de Napoleão. Assim como em 1965, quando o coronel James Stockdale foi abatido no Vietnã, sabendo que quase certamente seria feito prisioneiro. Ele se armou com os ensinamentos de Epicteto, os quais estudara em Stanford, e, enquanto descia de paraquedas, disse a si mesmo: "Estou deixando o mundo da tecnologia e entrando no mundo de Epicteto."

Assim, com dois mil anos de diferença, esses mesmos ensinamentos ajudaram um homem a encontrar a liberdade no cativeiro e o tornaram inabalável, apesar das piores circunstâncias possíveis.

Essa é a única maneira que as gerações futuras podem agradecer ou prestar a devida homenagem a alguém como Epicteto.

Esqueça tudo, menos a ação. Não fale sobre isso, seja isso.

"Não explique sua filosofia", disse Epicteto, "incorpore-a."

JÚNIO RÚSTICO, O OBEDIENTE

NASCIMENTO: 100 D.C.

MORTE: 170 D.C.

ORIGEM: ROMA

Em 66 d.C., enquanto Trásea enfrentava uma sentença de morte quase certa, Aruleno Rústico ofereceu-se para contestar e salvá-lo. Trásea dissera: Não, é tarde demais para mim. Mas ainda havia tempo, afirmara àquele jovem corajoso que tentava salvá-lo, para pensar em que tipo de político ele se tornaria.

Rústico criaria um filho que, por sua vez, teria um filho que, de modo geral, provou que aquela fé era bem fundamentada. Ao que parece, ele também provaria quantas vezes a história depende de pequenos acontecimentos.

Júnio Rústico, neto de Aruleno, nasceu por volta de 100 d.C., menos de uma década após o assassinato de seu avô. Ele se tornaria o mestre que introduziria Marco Aurélio no estoicismo e, ao fazê-lo, ajudaria a moldar o primeiro rei-filósofo do mundo — o total oposto dos líderes contra os quais Aruleno bravamente se opusera.

Teria sido natural para Júnio se afastar daquele mundo violento, se esconder nos livros e em suas teorias. Um antigo escritor relata haver uma parte de Júnio que se contentaria em ser um "mero filósofo de gabinete", que ele teria ficado em casa com prazer para elaborar suas teorias em paz. Mas o senso de dever — instilado pelo exemplo de seu avô, assim como ocorrera com Catão — o levaria a feitos maiores.

É um exemplo que deveria ser um desafio para qualquer pessoa brilhante e talentosa: você deve a si mesmo e ao mundo um envolvimento ativo durante sua breve passagem por este planeta. Você não pode se refugiar exclusivamente nas ideias. Você deve *contribuir*.

Júnio, por sua vez, tornou-se soldado e general. Com trinta e poucos anos, era cônsul de Adriano. Em algum momento, conheceu Arriano, que estudara com Epicteto. É perfeitamente possível, conforme especulam estudiosos modernos como Donald Robertson, que Júnio tenha assistido às palestras de Epicteto e feito anotações próprias sobre o que o grande sábio ensinou.

De qualquer modo, teria sido uma cópia pessoal dos ditos de Epicteto que saiu da biblioteca de Júnio diretamente para as mãos de um jovem Marco Aurélio, o que mudaria o curso da vida do homem.

Um livro dado. Um livro lido. Uma troca tão simples, mas feita entre duas pessoas certas na hora certa — como foi o caso — pode ser o bastante para mudar o mundo.

Em algum momento antes de completar 25 anos, Júnio se tornou o tutor oficial de Marco Aurélio. Foi, ao que parece, um período transformador de estudos. Como Marco refletiria mais tarde, ele aprendera com Júnio as coisas grandes e pequenas, desde como se portar com dignidade até como escrever com eficiência e lucidez.

Mais tarde na vida, ele refletiu:

JÚNIO RÚSTICO, O OBEDIENTE

Com Rústico, aprendi a me conscientizar de que meu caráter precisava de correção e treinamento; a não me deixar desviar por um sofisma argumentativo; nem redigir tratados sobre assuntos especulativos, nem produzir pequenos sermões, nem posar com pompa como o atleta moral ou altruísta; a evitar a retórica, a poesia e a linguagem refinada; a não andar pela casa de túnica, nem cometer nenhum desvio do bom gosto; a escrever cartas sem afetação, como a própria carta que ele escreveu de Sinuessa para minha mãe; a mostrar-me pronto a me reconciliar com aqueles que perderam a paciência e transgrediram e pronto para encontrá-los no meio do caminho, assim que pareçam dispostos a retraçar seus passos; a ler cuidadosamente e não me contentar com uma visão panorâmica e superficial; nem ser rápido demais em concordar com todo orador volúvel; e a conhecer as recordações de Epicteto, que ele me forneceu de sua biblioteca.

Com Júnio, Marco Aurélio aprendeu tudo o que Sêneca falhou em transmitir a Nero. De fato, é um paralelo muito interessante. Nero se aproximou de Sêneca ainda adolescente, após a morte do pai. Marco começou a estudar com Júnio aos 25 anos, após a morte da mãe. E, quando Nero se tornou imperador, Sêneca foi atraído para assuntos governamentais mais sérios. Em 161 d.C., quando Marco Aurélio subiu ao poder, Júnio recebeu as funções de magistrado e conselheiro. Assim como Sêneca, seria cônsul.

Ao contrário de Sêneca, Júnio parecia disposto a transmitir duras verdades ao aluno. Marco relata que "costumava se aborrecer com Rústico", mas professor e aluno sempre se reconciliavam. É um crédito para os dois o fato de Marco ter sido capaz de dizer que nunca ficou tão irritado com as críticas ou os métodos de Júnio a ponto de fazer algo de que depois se arrependeria.

Nero fora um aluno truculento, que só esperara o momento de fazer o que quisesse quando chegasse ao poder. O respeito que tivera por Sêneca quando jovem se transformou, com o tempo, em uma espécie de ressentimento e aversão. Sêneca parecia, por um lado, estar disposto a aceitar a situação, a dar suas lições e esperar que fosse assimilado, e, por outro, sentia-se despreocupado o suficiente para permitir que Nero obtivesse o poder que tanto desejava.

Marco, por sua vez, era um aluno ansioso por aprender e assim permaneceu pelo resto da vida, mesmo quando a dinâmica de poder entre ele e seu mestre mudou. Na obra *Historia Augusta*, ficamos sabendo que ele sempre cumprimentava Júnio com um beijo e o elogiava diante de qualquer outro membro de sua equipe. Ele lhe pedia conselhos em particular ou em público, e genuinamente reverenciava o mestre, de quem se considerava um "discípulo". Rústico foi capaz de fazer o que poucos professores conseguem, mesmo com alunos humildes: ele *alcançou* Marco Aurélio.

Mais tarde, Plutarco discutiria como muitos políticos governaram de forma a se livrarem de serem governados por outros. O que tornou Marco tão único talvez tivesse sido o fato de ele parecer colocar um conselheiro e filósofo como Rústico acima de si mesmo, apesar de seu poder como imperador ser quase absoluto. Por que Marco permaneceu bom enquanto tantos outros líderes se desvirtuaram? Seu relacionamento e deferência para com um homem sábio e mais velho como Rústico explica muito sobre isso.

Quase imediatamente após Marco se tornar imperador, Júnio recebeu posições importantes no serviço ao Estado. Em 162 d.C., ele cumpriu o segundo mandato como cônsul (quase trinta anos após o primeiro). Por cinco anos, foi nomeado oficial urbano, sendo na prática o prefeito de Roma, uma vez que supervisionava a polícia, a aplicação da lei, as obras públicas e o abastecimento de alimentos da cidade. Dada a vasta corrupção endêmica em Roma, essa era uma posição de imensa responsabilidade e confiança. Segundo os relatos, ele se portou com honra.

Isso também colocaria Júnio em rota de colisão com um fato que, infelizmente, definiria seu legado para a maior parte da história. Em 165 d.C., um processo judicial aparentemente sem importância chegou à mesa de Júnio. Um filósofo cristão chamado Justino Mártir e um filósofo cínico chamado Crescêncio haviam se envolvido em uma espécie de disputa agressiva que se disseminara pelas ruas. Denunciados por Crescêncio, que acusou aqueles cristãos de serem ateus, Justino e seis de seus alunos foram acusados e interrogados.

Na verdade, Justino estudara com um professor estoico na Samaria, mas deixou a escola em favor da crescente fé cristã. Muitos de seus escritos evocam semelhanças entre os estoicos e os cristãos, e era até possível que ele estivesse familiarizado com o trabalho filosófico de Júnio. Era compreensível que esperasse uma decisão favorável de seu juiz estoico. Como cristão devoto, ele sabia que, um século antes, o irmão de Sêneca julgara com justiça São Paulo em Corinto, libertando-o.

Mas aquela era Roma em uma época muito diferente, e Rústico era mais do que um filósofo de gabinete. Seu trabalho era manter a paz. Os cristãos se recusavam a reconhecer os deuses romanos e a supremacia do Estado romano. Isso era louco, perturbador, perigoso. O trabalho de Rústico não era fazer cumprir as leis? Evitar que esse tipo de coisa acontecesse? E, talvez, com Marco distante e ninguém para controlá-lo, Rústico estivesse um tanto imerso no caminho de seu poder.

Em um romance de 1939 sobre o cristianismo na Roma Antiga, escrito enquanto o fascismo esmagava as minorias religiosas na Europa, Naomi Mitchison recorre a um filósofo estoico, Nausifânio, para tentar explicar esse curso de colisão entre os estoicos e os cristãos. "[Os cristãos] estavam sendo perseguidos", diz o personagem, "porque eram contra o Estado romano; nenhum romano jamais se incomodou de fato com as diferenças religiosas. Nesse assunto, eram profundamente tolerantes, porque seus deuses não eram parte de sua consciência individual, mas apenas convenções sociais — ou assim haviam se tornado. Politicamente, porém, eles perseguiam os cristãos, como era seu dever: e da mesma forma deviam ser atacados por todos os cristãos que tivessem a coragem."

Achamos que estamos fazendo a coisa certa. Achamos que estamos protegendo o *statu quo*. E, no processo, fazemos coisas terríveis.

Os procedimentos do julgamento e suas nuances excessivamente modernas estão registrados nas *Atas de Justino*. Rústico vai direto ao assunto, exigindo um relato de como Justino está vivendo. Ele é cristão?

Sim. *Sim*, sou, responde Justino, admitindo que sabe que suas crenças são vistas como uma ameaça pelos poderes do Estado. Esse poder não é Rústico, mas o Império que ele representa. Mesmo assim, Rústico parece levar para o lado pessoal a afirmação de Justino de que são os romanos que "persistem no erro". "Você aprova as doutrinas [cristãs], infeliz?", exige saber Rústico. E, daí em diante, tudo degringola.

Assim como o orgulho precede a queda, o desprezo precede as injustiças e falhas morais.

Sêneca escrevera seu famoso ensaio para Nero, *Sobre a clemência*, em 55-56 d.C. Em vista do que Nero se tornou, é provável que Rústico não fosse um grande admirador da filosofia de Sêneca. No entanto, nesse caso, o cerne daquele ensaio — sobre como as decisões que os poderosos tomam em relação aos mais fracos definem quem eles são — era desesperadamente relevante. Aqui, Rústico controlava todo o peso do poder jurídico romano. Justino era apenas um homem insignificante, um homem que discordava de uma crença amplamente difundida. Seu exemplo pouco importava. Ele poderia ter sido solto.

Ele merecia misericórdia. Quase todo mundo merece.

Rústico estava frustrado demais para permitir isso. Estava perplexo com a fé de Justino, por sua firme crença em algo que o sistema romano não aprovava. Era por esse motivo que Justino estava sentado no tribunal diante de Rústico, para começo de conversa.

"Escute", diz Rústico, "se você fosse açoitado e decapitado, está convicto de que iria para o céu?" Justino responde: "Espero entrar na casa de Deus se assim sofrer. Pois eu sei que o favor de Deus está guardado até o fim do mundo para todos os que levarem a vida pelo caminho do bem."

Marco afirma ter aprendido com Rústico a se "mostrar pronto para a reconciliação com aqueles que perderam a paciência e transgrediram e pronto para encontrá-los no meio do caminho, assim que pareçam dispostos a retraçar seus passos". Onde estava essa prontidão com Justino? Quão melhor Rústico teria se saído se tivesse conseguido demonstrar isso?

Ele deu a Justino a chance de se arrepender, de se submeter à lei e seguir seu caminho. Justino nem precisava ser sincero. Apenas tinha que fazer o esperado de todo romano. "Agora vamos ao que está em pauta", disse Rústico, "ao que é necessário e urgente. Então, reúnam-se e, de comum acordo, ofereçam sacrifícios aos deuses." A punição por não fazer isso seria a mesma para qualquer romano que ousasse recusar o ato de piedade, que rejeitasse os deuses de cujo favor o Império acreditava necessitar.

Ele oferecia a Justino a escolha dada a Agripino, a Catão, a Trásea e a Helvídio. Baixe a cabeça. Trásea passou por isso, teve uma chance de indulto, mas recusou até mesmo a ajuda de Aruleno, avô de Rústico. Agora, anos depois, os papéis se invertiam. Não era um tirano exigindo a reverência de um estoico. Era um estoico exigindo isso de um cristão.

Dessa vez, o cristão daria a demonstração de coragem. "Ninguém que esteja com a cabeça no lugar desce da adoração verdadeira para a falsa adoração", respondeu Justino. E, ao fazer isso, escolheu morrer por aquilo em que acreditava ao invés de fazer uma concessão e viver.

Com o imenso poder do Estado nas mãos, Rústico optou por utilizá-lo. "Que aqueles que se recusaram a sacrificar aos deuses e obedecer à ordem do imperador", ordenou, "sejam açoitados e levados a sofrer a pena de morte de acordo com o veredito da lei."

Em nome de Marco Aurélio, por ordem de Rústico, aquele pobre homem foi enviado para ser cruelmente espancado, açoitado até lhe arrancarem a pele do corpo e, então, decapitado.*

---

* Por incrível que pareça, os ossos de Justino foram descobertos em um cofre de igreja em Baltimore nos anos 1960 e finalmente enterrados na década de 1980.

Seria uma mancha em duas reputações que, de outra forma, seriam impecáveis.

Mesmo que Justino estivesse total e indiscutivelmente errado nessa questão de religião, os estoicos não deveriam ter considerado a ideia de *sympatheia*, que remontava a Zenão e a Crisipo? Como eles poderiam ter esquecido que todos fazemos parte de um grande corpo, cada um com seu papel, a própria função a desempenhar? Marco Aurélio escreveria em belas palavras que até os mal informados, os egoístas, os desavergonhados e estúpidos se encaixam nessa equação, e que não devemos nos surpreender quando os encontrarmos. Esse seria um conceito que ele e Rústico teriam discutido várias vezes.

Seria possível um mundo em que todos concordassem cem por cento em tudo? Não era inevitável que algumas pessoas discordassem, sobretudo em questões religiosas? O que havia de tão chocante na existência de um herege ocasional? E se, por incrível que pareça, o herege soubesse algo que você não sabia? E se a maioria das pessoas, até mesmo as desordeiras, fosse genuinamente sincera no que quer que esteja fazendo?

Ao presidir o julgamento de Justino, Rústico poderia ter dito a si mesmo: *Certo, este homem é uma daquelas pessoas que precisam existir no mundo. Vou adverti-lo e deixá-lo ir.* Mas não fez isso. Ele estava perdido na simplicidade do caso legal que tinha em mãos: Justino se recusava a cumprir as ordenanças sacrificiais, uma prática diária na rotina romana. Isso era desobediência civil, e a lei era clara. Então, em 165 d.C., ordenou uma das execuções mais famosas da história cristã.

Mas esse "martírio" quase passou despercebido na época. Roma estava em meio à Guerra Parta e lidava com um conflito contra tribos germânicas na fronteira. Uma peste devastava o

Império. Milhões morreriam. A sentença de morte para um infrator da lei não parecia algo a ser registrado pela história.

A história é assim. Da mesma forma como a decisão banal de entregar um livro a Marco Aurélio teria consequências descomunais, esse minúsculo caso que, na época, provavelmente parecia idêntico a centenas de outros, também repercutiria.

Assim como não ocorreu aos estoicos questionar a instituição da escravidão, a verdadeira liberdade religiosa era um conceito totalmente inconcebível. Mas martirizar-se por uma causa, recusar-se a ceder mesmo sob ameaça de morte? Isso deveria ter sido ao menos relutantemente respeitado por alguém tão versado no estoicismo como Rústico.

Infelizmente, ele não fez isso. Tudo o que viu foi uma ameaça à ordem pública, uma ameaça ao seu poder. Por ironia, foi esse exato motivo que levou um imperador paranoico a matar o avô de Rústico.

Preso ao dever, Rústico fizera o que achava ser o certo. Justino Mártir também. Por fracassar em ter uma visão mais ampla do caso, o primeiro seria considerado um vilão por milhões de cristãos ao longo da história. Já o segundo, a vítima, inspira os perseguidos até hoje.

Em 168 d.C., Júnio deixou o cargo de oficial urbano. Em menos de dois anos estaria morto. Embora travasse uma guerra brutal a centenas de quilômetros de Roma, Marco fez questão de ordenar ao Senado que conferisse honras a seu professor e amigo de longa data, com quem passara quase metade da vida. A *Historia Augusta* diz que estátuas de Rústico foram espalhadas por Roma — em homenagem a um homem não dado a discussões, espetáculos ou sermões, apenas ao treinamento de seu caráter e ao dever público.

Mas o verdadeiro monumento a Rústico — que ofusca até mesmo seu infame processo judicial — seria a vida do aluno que ele treinou, o estoico que, finalmente, seria rei.

MARCO AURÉLIO, O REI-FILÓSOFO

NASCIMENTO: 121 D.C.

MORTE: 180 D.C.

ORIGEM: ROMA

Desde Platão, o sonho de todos os sábios era que um dia houvesse um rei-filósofo. Embora os estoicos estivessem próximos do poder havia já muitos séculos, nenhum deles tinha chegado perto de exercer o comando supremo. Repetidamente, torciam para que o novo imperador fosse melhor, que os escutasse, que colocasse o povo acima das próprias necessidades. Infelizmente, cada um deles era uma nova prova de que o poder absoluto corrompe.

César. Otaviano. Tibério. Cláudio. Nero. Trajano. Vespasiano. Domiciano.

A lista de reis imperfeitos e desequilibrados era longa, remontando não apenas a Roma, mas aos reis do tempo de Zenão e Cleantes. Assim como os cristãos oraram por um salvador, também os estoicos esperavam que um dia nascesse um líder moldado por seus princípios, alguém que pudesse redimir o Império da decadência e da corrupção.

Essa estrela, nascida em 26 de abril de 121 d.C., chamava-se Marco Catílio Severo Ânio Vero e, apesar de todas as imensas expectativas e responsabilidades, conseguiria, parafraseando seu grande admirador Matthew Arnold, se provar digno de tudo isso.

Os primeiros dias do menino que se tornaria Marco Aurélio foram definidos tanto pela perda quanto pela promessa. Seu pai, Vero, morreu quando ele tinha três anos. Marco foi criado pelos avós, que o idolatravam e faziam questão de apresentarem-no para a corte. Já em tenra idade, ele desenvolveu uma reputação de honestidade. Sentindo seu potencial, o imperador Adriano, que teria conhecido o jovem Marco pelos seus primeiros feitos acadêmicos, começou a ficar de olho no rapaz. Seu apelido para Marco, com quem ele gostava de caçar, era "Veríssimo" — uma brincadeira com seu nome Vero —, *o mais verdadeiro*.

O que Adriano percebeu? O que poderia ter lhe dado a sensação de que o menino tinha um grande potencial? Marco era obviamente inteligente, de boa família, bonito, aplicado. Mas não faltava nada disso em Roma: havia muitos adolescentes "verdadeiros". Isso não significava que dariam bons chefes de Estado.

Aos dez ou onze anos, Marco já aderira à filosofia, assumindo esse papel com roupas humildes e rústicas e vivendo com hábitos sóbrios e moderados, chegando a dormir no chão para fortalecer o espírito. Marco escreveria mais tarde sobre os traços de caráter pelos quais tentou se definir, os quais chamou de " Epictetos para si mesmo". Eram estes: *"Digno. Modesto. Direto. São. Cooperativo. Desinteressado."* Adriano, que nunca tivera um filho e começava a pensar na escolha de seu sucessor (assim como ele próprio fora escolhido pelo imperador Trajano), deve ter percebido o comprometimento de Marco com tais ideais desde a infância. Enquanto caçavam javalis, ele notou no garoto uma combinação de coragem e calma, compaixão e firmeza. Deve ter visto algo em sua alma que provavelmente nem mesmo Marco era capaz de enxergar em si mesmo, porque no décimo sétimo aniversário de Marco, Adriano começou a planejar algo extraordinário.

Ele faria de Marco Aurélio o imperador de Roma.

Não sabemos muito sobre os motivos evocados por Adriano, mas sabemos o plano que ele traçou. Em 25 de fevereiro de 138 d.C., Adriano adotou um administrador capaz e confiável de cinquenta anos chamado Antonino Pio, com a condição de que ele, por sua vez, adotasse Marco Aurélio. Tutores foram selecionados. Uma série sucessiva de cargos foi estabelecida. Dizem que, mesmo depois que Marco se tornou membro da família imperial, ele ainda ia às casas de seus professores de filosofia para continuar sua instrução, embora pudesse facilmente exigir que fossem até ele. Marco Aurélio continuou a viver como se os seus meios e o seu status não tivessem irrevogavelmente melhorado.

Alguns meses depois, quando Adriano morreu, o destino estava traçado. Marco Aurélio seria preparado para uma posição que apenas quinze pessoas já haviam ocupado em Roma — ele deveria usar a púrpura e se tornaria um César.

Não era um caminho totalmente diferente daquele que a mãe de Nero traçara para o filho. Os resultados seriam diferentes?

Ao contrário da maioria dos príncipes, Marco não ansiava pelo poder. Sabemos que, ao receber a notícia de que fora oficialmente escolhido por Adriano, ficou mais triste do que feliz. Talvez preferisse se tornar escritor ou filósofo. Havia sinceridade em sua reticência. Um historiador antigo observa que Marco ficou consternado por precisar deixar a casa da mãe e se mudar para o palácio real. Quando alguém questionou por que ele estava desanimado com aquele incrível golpe de sorte, listou todas as coisas perversas que os reis haviam feito.

Reservas não são o mesmo que covardia. Os líderes mais confiantes — os melhores — muitas vezes se preocupam com a possibilidade de não fazerem um bom trabalho. Eles assumem o cargo sabendo que não será fácil. Mas seguem em frente. Mais ou menos nessa época, Marco sonhou que tinha ombros de marfim. Para ele, era um sinal: *ele podia fazer aquilo*.

Aos dezenove anos, Marco Aurélio era cônsul, o cargo mais elevado do país. Aos 24 anos, voltou a assumir o mesmo cargo. Em 161 d.C., aos quarenta, tornou-se imperador. A mesma posição ocupada por Nero, Domiciano, Vespasiano e tantos outros monstros.

Ser escolhido rei — ter um enorme poder imposto a ele em tão tenra idade — de algum modo parece ter feito de Marco Aurélio uma pessoa melhor. Esse fato totalmente anômalo na história da humanidade — como um homem não seguiu o mesmo caminho de outros reis — só pode ser explicado por uma coisa: estoicismo.*

Mas seria uma injustiça com Marco Aurélio não lhe dar todo o crédito pelo *trabalho* que realizou. E sabemos que foi um trabalho consciente e deliberado. Ele reconheceu abertamente "a malícia, a astúcia e a hipocrisia produzida pelo poder", bem como a "crueldade peculiar frequentemente demonstrada por pessoas de 'boas famílias'", e decidiu que seria uma exceção a essa regra.

---

* Gregory Hays, um dos melhores tradutores de Marco Aurélio, escreve: "Se ele tivesse que se identificar com uma escola particular, [o estoicismo] seria certamente a escolhida. No entanto, suspeito que, se lhe perguntassem o que ele estudou, sua resposta não teria sido 'estoicismo', mas, simplesmente, 'filosofia'."

"Cuidado para não se cesarificar ou se tingir de púrpura", continuava a escrever para si mesmo quando velho, "isso pode acontecer. Portanto, mantenha-se simples, bom, puro, sério, despretensioso, amigo da justiça, temente ao divino, gentil, carinhoso e forte para o bom trabalho. Esforce-se muito para permanecer o mesmo homem que a filosofia o instruiu a ser."

Mas Marco não enfrentou apenas as questões advindas do poder em sua vida. Por suas cartas, sabemos que tinha problemas de saúde recorrentes e dolorosos. Ele se tornou pai aos 26 anos — uma experiência transformadora e desafiadora para qualquer homem. No caso de Marco, porém, o destino foi quase inacreditavelmente cruel. Ele e sua esposa, Faustina, teriam treze filhos. Apenas cinco sobreviveriam até a idade adulta.

Seu reinado, de 161 a 180 d.C., foi marcado pela Peste Antonina — uma pandemia global que se originou no Extremo Oriente, espalhando-se impiedosamente pelas fronteiras, e ceifou a vida de ao menos cinco milhões de pessoas ao longo de quinze anos — e também por cerca de dezenove anos de guerras nas fronteiras. Como escreveria o historiador Dião Cássio, Marco Aurélio "não teve a boa sorte que merecia, pois não tinha compleição forte e esteve envolvido em uma infinidade de problemas durante praticamente todo o seu reinado".

Mas essas coisas externas não detêm um estoico. Marco acreditava que as pragas e a guerra só colocavam em risco nossa vida. O que precisamos proteger é o nosso caráter — como agimos *em face* dessas guerras e pragas e de outros contratempos. Abandonar o caráter? Isso, sim, representa o mal verdadeiro.

Talvez Marco Aurélio gostara tanto da cópia de Epicteto que Júnio Rústico lhe dera porque ambos sofreram duros golpes do destino. É um grande contraste, um imperador e um escravizado compartilhando e amando a mesma filosofia, o último influenciando muito o primeiro, mas não é uma contradição — nem teria parecido estranho para os antigos. Nós, modernos, com nosso foco reacionário e separatista no "privilégio", esquecemos quanto todos temos em comum como seres humanos, como todos permanecemos igualmente nus e indefesos contra o destino, quer tenhamos poder, quer não.

Para usar a metáfora de Epicteto, o autor do Universo atribuiu papéis difíceis tanto a Marco Aurélio quanto a Epicteto. O que os definia era como conseguiram desempenhar esses papéis, que nenhum deles, especialmente Marco, jamais teria escolhido.

Considere a primeira medida de Marco Aurélio em 161 d.C., quando seu pai adotivo, Antonino Pio, morreu. Quando Otaviano se tornou imperador, Ário Dídimo, seu conselheiro estoico, sugeriu que ele se livrasse do jovem Cesarião, filho de Júlio César e Cleópatra. "Não é bom ter muitos Césares", disse o estoico a seu comandante ao sugerir o assassinato. Nero eliminara tantos rivais que Sêneca precisou lembrá-lo de que nenhum rei tinha o poder de se livrar de *todos* os sucessores. Marco Aurélio se viu em uma situação ainda mais complexa. Ele tinha um irmão adotivo, Lúcio Vero, com laços ainda mais estreitos com o legado de Adriano.* O que deveria fazer? O que você faria?

Marco Aurélio cortou este nó górdio com graça e sem esforço: nomeou seu irmão adotivo coimperador.

O primeiro ato de Marco Aurélio após receber o poder absoluto foi voluntariamente compartilhar metade dele. Isso, por si só, o tornaria digno do tipo de admiração que o rei George III

---

* Lúcio era filho de um herdeiro anteriormente escolhido por Adriano que morreu antes de suceder ao imperador.

sentiu ao saber que George Washington voltaria à vida privada — "Se ele fizer isso, senhor, será o maior homem do mundo" —, mas foi apenas um dos vários gestos que definiram o reinado de Marco Aurélio.

Quando a Peste Antonina atingiu Roma, as ruas ficaram repletas de corpos e o perigo pairava no ar. Ninguém o culparia por fugir da cidade. Na verdade, teria sido o curso de ação mais prudente. Em vez disso, Marco ficou, enfrentando a situação como a família real britânica durante a *Blitz*, sem nunca demonstrar medo, reassegurando ao povo com a sua presença que ele não valorizava mais a própria segurança do que as responsabilidades de seu cargo.

Mais tarde, quando, devido à devastação da peste e das intermináveis guerras, o Tesouro de Roma ficou exaurido, Marco Aurélio foi mais uma vez confrontado com a escolha de fazer as coisas do jeito fácil ou do jeito difícil. Ele poderia ter aumentado os impostos, ter saqueado as províncias, ter chutado o balde, acumulando contas com as quais seus sucessores teriam de lidar. Em vez disso, afirma Dião Cássio, Marco "levou todos os ornamentos imperiais para o Fórum e os trocou por ouro. Quando a revolta bárbara foi reprimida, ele os comprou de volta daqueles que voluntariamente ofereceram as possessões imperiais, mas não forçou a devolução a ninguém que optou por não o fazer". Embora, como imperador, ele tecnicamente tivesse controle irrestrito sobre o orçamento de Roma, nunca agiu dessa forma. "Quanto a nós", disse certa vez ao Senado a respeito de sua família, "estamos tão longe de possuirmos qualquer coisa que até a casa em que moramos é sua."

Finalmente, já perto do fim da vida, quando Ávido Cássio, seu general de maior confiança, se voltou contra ele em uma tentativa de golpe, Marco Aurélio foi confrontado com outro teste em relação a tudo em que acreditava no que dizia respeito a honra, honestidade, compaixão, generosidade e dignidade. Ele tinha todo o direito de estar com raiva.

Por incrível que pareça, Marco decidiu que a tentativa de golpe era uma *oportunidade*. Disse aos seus soldados que poderiam sair e "resolver bem este assunto e mostrar a toda a humanidade que há uma forma certa de fazer as coisas, até mesmo com as guerras civis". Era uma chance de "perdoar um homem que fez mal a alguém, de permanecer amigo de quem transgrediu a amizade, de continuar fiel a quem quebrou a fé". Um assassino logo mataria Ávido, na expectativa, quase certamente, de impressionar Marco, e revelando, a partir daí, quão diferente Marco Aurélio era de todos os outros. Como escreve Dião Cássio, Marco "ficou tão triste com a morte de Cássio que não conseguiu sequer olhar para a cabeça decepada de seu inimigo e, antes que os assassinos se aproximassem, deu ordens para que fosse enterrada". Ele tratou cada um dos aliados de Ávido com clemência, entre os quais vários senadores que haviam endossado ativamente aquela tentativa de golpe. Mais tarde, Marco apelou para aqueles que queriam vingança em seu nome: "Imploro a vocês, o Senado, para manterem o meu reinado imaculado pelo sangue de qualquer senador. Que isso jamais aconteça."

Sua máxima na vida e na liderança era simples e direta: "Faça a coisa certa. O resto não importa." Não há melhor expressão ou personificação do estoicismo do que na frase (e na forma como a viveu): "Não perca mais tempo falando sobre como é ser um bom homem. Seja um."

No entanto, ao estudar a vida de Marco, ficamos com a impressão de que de algum modo ele era diferente, feito de um material especial que facilitava suas muitas decisões difíceis. A percepção comum do estoicismo apenas confirma isto: de algum modo, os estoicos estavam além da dor, além do desejo material, além dos desejos corporais.

Mas Marco não teria aceitado essa explicação, pois ela subestima o treinamento e o esforço que travou enquanto trabalhava para melhorar. "Sozinho entre os imperadores", escreveria o historiador Herodiano sobre Marco Aurélio, "ele deu provas de sua aprendizagem não por meras palavras ou conhecimento de doutrinas filosóficas, mas por seu caráter irrepreensível e estilo de vida moderado."

E, por baixo desse aprendizado e caráter, ele ainda era um *ser humano*.

Sabemos que Marco Aurélio chorou como todo mundo, que sentiu as dores, perdas e frustrações que todos sentem. A *Historia Augusta* nos revela com todas as palavras que Marco chorou quando soube que seu mestre favorito falecera. Sabemos que um dia ele chorou no tribunal, quando supervisionava um caso e o advogado mencionou as inúmeras almas que morreram na peste que ainda assolava Roma.

Podemos imaginar que Marco chorou diversas outras vezes. Esse homem havia sido traído por um de seus generais de maior confiança. Esse homem um dia perdeu a esposa, companheira havia mais de 35 anos. Esse homem perdeu *oito* filhos, incluindo todos os filhos homens, exceto um.

Marco não chorou porque era fraco. Ele não chorou porque não era estoico. Ele chorou porque era humano. Porque essas experiências muito dolorosas o entristeceram. "Nem a filosofia nem o Império", disse Antonino com simpatia enquanto deixava o filho soluçar, "anulam o sentimento natural."

Portanto, Marco Aurélio deve ter perdido a paciência de vez em quando, ou jamais teria tido motivo para escrever em suas *Meditações* — que nunca foram destinadas à publicação — sobre a necessidade de mantê-la sob controle. Sabemos que ele cobiçava, sabemos que temia, sabemos que fantasiava com o sumiço de seus rivais.

Ele não trabalhou para domesticar *todas* as emoções, mas, sim, apenas as prejudiciais, as que o fariam trair aquilo em que acreditava. "Comece a pensar assim e verá", escreveu para si mesmo. "Não 'uma maneira de dormir com ela', mas uma maneira de parar de desejá-la. Não 'uma maneira de se livrar dele', mas uma maneira de parar de tentar. Não 'uma maneira de salvar meu filho', mas uma maneira de perder o medo."*

Ao descrever o marido, a esposa de George Marshall, outro homem de grandeza similar, captaria o que tornava Marco Aurélio tão verdadeiramente impressionante:

> Em muitos dos artigos e entrevistas que li sobre o general Marshall, os escritores falam de sua natureza retraída e de sua modéstia... Não, eu não chamaria meu marido de retraído ou excessivamente modesto. Acho que ele está bem ciente de seus poderes, mas também acho que esse conhecimento é temperado por um senso de humildade e altruísmo, como já encontrei em alguns poucos homens fortes.

---

* Para aqueles momentos em que deixava a desejar, Marco tinha este conselho: "Quando inevitavelmente abalado pelas circunstâncias, volte de pronto para si mesmo e não perca o ritmo mais do que o necessário. Você terá uma melhor compreensão da harmonia se continuar voltando a ela."

Se Marco fosse perfeito em tudo, haveria pouco a admirar. O fato de ele não ser é o que importa. Ele trabalhou até chegar lá, como todos podemos fazer.

Deve ser dito que o próprio Marco não gostaria que nos sentíssemos mal em comparação com o seu exemplo, mas que nos lembrássemos de nossa capacidade. "Reconheça que, se for humanamente possível", disse ele para nós e para si mesmo, "você também pode fazê-lo."

Marco Aurélio conseguiu não ser corrompido pelo poder, não ter medo ao enfrentar uma terrível epidemia, não ficar muito irritado com uma traição, nem totalmente destruído por uma tragédia pessoal inimaginável. O que isso significa? Significa que *você pode fazer o mesmo*.

No cerne do poder de Marco Aurélio como filósofo e rei-filósofo parece haver um exercício bastante simples que ele deve ter lido nos escritos de Sêneca e depois nos de Epicteto: a revisão matinal ou noturna. "Todos os dias e todas as noites, mantenha pensamentos como esses à mão", disse Epicteto. "Escreva, leia em voz alta, converse com você mesmo e com outras pessoas sobre eles."

Muito do que sabemos sobre o pensamento filosófico de Marco Aurélio vem do fato de que ele fez isso por anos. Ele registrava constantemente anotações e aforismos do pensamento estoico para si mesmo. De fato, sua única obra conhecida, *Meditações*, está repleta de citações de Crisipo, alusões a temas dos escritos de Panécio e Zenão, histórias sobre Sócrates, poemas de Aristófanes, exercícios de Epicteto, bem como todos os tipos de interpretações originais da sabedoria estoica. O título *Meditações*, que data de 167 d.C., é tradução da expressão *ta eis heauton*, "para si mesmo". Isso captura perfeitamente a essência do livro, pois Marco estava mesmo escrevendo para si, como qualquer pessoa que leu *Meditações* pode perceber com facilidade.

De que outra maneira poderíamos entender as notas que fazem referência, sem explicação, "à maneira como [Antonino Pio] aceitou as desculpas do despachante em Tusculum", ou, de forma ainda mais obscura, falando de momentos de intervenção divina, quando escreve apenas, "aquele em Caiteta". Esses foram momentos insignificantes demais para serem registrados pela história, mas que influenciaram o autor, o *homem*, o suficiente para que ele se lembrasse deles décadas depois e continuasse a refletir a respeito.

Meditações não é um livro para o leitor, foi um livro para o autor. No entanto, é isso que o torna um texto tão impressionante, um dos maiores feitos literários de todos os tempos. De algum modo, ao escrever exclusivamente para si mesmo, Marco Aurélio conseguiu produzir um livro que não só sobreviveu ao longo dos séculos, como ainda hoje ensina e ajuda as pessoas. Como o filósofo Brand Blanshard observaria em 1984:

> Poucos se importam agora com as marchas e contramarchas dos comandantes romanos. O que os séculos registraram foi o caderno de pensamentos de um homem cuja vida real era amplamente desconhecida, que registrou na penumbra da meia-noite não os acontecimentos do dia ou os planos para o amanhã, mas algo de interesse muito mais permanente, os ideais e as aspirações pelas quais um espírito raro vivia.

As páginas iniciais de *Meditações* revelam muito bem esse espírito, pois o livro começa com uma seção intitulada "Dívidas e lições". Com dezessete verbetes e cerca de 2.100 palavras (totalizando dez por cento do livro), Marco dedica tempo para reconhecer e codificar as lições que aprendeu com as pessoas importantes de sua vida. Na privacidade dessas páginas, ele agradece ao avô por sua gentileza e serenidade de temperamento; ao pai, pela masculinidade sem exageros; à mãe, pela piedade e generosidade; ao seu mestre, por incutir-lhe uma ética de trabalho positiva; aos deuses, por cercá-lo de pessoas boas. Agradeceu até — não que isso deva ser levado muito a sério — a Rústico por ter lhe ensinado "a não escrever tratados sobre questões abstratas, nem proferir sermões moralizadores, nem compor descrições imaginárias da Vida Simples ou do Homem que Vive Só para os Outros".

Por que escreveu essas coisas se o propósito era que não fossem lidas? Se as pessoas nunca entenderiam completamente o que significavam para ele? Marco explica:

> Quando você precisa de incentivo, pense nas qualidades que as pessoas ao seu redor têm: a energia desta, a modéstia daquela, a generosidade da outra, e assim por diante. Nada é tão encorajador como quando as virtudes estão visivelmente incorporadas nas pessoas próximas, quando estamos quase inundados por elas. É bom ter isso em mente.

Então, Marco usava essa escrita para o verdadeiro propósito pretendido pelo estoicismo — para se aperfeiçoar e se preparar para o que a vida lhe reservava. No Livro Dois, ele começa observando que as pessoas com quem se encontraria no dia seguinte seriam grosseiras, rudes, egoístas e estúpidas. Isso era uma justificativa para que ele não se comportasse bem? Ou para justificar o desespero? Não, escreveu Marco, "ninguém pode me induzir à feiura", nem poderia feri-lo ou irritá-lo. Ele precisava amar as pessoas — *o povo*. Ele tinha que estar pronto... e ser bom.

E, realmente, um dos temas mais recorrentes nos escritos de Marco foi seu comprometimento em servir aos outros, aquela noção de simpatia e do dever de agir para o bem comum, inicialmente formulada por Zenão, mas continuada por Crisipo e Posidônio nos séculos seguintes. A frase "bem comum" aparece mais de oitenta vezes nas *Meditações*, o que faz sentido para um estoico, mas é surpreendente, se considerarmos que quase todos os seus predecessores visavam ao bem do Estado. No entanto, Marco escreve: "Sempre que tiver dificuldade para se levantar pela manhã, lembre-se de que você foi feito pela natureza para trabalhar com outras pessoas."

Mas ele precisava se lembrar disso regularmente, assim como todos nós, porque é algo tão fácil de esquecer.

Marco usou esse diário particular como uma forma de manter o ego sob controle. A fama, escreveu, era passageira e vazia. Aplausos e vivas eram apenas línguas e mãos em movimento. De que adianta a fama póstuma, observa, se você estará morto? E, a propósito, quando as pessoas no futuro serão tão irritantes e erradas quanto o são agora?

"Palavras, antes de uso comum, agora parecem arcaicas", escreveu ele. "E os nomes dos mortos famosos também: Camilo, Ceso, Voleso, Dentado... Cipião e Catão... Augusto... Adriano e Antonino e... Tudo se desvanece tão rápido, vira lenda e logo cai no esquecimento." Tanto Alexandre, o grande, quanto seu condutor de mulas, escreve Marco, morreram e acabaram debaixo da terra. De que adiantava a fama ou as conquistas? Isso não conta nada para o caráter.

Em Aquincum, acampamento romano perto da atual Budapeste, onde Marco Aurélio visitou a 2ª Legião e, acredita-se, escreveu partes das *Meditações*, os arqueólogos descobriram uma estátua de pedra calcária gigantesca de um imperador trajando uma toga. À primeira vista, parece que a cabeça foi quebrada. Mas uma inspeção mais detalhada revela que fora projetada para ser substituível. A estátua fazia parte de um santuário para o culto ao imperador, e eles queriam poder trocar a cabeça toda vez que um novo subisse ao poder.

Saber que estava apenas de passagem no trono ajudou Marco a evitar que a posição lhe subisse à cabeça. Ele construiu poucos monumentos para si. Não se importava com críticas e nunca abusou de seu poder.

Certa vez, Adriano ficou com raiva a ponto de furar o olho de um secretário com um estilete. É evidente que não houve consequências. Marco poderia ter aproveitado esse passe livre para se comportar como bem entendesse. Em vez disso, manteve o temperamento sob controle, recusou-se a atacar as pessoas ao redor, mesmo que pudesse fazê-lo impunemente. "Por que deveríamos sentir raiva do mundo", escreve em *Meditações*, copiando uma fala de uma peça perdida de Eurípides, "como se o mundo fosse se importar."

Não se pode dizer, apesar de toda a sua dignidade e equilíbrio, que Marco foi um governante perfeito. Nenhum líder é, nem Marco jamais achou que seria. Ele deve ser responsabilizado pela perseguição aos cristãos durante seu reinado — uma mácula para ele e Rústico. Mesmo assim, foi considerado por Tertuliano, um dos primeiros escritores cristãos que presenciaram os últimos anos de seu governo, um protetor dos cristãos. Embora tenha proporcionado algumas pequenas melhorias na vida dos escravizados, ele era — como todos os estoicos — incapaz de questionar inteiramente a instituição. Apesar de todo o seu discurso sobre ser um "cidadão do mundo" e sua crença em uma unidade entre todos os habitantes do planeta, ele enxergava boa parte da população mundial como "bárbaros", e lutou contra muitos deles, matando-os. E, claro, como sucessor, ele finalmente escolheu — ou foi forçado a escolher, já que era apenas o segundo imperador desde Augusto a ter um herdeiro do sexo masculino — passar o trono para o filho, Cômodo, que acabou se revelando um homem insano e incapaz.*

É injusto usar como parâmetro de comparação apenas os escritos de Marco Aurélio ou os padrões impossivelmente elevados de sua filosofia. Ele também deve ser comparado a outros homens (e mulheres) que detiveram o poder supremo, o que Dião Cássio observou ao dizer que Marco "era melhor governante do que qualquer outro que já tivesse ocupado uma posição de poder".

A regra é que homens sensíveis e atenciosos como Marco Aurélio acabem se mostrando líderes ruins. Ser um soberano ou um executivo é se deparar com a sujeira do mundo, as falhas e fraquezas da humanidade. A razão de haver tão poucos reis-filósofos não é apenas uma falta de oportunidade — é que os filósofos muitas vezes estão aquém das exigências do trabalho. Marco tinha os ombros de marfim, bem como a mente perspicaz, ne-

---

* Não há espaço aqui para discutirmos a vida complicada e decepcionante de Cômodo, mas, se você já viu o filme *Gladiador*, deve ter uma ideia surpreendentemente precisa do sujeito. Por que Cômodo era assim? Não há como saber, mas a perda de tantos irmãos e irmãs pode explicar um pouco. Já a responsabilidade de Marco e Faustina certamente deve explicar muito mais.

cessários ao trabalho. "Não espere a República de Platão", lembrou a si mesmo. Ele precisou encarar a realidade nos termos da realidade. Precisou se contentar com o que havia em suas mãos. Para um idealista e amante de ideias, Marco também era, assim como Abraham Lincoln, impressionantemente pragmático. "O pepino é amargo?", perguntava-se retoricamente. "Então jogue fora. Existem amoreiras no caminho? Então dê a volta. Isso é tudo que precisa saber." Nada expressou melhor seu estilo de liderança e sua visão de progresso do que esta citação:

> Você deve construir sua vida ação por ação e se contentar se cada uma delas alcançar o objetivo na medida do possível — e ninguém pode impedi-lo. Mas haverá alguns obstáculos externos! Talvez, mas não há obstáculos para agir com justiça, autocontrole e sabedoria.
>
> Mas se alguma outra área de minha ação for frustrada?
>
> Bem, aceite de bom grado o obstáculo pelo que é, desvie a atenção para o que tem em mãos e outra ação imediatamente tomará o lugar daquela, uma que melhor se adapte à vida que você está construindo.

Essa também parece ser a maneira como ele pensava a respeito dos políticos com quem trabalhava. Em vez de exigir que seguissem seus padrões ou esperar o impossível — como costumam fazer muitos líderes brilhantes e talentosos —, ele se concentrou nos pontos fortes e foi tolerante com as fraquezas. Novamente como Lincoln, séculos depois, Marco não tinha medo de que discordassem dele e fazia uso de um terreno comum e de uma causa comum o melhor que podia. "Desde que uma pessoa fizesse algo de bom", escreve Dião Cássio, Marco "a elogiaria e a usaria no serviço na qual ela se destacava, mas não prestava atenção às outras condutas; pois ele afirmou ser impossível para alguém criar os homens que se deseja ter, e, por isso, é apropriado empregar aqueles que já existem para qualquer serviço que cada um seja capaz de prestar ao Estado."

Ernest Renan, um biógrafo de Marco Aurélio do século XIX, é certeiro: "Uma filosofia austera pode ter como consequência a rigidez e a severidade. Mas foi aqui que a rara bondade da natureza de Marco Aurélio brilhou em todo o seu esplendor. Sua severidade se restringia apenas a ele próprio."

Cerca de quinze anos antes do nascimento de Marco, Musônio Rufo foi abordado por um rei sírio. "Não imagine", disse ele ao monarca, que

> estudar filosofia seja mais apropriado para qualquer outra pessoa a não ser você, nem por qualquer outro motivo afora você ser um rei. Pois o primeiro dever de um rei é ser capaz de proteger e beneficiar seu povo, e um protetor e benfeitor deve saber o que é bom e o que é mau, o que é útil e o que é prejudicial, o que é vantajoso e o que é desvantajoso, uma vez que é evidente que aqueles que se aliam ao mal vão sofrer, enquanto os que se apegam ao bem desfrutam proteção, e aqueles que são considerados dignos de ajuda e vantagem desfrutam benefícios, e os que se envolvem em coisas desvantajosas e prejudiciais são punidos.

Perseguido e vilipendiado por cinco imperadores romanos consecutivos, Musônio um dia teria imaginado que a sua visão se realizaria em um homem assim? Que tudo o que os estoicos falaram e sonharam se tornaria realidade de maneira tão bela, embora tão fugaz? Ele dissera que ninguém, a não ser um bom homem, daria um bom rei, e Marco, que lera Musônio, fez o possível para ser digno dessa frase.

Será que Epicteto poderia imaginar que seus ensinamentos impactariam o primeiro imperador que tomou medidas efetivas para melhorar a situação dos escravizados romanos? Junto ao seu padrasto, Antonino, Marco protegeu os direitos dos escravizados libertos e até possibilitou que escravizados herdassem as propriedades de seus senhores. Sabemos que Marco proibiu a pena capital de escravizados e também criminalizou o tratamento excessivamente cruel. É possível que tenha se inspirado na história da perna quebrada de Epicteto? Terá sido a virtude estoica da justiça que o compeliu a se preocupar com os menos afortunados? Embora seja decepcionante que Marco não tenha cogitado abolir a escravidão, é sempre impressionante quando alguém é capaz de ver além ou através do contexto das ideias e dos conceitos falhos de seu tempo e, ainda que gradualmente, consiga tornar o mundo melhor para os seus semelhantes.

Essas não teriam sido decisões fáceis ou sem controvérsia, mas ele as tomou, como deve fazer um estoico. Esqueça as reclamações. Esqueça as críticas e os interesses dos críticos. Esqueça o trabalho árduo necessário para decretar algo novo ou pioneiro. Faça o que é certo.

Aconteça o que acontecer.

Em retrospecto, é óbvio que Marco usou as páginas de seu diário como uma forma de se acalmar, aquietar sua mente ativa, chegar ao terreno da *apatheia* (a ausência de paixões). A palavra *galena* — calma ou quietude — aparece oito vezes em seus escritos. Há metáforas sobre rios, o oceano e as estrelas, além de belas observações sobre a natureza. O processo de sentar-se com um estilete e um tablete de cera ou uma folha de papiro e tinta foi profundamente terapêutico para ele. Marco adoraria ter dedicado *todo* o seu tempo à filosofia, mas, como não era possível, ele aproveitou os poucos minutos roubados em sua tenda durante as campanhas, ou mesmo em seu assento no Coliseu enquanto os gladiadores lutavam, como oportunidades para a reflexão.

Nessas páginas, ele também estava se preparando contra os golpes com que o destino parecia atacá-lo tão regularmente. "A vida é uma guerra e uma jornada para longe de casa", escreveu. Era literalmente verdade. Cerca de doze anos de sua vida seriam passados na fronteira norte do Império ao longo do Danúbio, lutando em guerras longas e brutais. Dião Cássio descreve a cena de Marco retornando a Roma após uma prolongada ausência. Ao se dirigir ao povo, ele se referiu ao tempo que fora forçado a ficar longe. "Oito!", lamentou o povo afetuosamente. "Oito!", dissera, enquanto erguiam quatro dedos em cada mão. Ele estivera longe por *oito anos*. O peso daquela ausência foi sentido no momento, assim como deve ter sido a adoração da multidão, embora Marco tenha dito diversas vezes para si mesmo como aquilo era vazio. Como símbolo de sua gratidão e bondade, ele distribuiu oitocentos sestércios para cada romano, a maior oferenda que um imperador já fizera ao povo. E não parou por aí. Em seu retorno, perdoou inúmeras dívidas com o tesouro particular do imperador, queimando os documentos no Fórum para que não pudessem jamais ser recuperados.

Marco pode ter vivido humildemente, mas ninguém poderia dizer que ele não era generoso. E, realmente, suas políticas como imperador se adequavam perfeitamente ao princípio que certa vez anotou em seu diário: "Seja tolerante com os outros e rígido consigo mesmo."

Deve ter sido exaustivo ser tão disciplinado. No entanto, não há queixas nas *Meditações*, nem lamentações privadas ou transferência de culpa. Quando Marco sonhava em escapar de suas responsabilidades, pensava na praia, nas montanhas ou no tempo em sua biblioteca com seus amados livros, ele se lembrava de que não precisava de férias para se recuperar. Não precisava viajar para relaxar. "Em nenhum lugar você encontrará um retiro mais pacífico e menos agitado do que em sua alma", escreveu. "Presenteie-se frequentemente com esse retiro e se renove."

Como dissemos, os primeiros anos de Marco foram definidos pela perda, e foi assim também com os últimos. Seria um golpe após outro. Em 149 d.C., perdeu gêmeos recém-nascidos. Em 151 d.C., perdeu a filha primogênita, Domícia Faustina. Em 152 d.C., outro filho, Tibério Aélio Antonino, que morreu ainda na infância. Naquele mesmo ano, a irmã de Marco, Cornifícia, faleceu. Pouco depois, foi a vez da mãe de Marco, Domícia Lucila. Em 158 d.C., perdeu outro filho, cujo nome é desconhecido. Em 161 d.C., perdeu o pai adotivo, Antonino Pio. Em 165 d.C., mais um filho, Tito Aurélio Fulvo Antonino (irmão gêmeo de Cômodo). Em 169 d.C., perdeu o filho Vero, um menino doce, em um procedimento que deveria ter sido uma cirurgia de rotina, e alguém que ele esperava que governasse ao lado de Cômodo, como ele governara com o próprio irmão. Naquele mesmo ano, perdeu esse irmão — seu coimperador —, Lúcio Vero. Ele perderia a companheira, com quem conviveu por 35 anos, pouco tempo depois.

Dos filhos homens de Marco, cinco morreram antes dele. Assim como três de suas filhas. Nenhum pai deveria viver mais do que os filhos. Mas perder oito deles? Tão jovens? Só imaginar isso é perturbador. "Injusto" nem chega perto. É grotesco.

Quão facilmente algo assim poderia acabar com uma pessoa, quão fácil e compreensível seria ela jogar fora tudo em que sempre acreditou e passar a odiar um mundo que se revela tão cruel. Entretanto, depois de todas essas reviravoltas do destino, de algum modo Marco Aurélio escreveu uma anotação que captura a essência da liderança e a incrível resiliência do espírito humano:

> ... É uma pena que isso tenha acontecido.
> Não. É uma sorte que tenha acontecido e eu tenha permanecido ileso — não arrasado pelo presente ou com medo do futuro. Isso poderia ter acontecido com qualquer pessoa. Mas nem todos poderiam ter permanecido ilesos.

Marco sempre viu Antonino, seu pai adotivo, como um exemplo. Ele se sentia particularmente inspirado "pela maneira como Antonino lidou com os confortos materiais com que a fortuna o dotara em tamanha abundância — sem arrogância e sem desculpas. Se estivessem à disposição, tirava proveito deles. Caso contrário, não sentia-lhes a falta". "Aceite sem arrogância", escreveria Marco mais tarde em *Meditações* sobre os altos e baixos, as bênçãos e as maldições da vida, "e abra mão com indiferença".

Haverá um resumo melhor daquele conceito de "indiferentes preferíveis" que Zenão, Cleantes, Crisipo e Aríston haviam discutido tantos anos antes?

Não há tema que apareça mais na escrita de Marco do que a morte. Talvez tenham sido seus problemas de saúde que o tornaram tão ciente da própria mortalidade, mas havia outros motivos. Em seu livro *Como pensar como um imperador romano*, Donald Robertson relata que os romanos acreditavam que a queima de incenso poderia proteger uma família da doença. Quando não fugiu de Roma, diferentemente do que muitos outros cidadãos abastados fizeram durante a peste, Marco se viu em uma cidade com um cheiro surreal — uma mistura do fedor dos cadáveres em putrefação com o doce aroma de incenso. Como escreve Robertson: "Por mais de uma década, o cheiro de fumaça de incenso [foi] um lembrete para Marco de que ele vivia sob a sombra da morte, e que a sobrevivência de um dia para o outro nunca deveria ser menosprezada."

Seus escritos muitas vezes refletem essa percepção: "Pense que você está morto. Você viveu a sua vida. Agora pegue o que sobrou e viva adequadamente." Em outra página, ele diz: "Você poderia morrer agora. Deixe que isso determine o que você faz, diz e pensa." As duas últimas anotações em *Meditações*, que podem ter sido escritas próximo do fim de sua vida, retomam o tema. O que importa o tempo que você viveu?, pergunta. A cortina se fecha para todos os atores. "Mas eu atuei apenas três atos!", diz ele, dando voz àquela parte dentro de todos nós que teme a morte.

> Sim. Este será um drama em três atos, a duração estabelecida pelo poder que dirigiu sua criação e que agora dirige sua dissolução. Nada disso lhe coube determinar. Portanto, saia com graça — a mesma graça que lhe foi demonstrada.

Fazer isso seria o teste final desse rei-filósofo, como foi para cada um dos estoicos e todos os seres humanos. Todos nós morremos, não temos controle quanto a isso, mas podemos influenciar a forma como enfrentamos essa morte, a coragem, o equilíbrio e a compaixão que trazemos para ela.

Sabemos que Marco estava muito doente no fim da vida, longe de casa, nos campos de batalha germânicos, perto da atual Viena. Preocupado em transmitir o que o afligia para o filho, e também para evitar problemas com a sucessão, Marco se despediu dele em lágrimas e mandou-o embora com o propósito de prepará-lo para governar. Até nos momentos finais, ele continuava a ensinar, ainda tentando ser um filósofo, especialmente para seus amigos, que estavam desolados de tristeza. "Por que choram por mim", perguntou Marco, "em vez de pensarem na peste e na morte, que é o destino comum de todos nós?" Então, com a dignidade de um homem que treinara para aquele momento, disse: "Se agora me derem permissão para partir, eu me despeço de vocês e vou embora."

Ele sobreviveria não mais do que dois dias. Talvez tenha sido nesses momentos derradeiros, fraco de corpo, mas ainda forte de vontade, que anotou as últimas palavras que aparecem em suas *Meditações*, um lembrete para si mesmo sobre permanecer fiel à própria filosofia:

> Portanto, saia com graça — a mesma graça que lhe foi demonstrada.

Finalmente, em 17 de março de 180 d.C., aos 58 anos, ele se voltou para sua sentinela e disse: "Siga em direção ao sol nascente, pois eu já estou anoitecendo." Então, cobriu a cabeça para dormir e nunca mais acordou.

Roma — e nós, seus descendentes — jamais voltaria a testemunhar tamanha grandeza.

CONCLUSÃO

Cem anos antes de Zenão, no que hoje é conhecido como a "oração fúnebre" de Péricles, o grande estadista ateniense começa lamentando a perda de tantos milhares de seus bravos compatriotas. Enquanto tentava encontrar palavras para expressar seu sacrifício e heroísmo, ele lembrou ao povo enlutado de Atenas que a glória dos mortos não estava em seus feitos ou nos monumentos que seriam erguidos em sua homenagem, mas no legado deixado para o país. Era a sua memória, aquilo que inspiraram, que ficaria "tecida na vida de outros". Muitos séculos depois, o jogador de beisebol norte-americano Jackie Robinson expressaria essa mesma ideia de forma ainda mais sucinta em sua lápide: "Uma vida só é importante no impacto que tem sobre outras vidas."

O mesmo vale para os estoicos cuja vida acabamos de detalhar, homens e mulheres cuja influência não apenas continua até os dias atuais, como também moldou a vida de outros homens e mulheres citados neste livro.

Zenão, levado por um naufrágio à filosofia, criando assim uma escola que se manteve por quase 2.500 anos...

Cleantes, cuja frugalidade e trabalho árduo literalmente sustentaram Zenão e seus estudos...

Crisipo, que revisou e codificou muitas das primeiras teorias estoicas...

Catão, cujo martírio não salvou a República, mas inspirou Sêneca, Trásea e Agripino quando estes enfrentaram a morte e, finalmente, e de forma mais impactante, inspirou os revolucionários americanos a criar a própria República à sua imagem...

Pórcia, que encorajou o marido a desferir um golpe contra a tirania...

Rústico, que repassou o exemplar da obra de Epicteto para Marco Aurélio...

Musônio Rufo, o primeiro mestre de Epicteto...

Epicteto, cuja visão de mundo deu a Toussaint Louverture e James Stockdale a força de que precisavam em suas úmidas celas de prisão...

Em alguns casos, a influência desses personagens foi sentida diretamente pela escrita, mas, na maioria das vezes, ela sobreveio através da ação.

Como eles *viveram*. O que eles *fizeram*.

Os estoicos aprenderam isso com Sócrates. Plutarco, que foi a fonte de grande parte do material deste livro, observou que "Sócrates não preparava mesas para seus alunos, não se sentava em uma cadeira de professor ou reservava um tempo predeterminado para dar aulas e caminhar com eles". Ao contrário. "Ele praticava filosofia enquanto se divertia", disse Plutarco, "enquanto bebia e servia em campanhas militares, enquanto perambulava pelo mercado com alguns de seus alunos e, finalmente, até enquanto estava preso e bebia cicuta. Ele foi o primeiro a demonstrar que nossa vida está aberta à filosofia em todos os momentos e em todos os aspectos, enquanto vivenciamos todas as emoções e todas as atividades."

Belíssimo.

Contudo, ainda mais belo é o impacto que esse exemplo teve em Marco Aurélio, Zenão, Musônio Rufo, Trásea e Rutílio.

Os estoicos também serviram em campanhas militares. Eles se reuniam no mercado. Eles também, justa ou injustamente, foram presos e forçados ao suicídio. Nisso, provaram ser filósofos. Nessas ações, nessas escolhas, escreveram o melhor trabalho — às vezes com o próprio sangue.

"Não há papel mais adequado à filosofia do que aquele em que você está agora", escreveria Marco Aurélio. Ele provavelmente se referia ao papel de imperador, mas o significado pode ser facilmente aplicado a outros: o papel de pai. O papel de cônjuge. O papel de uma pessoa que espera na fila. O papel de uma pessoa que acaba de receber más notícias. O papel de uma pessoa rica. O papel de uma pessoa enviada ao exílio ou à falência. O papel de uma pessoa que se encontra escravizada, literalmente ou não.

Tudo isso era filosofia. Tudo isso era o que tornava alguém um estoico.

O que importa é como fazemos essas tarefas, como desempenhamos esses papéis. Epicteto, que foi um escravizado antes de ser filósofo, aconselhava os alunos a se aventurarem pelo mundo e "a comer como um ser humano, beber como um ser humano, vestir-se, casar-se, ter filhos, ser politicamente atuante — sofrer abuso, ser tolerante com um irmão, pai, filho, vizinho ou companheiro teimoso. Mostre-nos essas coisas para que possamos ver que você realmente aprendeu com os filósofos".

De modo geral, os estoicos mostraram o que aprenderam com as percepções de Zenão, as quinhentas linhas que Crisipo escrevia todos os dias, os cerca de cinquenta livros completos de Cleantes, as palestras de Epicteto e as *Meditações* que Marco Aurélio redigia. Eles mostraram o que aprenderam com o exemplo de Catão, a coragem instintiva de Agripino e os exemplos de alerta de Sêneca, Cícero e Diótimo.

Muitos estoicos deixaram a desejar? Com certeza. Eles foram tentados pela riqueza e fizeram concessões vergonhosas enquanto buscavam a fama. Perderam a paciência. Mentiram. Eliminaram rivais... ou fizeram vista grossa enquanto outra pessoa eliminava. Eles ficaram em silêncio quando deveriam ter falado. E cumpriram leis que deveriam ter questionado. Eles nem sempre foram felizes; nem sempre suportaram a adversidade com a dignidade esperada.

A história de Roma é uma história de ambição e impulso descomunais, um exemplo de poder e excesso e, muitas vezes, brutalidade. A maioria dos líderes de Roma eram monstros, memoráveis apenas por seus erros. Apesar de todas as falhas dos estoicos, sua moderação e bondade representam um contraste expressivo para a maioria de seus contemporâneos. "Como são monotonamente semelhantes todos os grandes tiranos e conquistadores", observou certa vez o grande C. S. Lewis, "e como são gloriosamente diferentes os santos."

Ninguém neste livro conseguiu viver de acordo com essas virtudes elevadas de coragem, justiça, temperança e sabedoria em cada minuto da vida. Ainda assim, em suas lutas e seus triunfos únicos, cada um pôde nos ensinar algo, provando, intencionalmente ou não, por que os princípios em que diziam acreditar eram superiores às escolhas que efetivamente fizeram.

CONCLUSÃO

Acima de tudo, os estoicos nos ensinaram pelo fato de terem *tentado*. O que importa é o que *nós* podemos aprender com seus sucessos e fracassos nessa busca ao longo da vida.

"Mostre-me alguém doente e feliz", disse Epicteto, "em perigo e feliz, morrendo e feliz, exilado e feliz, desgraçado e feliz. Mostre-me! Como eu gostaria de ver um estoico. Mas, já que você não pode me mostrar alguém tão perfeito, ao menos me mostre alguém trabalhando para isso, indo nessa direção... Mostre-me!"

Em última análise, essa é a mensagem deste livro e o que definiu as histórias que contamos e os perfis que analisamos.

Esperamos que estas páginas contribuam para a cadeia ininterrupta de influência que a vida desses estoicos provocou, uma influência que permanece ativa até hoje. De fato, uma das escolhas mais difíceis feitas aqui foi a decisão de não traçar o perfil de nenhum dos chamados "estoicos modernos" que continuam a lutar, praticar e exemplificar os princípios estoicos em suas vidas.

Seja a titã da mídia, Arianna Huffington, que carrega um cartão com uma citação de Marco Aurélio em sua bolsa o tempo todo, ou o general James Mattis, que há décadas leva as *Meditações* de Marco Aurélio para suas campanhas militares, o estoicismo está vivo no mundo moderno — com os mesmos brilho, ousadia e humanidade. Há escritores como Tim Ferriss, que ajudaram a popularizar o estoicismo entre milhões de pessoas, Laura Kennedy, cuja coluna "Coping" é publicada no *Irish Times*, e Donald Robertson, que se especializou no tratamento da ansiedade e no uso de terapia cognitivo-comportamental (TCC).

Crisipo foi um atleta de elite e um estoico e, hoje, o estoicismo é uma prática diária para as estrelas da NFL, NBA,

MLB, das Copas do Mundo de rugby e de futebol. Michele Tafoya, do *Sunday Night Football*, é uma estudante atuante da filosofia, o que faria Musônio Rufo sorrir. Na parede do clube do Pittsburgh Pirates há uma citação de Epicteto: "Não são as coisas que nos incomodam. É o nosso julgamento a respeito delas." Zenão, Sêneca, Catão e Cícero foram estoicos que supervisionaram enormes fortunas e grandes empreendimentos comerciais, da mesma forma que hoje empreendedores do Vale do Silício como Kevin Rose e bilionários de Wall Street como Thomas Kaplan mantêm suas práticas estoicas junto de seus negócios. Neste momento, em Washington, D.C., há senadores que se reúnem todas as manhãs no Capitólio para discutir o estoicismo, tal como fizeram seus homólogos em Roma há milhares de anos, e também os Pais Fundadores, em 1776. Que o espírito de Helvídio Prisco cresça naquela Câmara.

Como acontecia no mundo antigo, também existem inúmeros outros estoicos com ocupações menos glamorosas, que, no entanto, suportam provações e tribulações graças à sabedoria que esses filósofos ajudaram a descobrir. São pais. Cidadãos. Professores. São mortais com os mesmos desejos e medos, esperanças e sonhos de todos os que já viveram.

Como você, como Sêneca, como Epicteto, como Posidônio, eles estão tentando fazer o melhor que podem. Estão tentando ser a melhor versão possível de si mesmos. Estão lendo e praticando, tentando e errando, se levantando e tentando novamente.

Como também é nosso dever fazer.

Por fim, inevitavelmente — como todos os estoicos neste livro —, chegarão ao fim da vida em algum momento. Todos nós morremos, disseram os estoicos, mas poucos entre nós realmen-

CONCLUSÃO

te vivem. Muitos de nós morremos antes do tempo, vivendo — sem pensar — o tipo de vida que Sêneca descreveu como não muito diferente da morte.

A ironia deste livro é que, embora trate da *vida* dos estoicos, em muitos casos, o ato mais interessante e significativo na vida desses homens e mulheres foi a *morte* deles.

Para os estoicos, viver era uma preparação para a morte. Como disse Cícero, filosofar é aprender a morrer. Mesmo no auge de suas forças, Sêneca se preparava para o fim. Catão também. Trásea também. Zenão também. Foi assim que puderam reunir — naquele momento terrível e triste — coragem e dignidade, inteligência e compaixão.

Quer um estoico morresse nas mãos de um tirano, quer de tanto rir, quer de uma boa piada — como Crisipo —, eles estavam nos ensinando, aplicando o que haviam estudado por tanto tempo no mais importante dos cenários.

De certa forma, essa é uma lição adequada com a qual concluir este livro. Muitos dos estoicos ficaram aquém de sua filosofia de vida, mas não há nenhum nestas páginas que não tenha tido uma boa morte.

A exceção é Cícero, que vacilou no fim, que cedeu, que fugiu. E, deve-se mencionar — não com presunção, mas com convicção —, ele era o único apaixonado pelo estoicismo que não se comprometeu verdadeiramente, que prescreveu o remédio, mas se recusou a tomá-lo.

Como escreveu Epicteto: "É possível estar livre de erros? De forma alguma, mas é possível ser uma pessoa que se esforça para evitar o erro."

Isso é o estoicismo. É *alongamento*. *Treinamento*. Para ser melhor. Para ficar melhor. Evitar mais um erro, dar mais um passo em direção a esse ideal. Não perfeição, mas progresso — é disso que se trataram cada uma dessas *vidas*.

A única questão que permanece para nós, herdeiros vivos dessa tradição: Estamos fazendo nosso trabalho?

LINHA DO TEMPO DOS ESTOICOS E DO MUNDO GRECO-ROMANO

Os destaques **em negrito** indicam filósofos que foram uma influência universal sobre todos os estoicos posteriormente ou um personagem/lugar/acontecimento estoico.

A.C.

535-475	Período de vida de Heráclito de Éfeso (influenciou todos os estoicos antigos)
490	Primeira invasão persa à Grécia e a Batalha de Maratona
470	**Nascimento de Sócrates, fora das muralhas de Atenas**
450	**Fim da construção do Stoa Poikilē, o famoso "pórtico pintado" da Ágora ateniense**
430	Nascimento de Xenofonte de Atenas, estudante de Sócrates
412	**Nascimento de Diógenes de Sinope, fundador, junto com Antístenes e Crates de Tebas, da escola cínica**
399	Julgamento e execução de Sócrates em Atenas

387   Platão funda a Academia em Atenas

384   Nascimento de Aristóteles em Estagira, Calcídia

382   Nascimento de Antígono Monoftalmo em Elimeia, Macedônia

371   Nascimento de Teofrasto, sucessor de Aristóteles, em Eresso, Lesbos

365   Nascimento de Crates de Tebas, estudante cínico de Diógenes de Sinope

360   Nascimento de Estilpo de Megara

356   Nascimento de Alexandre, o grande, em Pela, Macedônia

354   Morte de Xenofonte, cujo livro sobre Sócrates converteria Zenão à filosofia

347   Aristóteles estabelece sua primeira escola, em Assos

343   Aristóteles é designado tutor do jovem Alexandre, o grande

336   Filipe II da Macedônia é assassinado; Alexandre, o grande, o sucede

335   Aristóteles funda o Liceu em Atenas

334   Nascimento de Zenão, o escolarca fundador do Stoa, em Cítio, Chipre

333   Alexandre liberta o Chipre do domínio persa

330   Nascimento de Cleantes, o segundo escolarca do Stoa, em Assos

323   Morte de Alexandre e o início das Guerras dos Diádocos
      Morte de Diógenes de Sinope em Corinto

323-322   Aristóteles parte de Atenas para Cálcis, Eubeia, onde morre em 322; Teofrasto o sucede como líder do Liceu

312   **Zenão chega a Atenas após um naufrágio (segundo relatos de Perseu, "aos 22 anos")**

O último rei de Cítio, Pigmalião, é assassinado por Ptolomeu I

306   Epicuro funda sua escola em Atenas

Demétrio Poliorcetes toma Chipre de Ptolomeu I; declara seu pai, Antígono Monoftalmo, rei

Nascimento de Perseu de Cítio, aluno, colega e secretário pessoal de Zenão

Nascimento de Aríston de Quios

305-304   Demétrio sitia Atenas

301   Morte de Antígono Monoftalmo na Batalha de Ipso, Frígia

Zenão começa a lecionar no Stoa Poikilē

279   **Nascimento de Crisipo de Sólis, o terceiro escolarca do Stoa, na Cilícia**

Galeses invadem a Macedônia, profanando as tumbas reais e assassinando Cerauno; invasão fracassada à Grécia

278   Antígono II Gônatas e Antíoco I chegam a um tratado que cria a divisão da Europa e a Ásia

276   Antígono II restabelecido como rei da Macedônia

Zenão de Cítio e Arato de Sólis são convidados ao reino de Antígono, em Pela

Ptolomeu II é derrotado por Antíoco I na Síria

272 Vitórias de Ptolomeu II no sul da Anatólia

264 Arcesilau sucede como o sexto líder da Academia, é um dos primeiros oponentes céticos dos estoicos antigos

Antígono II sitia Atenas (até 262)

262 Morte de Zenão, o escolarca fundador do estoicismo, em Atenas; sucedido por Cleantes

261 Antígono II derrota a Marinha de Ptolomeu II na Batalha de Cós

256-253 Antígono II restaura a autonomia ateniense, retirando suas tropas de Atenas

245 Ptolomeu III Evérgeta designa Eratóstenes, que estudou com Zenão e Aríston, chefe da Biblioteca de Alexandria e tutor de Ptolomeu IV Filópator

243 Morte de Perseu, aluno e colega de Zenão, em batalha com Arato em Corinto

239 Morte de Antígono II

Seleuco derrota Antíoco Híerax, batendo em retirada para a Cilícia

235 Esfero se junta à corte de Cleômenes, rei de Esparta

230 Morte de Cleantes em Atenas; é sucedido por Crisipo

Nascimento de Diógenes em Selêucia, em Tigre, Babilônia; ele se tornaria o quinto escolarca do Stoa

226 Um grande terremoto derruba o Colosso de Rodes

222	Cleômenes III derrotado por Antígono III Dóson, fugindo em seguida para o Egito
	Morte de Ptolomeu III; ascensão de Ptolomeu IV Filópator
	Esfero segue Cleômenes à Alexandria, a convite de Filópator
214	Carnéades, o grande cético da Academia, nasce em Cirene (atual Líbia)
206	**Morte de Crisipo em Atenas; Zenão de Tarso o sucede, tornando-se o quarto escolarca do Stoa**
185	**Nascimento de Panécio de Rodes, que se tornaria o sétimo e último escolarca do Stoa**
168	Os romanos derrotam Perseu da Macedônia, último da dinastia antigônica, na Terceira Guerra Macedônica, ocupando a Grécia e a Macedônia
	Crates de Malos, um mestre estoico e chefe da Biblioteca de Pérgamo, é enviado pelo rei atálida (aliados de Roma) em uma missão a Roma
158	**Nascimento de Públio Rutílio Rufo**
155	A filosofia grega chega a Roma quando Atenas envia embaixadores das escolas filosóficas mais importantes — Carnéades (líder da Academia), Critolau (líder do Liceu) e Diógenes (líder do Stoa) — para recorrer à imposição de uma multa
149-146	Cerco de Cipião a Cartago
144	**Panécio vai a Roma**

142	Morte de Diógenes da Babilônia; sucedido por Antípatro, o sexto escolarca do Stoa
140-138	Panécio se junta a Cipião Emiliano em sua missão para o Oriente
140	Arquedemos de Tarso funda uma escola estoica na Babilônia
138	Rutílio Rufo estuda com Panécio em Roma
135	Nascimento de Posidônio, o grande erudito e discípulo de Panécio, em Apameia, Síria
133	Dinastia atálida transfere todos os territórios para Roma
	Morte de Tibério Graco e julgamento de Caio Blóssio, aluno e amigo de Antípatro de Tarso
129	Morte de Antípatro de Tarso; sucedido por Panécio em Atenas
	Morte de Cipião Emiliano (Círculo Cipiônico)
	Caio Blóssio comete suicídio após participar do fracassado golpe utópico de Aristônico contra Roma em Pérgamo (132-129)
	Morte de Carnéades, líder da Academia
110	Filósofo epicurista Filodemo nasce em Gádara, Síria
109	Morte de Panécio em Atenas; fim do escolarcado, professores rivais seguem em frente com os ensinamentos estoicos
106	Nascimento de Cícero

100	Diótimo forja cartas de Epicuro
95	Nascimento de Catão, o jovem
88-86	Começo da Primeira Guerra Mitridática; cerco de Sula a Atenas, dispersando as escolas filosóficas mais importantes
	Filão de Lárissa torna-se professor de Cícero em Roma
86	Primeiro livro de Cícero, *De inventione* [Sobre a criação retórica], é terminado
79	Cícero visita Rodes, onde estuda com Posidônio pela primeira vez
78	Cícero visita Rutílio Rufo em Esmirna; Rutílio morre pouco depois
74	Nascimento de Atenodoro Cananita, um professor estoico de Otaviano, próximo a Tarso, Cilícia
70	Nascimento de Pórcia Catão
	Nascimento de Ário Dídimo (?)
60	O mestre estoico Diódoto morre na casa de Cícero, deixando a ele seus bens
56	Cícero completa *Sobre o orador* (*De oratore*)
55	Cícero se "deleita na biblioteca de Fausto Sula" próximo a sua mansão em Cumas, parte dos espólios de guerra do cerco de Sula a Atenas, contendo, entre outros trabalhos, a biblioteca de Aristóteles
54	Cícero começa *Da República* (*De Re Publica*); publicado em 51 a.C.

51	Morte de Posidônio; Cícero começa *Das leis* (*De Legibus*)
46	Suicídio de Catão em Útica, Cartago; Cícero e Bruto escrevem elegias; Cícero escreve *Paradoxos estoicos*
45	Cícero escreve *Sobre o luto e a consolação* (*Consolatio*) e *Hortensius* (hoje perdido), *Acadêmicas* e *Do sumo bem e do sumo mal*
45-44	Cícero escreve *Discussões tusculanas* e *A natureza dos deuses*
44	Cícero escreve *Catão, o velho*, ou *Diálogo sobre a velhice*, (*De Divinatione*) *Sobre a adivinhação*, *Sobre o Destino*, *Tópicos*, *Da amizade*, *Dos deveres* (seu último livro)
	Atenodoro Cananita chega a Roma com o jovem Otaviano
43	Morte de Cícero por ordem de Marco Antônio
40-35	Filodemo morre em Herculano, deixando sua biblioteca na Vila de Pisão
31	Otaviano derrota Marco Antônio e Cleópatra em Áccio
30	**Otaviano adentra Alexandria com Ário Dídimo**
27	Otaviano torna-se Augusto, o primeiro imperador romano
c. 4	**Nascimento de Sêneca em Corduba (atual Córdoba), sul da Espanha**

D.C.

10	Morte de Ário Dídimo
c. 20	Nascimento de Caio Musônio Rufo em Volsínios, Etrúria
c. 35	Nascimento de Eufrates de Tiro
37	Morte de Tibério, sucedido por Calígula
	Nascimento de Nero
c. 40	Nascimento de Dião Crisóstomo em Bursa, Bitínia
41	Morte de Calígula; sucedido por Cláudio
	Sêneca é exilado para a Córsega por Cláudio
49	**Sêneca é trazido da Córsega para ser tutor de Nero**
50	**Cornuto começa a ensinar em Roma, e entre seus alunos estão Lucano e Pérsio**
c. 52	São Paulo comparece à corte diante do irmão de Sêneca, Gálio (Atos 18: 12-17)
	Antes ou depois dessa data, Paulo profere seu sermão no Areópago, no qual se refere ao *Hino a Zeus* de Cleantes
54	Morte de Cláudio; sucedido por Nero
55	**Nascimento de Epicteto em Hierápolis, Frígia**
60-62	**Caio Rubélio Plauto é enviado por Nero para o exílio na Síria, acompanhado por Musônio Rufo**
61	Nascimento de Plínio, o jovem, em Como, Itália

62	**Plauto é executado na Síria pelas tropas de Nero; Musônio Rufo retorna a Roma**
62-65	**Sêneca se retira da vida da corte e começa seu último período de escrita, quando escreve suas *Cartas a Lucílio***
64	Grande Incêndio de Roma
65	**Sêneca comete suicídio por ordem de Nero**
65-68	**Musônio Rufo é banido por Nero para a ilha de Giaros**
66	**Morte de Trásea Peto**
68-69	Nero comete suicídio com auxílio de Epafrodito; sucedido por Galba
	Musônio Rufo retorna a Roma sob o domínio de Galba
69	Ano dos Quatro Imperadores; Vespasiano se consolida no poder
71	Vespasiano bane todos os filósofos de Roma, exceto Musônio Rufo por um tempo
75	**Vespasiano exila e mata Helvídio Prisco; Musônio Rufo retorna à Síria**
78	**Musônio Rufo retorna a Roma com o apoio de Tito**
79	Morte de Vespasiano; sucedido por Tito
	Erupção do Vesúvio, testemunhada por Plínio, o jovem, então com dezoito anos
81	Morte de Tito; sucedido por Domiciano

LINHA DO TEMPO DOS ESTOICOS E DO MUNDO GRECO-ROMANO

	Plínio, o jovem, serve como oficial do Estado-Maior na 3ª Legião Gallica na Síria e depois escreve sobre seu tempo lá com Eufrates
85	**Epicteto, já aluno de Musônio Rufo, é libertado por Epafrodito, secretário pessoal de Nero; começa uma escola própria em Roma**
86	**Nascimento de Arriano, o historiador e estudante estoico de Epicteto que registrou seus ensinamentos, em Nicomédia, Bitínia**
93	**Domiciano bane filósofos de Roma, entre os quais Epicteto, que transfere sua escola para Nicópolis**
95	Domiciano mata Epafrodito por sua participação na morte de Nero
96	Morte de Domiciano; sucedido por Nerva
98	Morte de Nerva; sucedido por Trajano
100	**Nascimento de Júnio Rústico, neto de Aruleno Rústico e mentor estoico de Marco Aurélio**
101	**Morte de Musônio Rufo (?)**
107-11	**Arriano frequenta as palestras de Epicteto em Nicópolis e registra então o que viriam a se tornar *Discursos* e *Manual***
112-13	Morte de Plínio, o jovem, em Bitínia
117	Morte de Trajano; sucedido por Adriano
118	**Eufrates de Tiro comete suicídio ao tomar veneno, com a bênção de Adriano**

120	Hiérocles floresce, compondo seus *Círculos* por volta dessa época
121	Nascimento de Marco Aurélio em Roma, em 26 de abril
135	Morte de Epicteto
131-137	Arriano é nomeado governador da Capadócia por Adriano
138	Morte de Adriano; sucedido por Antonino Pio, pai adotivo de Marco Aurélio
161	Morte de Antonino Pio; sucedido por Marco Aurélio
165	Execução de Justino Mártir por julgamento de Júnio Rústico
170	Morte de Júnio Rústico
176	Marco Aurélio restabelece as quatro cadeiras de filosofia em Atenas
180	Morte de Marco Aurélio em Vindabona, em 17 de março
197	Em Cartago, Tertuliano elogia em *Apologético* a teologia de Cleantes e o fato de Marco Aurélio ser "um protetor" dos cristãos
c. 200	Sexto Empírico e Alexandre de Afrodísia escrevem polêmicas contra o estoicismo Clemente de Alexandria escreve sobre posições filosóficas do estoicismo em seu *Stromata* Diógenes Laércio começa os estudos que vão produzir seu *Vidas e doutrinas dos filósofos ilustres*

FONTES E LEITURA ADICIONAL

PRINCIPAIS TEXTOS ESTOICOS E HISTÓRICOS

ANNAS, Julia (ed.). *Cicero: On Moral Ends*. Cambridge: Cambridge University Press, 2001. Contém uma introdução e uma linha do tempo muito úteis sobre as obras de Cícero.

DYCK, Andrew R. *A Commentary on Cicero, De Officiis*. Ann Arbor: University of Michigan Press, 1996.

GRAVER, Margaret. *Cicero on the Emotions*: Tusculan Disputations 3 and 4. Chicago: University of Chicago Press, 2002.

KIDD, I. G. *Posidonius*: The Commentary. vol. 2. Cambridge: Cambridge University Press, 1988.

———. *Posidonius*: The Translation of the Fragments. vol. 3. Cambridge: Cambridge University Press, 1999.

LAÉRCIO, Diógenes. *Lives of the Eminent Philosophers*. Tradução: MENSCH, Pamela. Organiz.: MILLER, James. Oxford: Oxford University Press, 2018. Não apenas é uma tradução estupenda, mas a coletânea de ensaios é maravilhosa.

LOEB CLASSICAL LIBRARY. Cambridge, MA: Harvard University Press. Inclui importantes fontes de trabalho doxográficas e históricas, tais como Diógenes Laércio, Plutarco, Tácito, Suetônio, Dião Cássio, Ateneu, Aulo Gélio, *Historia Augusta* e outros, junto a Cícero e vários dos primeiros textos estoicos de Sêneca, Epicteto e Marco Aurélio. Disponível em: <www.loebclassics.com>. Acesso em: 16 abr. 2021.

LONG, A. A. (org.; trad.). *How to Be Free: An Ancient Guide to the Stoic Life*, Epictetus' *Encheiridion* and Selections from Discourses. Princeton, NJ: Princeton University Press, 2018.

———.; SEDLEY, D. N. *The Hellenistic Philosophers*. Cambridge: Cambridge University Press, 1987. 2 vol.

LUTZ, Cora E. *Musonius Rufus: The Roman Socrates*. Yale Classical Studies, vol. 10. New Haven, CT: Yale University Press, 1947. Essa coletânea das palestras e dos fragmentos de Musônio foi relançada sem o texto em grego de Otto Hense, sob o título *That One Should Disdain Hardships: The Teachings of a Roman Stoic*, com introdução de Gretchen Reydams-Schils. New Haven, CT: Yale University Press, 2020.

POMEROY, A. *Arius Didymus: Epitome of Stoic Ethics*. Atlanta: Society of Biblical Literature, 1999.

POSIDÔNIO. *The Fragments*. vol. 1. Org: EDELSTEIN, Ludwig; KIDD, I. G. 2 ed. Cambridge: Cambridge University Press, 1989.

RAMELLI, I. *Hierocles the Stoic: Elements of Ethics, Fragments and Excerpts*. Atlanta: Society of Biblical Literature, 2009.

SÊNECA. *Letters on Ethics*. Tradução e comentários: GRAVER, Margaret; LONG A. A. Chicago: University of Chicago Press, 2015.

THOM, Johan C. *Cleanthes' Hymn to Zeus*. Coleção "Studies and Texts in Antiquity and Christianity", n. 33. Tübingen: Mohr Siebeck, 2005.

VON ARNIM, Hans. *Stoicorum Veterum Fragmenta*. Leipzig: Teubner, 1903-5. Reimpresso em quatro volumes por Wipf & Stock, Eugene, Óregon, Estados Unidos.

FONTES E LEITURA ADICIONAL

CONTEXTO HISTÓRICO E INTELECTUAL

ADAMS, G. W. *Marcus Aurelius in the Historia Augusta and Beyond*. Nova York: Lexington Books, 2013.

ALGRA, K.; BARNES, J.; MANSFELD, J.; SCHOFIELD, M. (orgs.). *The Cambridge History of Hellenistic Philosophy*. Cambridge: Cambridge University Press, 1999.

ARENA, Valentina. *Libertas and the Practice of Politics in the Late Roman Republic*. Cambridge: Cambridge University Press, 2012.

ASTIN, A. E. *Scipio Aemilianus*. Oxford: Oxford University Press, 1967.

BARNES, Jonathan. *Mantissa: Essays in Ancient Philosophy*. vol. 4. Org.: Maddalena Bonelli. Oxford: Clarendon Press, 2015.

BARRETT, Anthony A. *Agrippina: Sex, Power, and Politics in the Early Empire*. New Haven, CT: Yale University Press, 1996.

BARTSCH, Shadi; SCHIESARO, Alessandro (orgs.). *The Cambridge Companion to Seneca*. Cambridge: Cambridge University Press, 2015.

BERTHOLD, Richard M. *Rhodes in the Hellenistic Age*. Ithaca, NY: Cornell University Press, 2009.

BILLOWS, Richard A. *Antigonos the One-Eyed and the Creation of the Hellenistic State*. Berkeley: University of California Press, 1990.

BIRLEY, A. R. *Marcus Aurelius: A Biography*. Londres: Routledge, 2002.

BRANHAM, R. Bract; GOULET-CAZÉ, Marie-Odile. *The Cynics: The Cynic Movement in Antiquity and Its Legacy*. Berkeley: University of California Press, 1996.

DAVIES, Malcolm. "The Hero at the Crossroads: Prodicus and the Choice of Heracles". *Prometheus*, vol. 39, n. 1. 9 set. 2013. 3-17.

DAWSON, Doyne. *Cities of the Gods: Communist Utopias in Greek Thought*. Oxford: Oxford University Press, 1992.

DRINKWATER, John F. *Nero: Emperor and Court*. Cambridge: Cambridge University Press, 2019.

EVERITT, Anthony. *Cicero: The Life and Times of Rome's Greatest Politician*. Nova York: Random House, 2003.

GARLAND, R. *The Piraeus: From the Fifth to the First Century B.C.* Londres: Bristol Classical Press, 1987.

GILL, C. *The Structured Self in Hellenistic and Roman Thought*. Oxford: Oxford University Press, 2006.

GOODMAN, Rob; SONI, Jimmy. *Rome's Last Citizen: The Life and Legacy of Cato, Mortal Enemy of Caesar*. Nova York: Thomas Dunne, 2014.

GRANT, Michael. *The Antonines: The Roman Empire in Transition*. Londres: Routledge, 1994.

GREEN, Peter. *Alexander to Actium: The Historical Evolution of the Hellenistic Age*. Berkeley: University of California Press, 1990.

GRIFFIN, Miriam; BARNES, Jonathan (orgs.). *Philosophia Togata I: Essays on Philosophy and Roman Society*. Oxford: Clarendon Press, 1996.

HASKELL, H. J. *This Was Cicero: Modern Politics in a Roman Toga*. Nova York: Alfred A. Knopf, 1942.

LAFFRANQUE, Marie. *Poseidonios D'Apamée*. Presses Universitaires de France, 1964.

LAVERY, Gerard. "Cicero's Philarchia and Marius". *Greece & Rome*, vol. 18, n. 2. out. 1971. 133-42.

MILLAR, Fergus. *The Roman Near East: 31 BC–AD 337*. Cambridge, MA: Harvard University Press, 1993.

MITCHISON, Naomi. *The Blood of the Martyrs*. Edimburgo: Canongate, 1988. Publicado originalmente em1939.

MORFORD, Mark. *The Roman Philosophers: From the Time of Cato the Censor to the Death of Marcus Aurelius*. Londres: Routledge, 2002.

NUSSBAUM, M. *The Therapy of Desire*. Princeton, NJ: Princeton University Press, 1994.

QUINN, Josephine C. *In Search of the Phoenicians*. Princeton, NJ: Princeton University Press, 2018.

RAVEN, James (org.). *Lost Libraries: The Destruction of Great Book Collections Since Antiquity*. Londres: Palgrave Macmillan, 2004. Em particular, o capítulo 3, "Aristotle's Peripatetic Library", de T. Keith Dix.

RAWSON, Elizabeth. *Cicero: A Portrait*. Londres: Bristol Classical Press, 1994. Publicado originalmente em 1975.

———. *Intellectual Life in the Late Roman Republic*. Londres: Duckworth, 2013. Publicado originalmente em 1985.

ROMM, James S. *Dying Every Day: Seneca at the Court of Nero*. Nova York: Alfred A. Knopf, 2014.

SEDLEY, David. "Philodemus and the Decentralisation of Philosophy". *Cronache Ercolanesi*, 33. 2003. 31-41.

SMITH, William (org.). *A Dictionary of Greek and Roman Biography and Mythology*. Londres: I. B. Tauris, 2007. 3 vol. Publicado originalmente em 1849.

———. *A Dictionary of Greek and Roman Antiquities*. Cambridge: Cambridge University Press, 2013. 2 vol. Publicado originalmente em 1842.

STRIKER, G. *Essays on Hellenistic Epistemology and Ethics*. Cambridge: Cambridge University Press, 1996.

WILLIAMS, Gareth D.; VOLK, Katherina. *Roman Reflections: Studies in Latin Philosophy*. Oxford: Oxford University Press, 2015.

WILSON, Emily. *The Greatest Empire: A Life of Seneca*. Nova York: Oxford University Press, 2014.

WOOLMER, Mark. *A Short History of the Phoenicians*. Londres: I. B. Tauris, 2017.

OBRAS SOBRE O ESTOICISMO

BOBZIEN, Susanne. *Determinism and Freedom in Stoic Philosophy*. Oxford: Clarendon Press, 2001.

BRENNAN, T. *The Stoic Life*. Oxford: Oxford University Press, 2005.

BRUNT, P. A. *Studies in Stoicism*. Org.: GRIFFIN, Miriam; SAMUELS, Alison. Oxford: Oxford University Press, 2013.

COLISH, Marcia L. *The Stoic Tradition from Antiquity to the Early Middle Ages*. Stoicism in Classical Latin Literature, vol. 1. Holanda: E. J. Brill, 1985.

———. *The Stoic Tradition from Antiquity to the Early Middle Ages*. Stoicism in Christian Latin Thought Through the Sixth Century, vol. 2. Holanda: E. J. Brill, 1985.

EDELSTEIN, Ludwig. *The Meaning of Stoicism*. Martin Classical Lectures, vol. XXI. Cambridge, MA: Harvard University Press, 1966.

ENGBERG-PEDERSEN, T. *Paul and the Stoics*. Louisville, KY: Westminster John Knox Press, 2000.

ERSKINE, Andrew. *The Hellenistic Stoa: Political Thought and Action*. Ithaca: Cornell University Press, 1990.

GOULD, Josiah B. *The Philosophy of Chrysippus*. Albany: State University of New York Press, 1970.

GRAVER, Margaret. *Stoicism and Emotion*. Chicago: University of Chicago Press, 2007.

HADOT, P. *The Inner Citadel: The Meditations of Marcus Aurelius*. Tradução: Michael Chase. Cambridge, MA: Harvard University Press, 1998.

HAHM, David E. "Posidonius' Theory of Historical Causation". *Aufstieg und Niedergang der Romischen Welt*, tomo II, vol. 36, parte 3, pp. 1325-63. Berlim: De Gruyter, 1989.

———. "Diogenes Laertius VII: On the Stoics". *Aufstieg und Niedergang der Romischen Welt*, tomo II, vol. 36, parte 6, pp. 4076-182, índice pp. 4404-11. Berlim: De Gruyter, 1992.

IERODIAKOOU, Katerina. *Topics in Stoic Philosophy*. Oxford: Oxford University Press, 1999.

INWOOD, B. *The Cambridge Companion to the Stoics*. Cambridge: Cambridge University Press, 2003.

JACKSON-MCCABE, Matt. "The Stoic Theory of Implanted Preconceptions". *Phronesis*, vol. 49, n. 4. jan. 2004. 323-47.

JEDAN, Christophe. *Stoic Virtues: Chrysippus and the Religious Character of Stoic Ethics*. Londres: Continuum, 2009.

KLEIN, Jacob. "The Stoic Argument from Oikeiōsis". *Oxford Studies in Ancient Philosophy*, vol. 50. 2016. 143-200.

LONG, A. A. *Hellenistic Philosophy: Stoics, Epicureans, Skeptics*. 2 ed. Londres: Duckworth, 1986.

———. *Problems in Stoicism*. Londres: Continuum, 2000.

———. *Stoic Studies*. Berkeley: University of California Press, 2001.

———. *From Epicurus to Epictetus: Studies in Hellenistic and Roman Philosophy*. Oxford: Oxford University Press, 2006.

———. *Greek Models of Mind and Self*. Cambridge, MA: Harvard University Press, 2015.

LONG, A. G. (org.). *Plato and the Stoics*. Cambridge: Cambridge University Press, 2013.

MEIJER, P. A. *Stoic Theology: Proofs for the Existence of the Cosmic God and of the Traditional Gods*. Holanda: Eburon, 2007.

MOTTO, Anna Lydia. *Seneca Sourcebook: Guide to the Thought of Lucius Annaeus Seneca*. Amsterdã: Adolf M. Hakkert, 1970.

NEWMAN, Robert J. "Cotidie Meditare: Theory and Practice of the Meditation in Imperial Stoicism". *Aufstieg und Niedergang der Romischen Welt*, tomo II, vol. 36, parte 3. Berlim: De Gruyter, 1989.

OBBINK, Dirk.; WAERDT, Paul A. Vander. "Diogenes of Babylon: The Stoic Sage in the City of Fools". *Greek, Roman, and Byzantine Studies*, vol. 32, n. 4. 1991. 355-96.

PAPAZIAN, Michael. "The Ontological Argument of Diogenes of Babylon". *Phronesis*, vol. 52, n. 2. 2007. 188-209.

REYDAMS-SCHILS, Gretchen. *The Roman Stoics: Self, Responsibility, and Affection*. Chicago: University of Chicago Press, 2005.

———. "Philosophy and Education in Stoicism of the Roman Imperial Era". *Oxford Review of Education*, vol. 36, n. 5. 2010. 561-74.

ROBERTSON, Donald. *How to Think Like a Roman Emperor: The Stoic Philosophy of Marcus Aurelius*. Nova York: St. Martin's Press, 2019.

SAMBURSKY, Samuel. *The Physics of the Stoics*. Londres: Routledge, 1959.

SANDBACH, F. H. *The Stoics*. 2 ed. Londres: Duckworth, 1994.

SCALTSAS, Theodore; MASON, Andrew S. (orgs.). *The Philosophy of Epictetus*. Oxford: Oxford University Press, 2007.

SCHOFIELD, M. *The Stoic Idea of the City*. Chicago: University of Chicago Press, 1999.

SCHOFIELD, M.; STRIKER, G. (orgs.). *The Norms of Nature*. Cambridge: Cambridge University Press, 1986.

SELLARS, J. *Stoicism*. Berkeley e Durham: University of California Press and Acumen, RU, 2006.

———. "Stoic Cosmopolitanism and Zeno's 'Republic'". *History of Political Thought*, vol. 28, n. 1. 2007. 1-29.

———. *The Art of Living: The Stoics on the Nature and Function of Philosophy*. Londres: Bloomsbury, 2013.

———. *Hellenistic Philosophy*. Oxford: Oxford University Press, 2018.

SORABJI, Richard. *Emotion and Peace of Mind: From Stoic Agitation to Christian Temptation*. Oxford: Oxford University Press, 2000.

STAR, Christopher. *The Empire of the Self: Self-Command and Political Speech in Seneca and Petronius*. Baltimore: Johns Hopkins University Press, 2012.

STEPHENS, W. O. *Epictetus and Happiness as Freedom*. Londres: Continuum, 2007.

VALANTASIS, Richard. "Musonius Rufus and Roman Ascetical Theory". *Greek, Roman, and Byzantine Studies*, vol. 40. 2001.

WEISS, Robin. *The Stoics and the Practical: A Roman Reply to Aristotle*. 2013. Tese de doutorado. DePaul College of Liberal Arts and Social Sciences, tese 143. Disponível em: <http://via.library.depaul.edu/etd/143>. Acesso em: 16 abr. 2021.

ÍNDICE DOS ESTOICOS

Número de páginas em negrito se referem a capítulos exclusivos.

Agripino, Pacônio (fl. 67 d.C.), 224-229, 259, 261, 269, 270, 313, 336, 368, 370
Antípatro de Tarso (m. 129 a.C.), 96-105, 92, 94, 108, 110, 113, 117, 119-120, 139, 154, 158, 160, 172, 210, 250, 324, 380-381
Antípatro de Tiro (m. 50 a.C.), 180
Apolônides, o estoico (fl. 46 a.C.), 195
Ário Dídimo (75 a.C. – 10 d.C.), 214-223, 38, 240-241, 245, 248, 346, 381-383
Aristocreonte (fl. 210 a.C.), 67-68, 75
Aríston de Quios (Aríston, o ousado, "a sereia"; 306 – 240 a.C.), 50-62, 44, 68-71, 73, 75, 80, 86-87, 92, 94, 110, 168, 185, 228, 362, 377, 378
Arquedemos de Tarso (fl. 140 a.C.), 324, 380
Arriano (86 – 160 d.C.), 324-325, 330, 385, 386
Átalo (fl. 25 d.C.), 232-234, 236, 240, 249, 256-257, 262
Atenodoro Cananita (74 a.C. – 7 d.C.), 208-213, 216, 217-218, 221, 222, 223, 240-241, 248, 250, 265, 381, 382

Bareia Sorano (m. 65 – 66 d.C.), 282, 303
Blóssio, Caio (m. 129 a.C.), 104, 113, 165, 380
Bruto, Marco Júnio (85 – 42 a.C.), 151, 168, 170-171, 200-207, 210, 255, 286, 287, 295, 325, 382

Cano, Júlio (fl. 30 d.C.), 236-237

Catão, o jovem (Marco Pórcio Cato; 95 – 46 a.C.), 176-197, 12, 89, 130, 156-157, 163, 165, 167, 170, 173, 200, 203, 205, 209-210, 228, 232, 241, 248, 259, 261, 266, 273, 274, 275, 276, 277, 278, 282, 293, 309, 324, 336, 368, 372, 373, 381, 382
Céler, Públio Inácio (fl. 70 d.C.), 302-303
Cícero (designação de estoico honorário; 106 – 43 a.C.), 152-175, 13, 17, 55, 57, 69, 90, 92, 93, 94, 103, 105, 110, 114, 118-119, 124, 128, 129, 130, 141, 183-185, 186-187, 188, 192, 200, 203, 204-205, 206, 209, 210, 217, 231-232, 241, 248, 252, 255, 267, 274, 293, 301, 372, 373, 380, 381, 382, 383
Cleantes de Assos (330 – 230 a.C.), 34-49, 51-52, 56, 57, 60, 61, 67-69, 70-73, 74, 79, 80, 81, 99, 101, 110-111, 135, 160, 178, 238, 247, 295n, 296, 315-316, 362, 368, 370, 376, 378, 379, 383, 386
Cornuto, Lúcio Aneu (20 – 68 d.C.), 258-262, 383
Crates de Malos (fl. 168 a.C.), 107-108, 109, 379
Crates de Tebas (365 – 285 a.C.), 25-26, 28, 29, 30, 32, 36, 375, 376
Crisipo de Sólis (279 – 206 a.C.), 64-77, 13, 57, 61, 79-81, 86-87, 90-91, 99, 101, 110, 116, 144, 148, 155, 260, 261, 337, 351, 354, 362, 368, 370, 371, 373, 377, 378, 379

Diódoto (m. 60 a.C.), 153, 160-161, 162, 381
Diógenes da Babilônia (230 – 142 a.C.), 84-94, 81, 97, 100, 102, 103-104, 107-108, 109, 110, 138, 165, 172, 178, 185, 186-187, 379, 380
Dionísio, o renegado (330 – 250 a.C.), 68
Dioscórides de Tarso (fl. 225 a.C.), 79-80
Diótimo (fl. 100 a.C.), 146-151, 12, 170, 381

Epicteto (55 – 135 d.C.), 308-326, 13, 47, 59, 74, 117, 226, 227-228, 229, 278n, 279, 289-290, 301, 305-306, 330, 331, 345-346, 351, 368, 369, 370, 371, 372, 373, 383, 385, 386
Esfero (285 – 210 a.C.), 378, 379
Eufrates de Tiro (35 – 118 d.C.), 383, 385

Fania (fl. 55 – 65 d.C.), 286

Helvídio Prisco (25 – 75 d.C.), 284-291, 278-279, 306, 384
Hérilo da Calcedônia (fl. 250 a.C.), 68-69
Hiérocles (fl. 120 d.C.), 386

Lélio, Caio Sapiente (fl. 140 a.C.), 108
Lucílio (fl. 65 d.C.), 52, 252, 254, 256, 384

ÍNDICE DOS ESTOICOS

Marco Aurélio (121 – 180 d.C.), **340-364**, 13-14, 17-18, 61-62, 91-92, 103, 111, 115-116, 117, 131, 140, 148-149, 160, 205, 219, 223, 278n, 290, 293, 310n, 318, 322, 324, 329, 330-332, 336-337, 338, 368, 369, 371, 385, 386
Musônio Rufo (20 – 101 d.C.), **292-307**, 200, 267, 269, 313-315, 320, 358-359, 368, 369, 383, 384, 385

Panécio de Rodes (185 – 109 a.C.), **106-120**, 123, 128, 136, 138, 140, 141, 154, 165, 172, 210, 218, 222, 309, 351, 379, 380
Perseu de Cítio (306 – 243 a.C.), 377, 378
Pérsio (34 – 62 d.C.), 260, 383
Plauto, Caio Rubélio (33 – 62 d.C.), **264-270**, 281, 282, 297, 383, 384
Pórcia Catão (70 – 42 a.C.), **198-207**, 217, 274, 295, 368, 381
Posidônio de Apameia (135 – 51 a.C.), **134-145**, 147, 150, 153, 154, 156, 162, 164, 165, 166, 172, 178, 210, 309, 354, 380, 381, 382

Rústico, Aruleno (35 – 93 d.C.), 278, 280, 302, 305-306, 329-330, 336, 385
Rústico, Júnio (100 – 170 d.C.), **328-339**, 278n, 324, 345, 353, 355, 368, 385, 386
Rutílio Rufo, Públio (158 – 78 a.C.), **122-132**, 109, 118, 138, 140, 165, 170, 173, 180, 191-192, 200, 262, 274, 278, 287, 369, 379, 380, 381

Sêneca, Lúcio Aneu (Sêneca, o jovem; 4 a.C. – 65 d.C.), **230-257**, 11, 12, 15, 16, 17-18, 47, 48, 52, 69, 130, 137, 140, 150, 156-157, 165, 169, 191, 193, 212-213, 222, 223, 227-228, 261-262, 266, 267, 268, 269-270, 273, 274, 275, 276, 277, 279, 280, 281, 286, 293, 297, 309, 310, 313, 331-332, 335, 346, 351, 368, 370, 372-373, 382, 383, 384
Sexto (fl. 45 a.C.), 233-234

Trásea Peto (14 – 66 d.C.), **272-282**, 16, 255, 262, 270, 286-288, 293, 299, 302, 305-306, 309, 329, 336, 368, 369, 373, 384

Zenão de Cítio (334 – 262 a.C.), **20-32**, 13, 35, 36, 38-46, 51-57, 59, 60-61, 67, 68, 70n, 72, 74, 76, 80, 87, 90, 91, 99, 101, 110, 112, 119, 131, 135, 144, 154n, 160, 164, 168, 170, 186, 220-221, 244, 259, 273, 315, 316, 337, 351, 354, 367, 368, 369-370, 372, 373, 376, 377, 378
Zenão de Tarso (m. 190 – 180 a.C.), **78-82**, 86, 87, 259, 379

1ª edição	AGOSTO DE 2021
reimpressão	MARÇO DE 2023
impressão	CROMOSETE
papel de miolo	PÓLEN NATURAL 70G/M²
papel de capa	CARTÃO SUPREMO ALTA ALVURA 250G/M²
tipografia	FAIRFIELD